Duizend dagen in Venetië

Van Marlena de Blasi zijn eveneens verschenen

Duizend dagen in Toscane
Vrouwe van het palazzo

Marlena de Blasi

Duizend dagen in Venetië

Culinaire herinneringen met recepten

SIRENE

Oorspronkelijke titel *A thousand days in Venice: an unexpected romance*
Published by arrangement with Algonquin Books of Chapel Hill, a division of Workman Publishing Company, New York

Vertaald door Lucy van Rooijen en Henja Schneider (recepten)
Omslagontwerp Mariska Cock
Foto voorzijde omslag Corbis
Foto achterzijde omslag © Fernando de Blasi
Uitgave in Sirene juli 2007

www.sirene.nl
www.culinairememoires.nl

ISBN 978 90 5831 456 7
NUR 302 / 440

Voor de dochter van Walton Amos, Virginia Anderson Amos,
die is opgegroeid tot een prachtige vrouw vol gratie en liefde, en
van wie ik de eer heb haar mijn lieve vriendin te noemen

en
voor C.D., Lisa en Erich
mijn eerste geliefden voor altijd

en
voor de Venetiaan met de bosbeskleurige ogen
die heeft gewacht

Inhoud

Proloog – Venetië, 1989 9

1 Signora, er is telefoon voor u 13
2 Er ligt een Venetiaan bij me in bed 25
3 En waarom zou ik niet aan de rand van een Adriatische lagune gaan wonen met een Venetiaan met bosbeskleurige ogen? 39
4 Is het jou ooit overkomen? 50
5 Savonarola had hier kunnen wonen 61
6 Als ik Venetië een uur aan jou kon geven, dan zou het dit uur zijn 69
7 Dat weldadige moment vlak voor rijpheid 84
8 Iedereen vindt het belangrijk hoe anderen over hem denken 93
9 Snap je dat dit de mooiste tomaten op aarde zijn? 106
10 Ik ken een vrouw, ik ken een man 122
11 Ah, *cara mia*, in Italië kan alles in zes maanden veranderen 131
12 Een witwollen jurk, afgezet met dertig centimeter Mongools lamsbont 142
13 Daar komt de bruid 155
14 Ik wilde je alleen maar verrassen 167
15 Meneer Kwikzilver is terug 189
16 Tien rode kaartjes 206
17 Gerechten voor een Venetiaan 217

Dankwoord 234
Receptenindex 237

Proloog

VENETIË, 1989

Lang nadat de trein zijn stal in Santa Lucia binnenzoeft zit ik nog op mijn plek. Ik doe een vers laagje robijnrood op mijn lippen, trek een blauwvilten cloche tot aan mijn wenkbrauwen en probeer mijn rok glad te strijken. Even denk ik aan wat ik de taxichauffeur in Rome eerder die ochtend heb wijsgemaakt. Hij had gevraagd: ‘Ma dove vai in questo giorno cosí splendido? *Maar waar gaat u op zo'n prachtige dag naartoe?*’

‘Ik heb een rendez-vous in Venetië,’ had ik geheimzinnig gezegd, omdat ik wist dat dat idee hem wel zou aanspreken.

Terwijl hij keek hoe ik mijn bolle, zwarte koffer met het ene kapotte wieltje achter me aan de boogvormige stationsdeuren binnentrok, had hij me een kushandje toegeworpen en geroepen: ‘Porta un mio abbraccio a la bella Venezia. *Neem een omhelzing van me mee naar het mooie Venetië.*’

Zelfs een Romeinse taxichauffeur is verliefd op Venetië. Iedereen is verliefd op haar. Iedereen behalve ik. Ik ben nog nooit in Venetië geweest, omdat ik nooit echt de behoefte heb gehad om door al die iriserende loomheid ervan te dwalen. Toch is het misschien waar wat ik tegen de taxichauffeur heb gezegd. Gek genoeg gedraag ik me echt als een vrouw die op weg is naar een afspraakje. Maar nu ik er dan eindelijk ben, zou ik willen dat ik de Oude Dame van Byzantium weer kon afwijzen.

Ik stap uit de inmiddels lege trein en sleep mijn koffer het perron op, waarbij ik het rotwieltje een aanmoedigende trap geef, en been door de hectiek van het station, tussen verkopers door die watertaxi's en hotels aanprijzen, reizigers in de benarde ogenblikken van aankomst en vertrek. De deuren zijn open en ik stap het vochtige, roze licht in, een wijd uitlopende trap met brede, lage treden af. Beneden in het kanaal ligt het fonkelende water te schitteren. Ik weet niet waar ik kijken moet. Het mythische Venetië bestaat echt en ontrolt zich voor mijn ogen. Met hun strooien hoed en gestreepte T-shirt zijn de gondolieri een standbeeld van zichzelf, verankerd in de boeg van glanzende zwarte boten onder een ronde gele zon. Daar links ligt de Brug van de Ongeschoeiden en aan de andere kant van het water lonkt de fraaie voorgevel van de San Simeone Piccolo. Heel Venetië is aan flarden gescheurd, weer aan elkaar genaaid, pijnlijk mooi, en als een betoverende vrouw ontwapent ze me, beneemt ze me de adem.

Ik wacht op de vaporetto, de waterbus, lijn 1, en ga aan boord van een boot die pian, piano de gracht afvaart met veertien haltes tussen het station en San Zaccaria, bij het Piazza San Marco. Ik prop mijn tas in de grote berg bagage op het dek en baan me een weg naar de voorsteven, in de hoop dat ik buiten kan blijven. De bankjes zijn bezet, op een paar centimeter na waar de tas van een Japanse dame staat. Ik glimlach, zij haalt haar Fendi weg en ik vaar in een stevige bries de ontzagwekkende hoofdweg af. Gek eigenlijk om nu te bedenken dat deze boot mijn gebruikelijke transportmiddel zou worden, dat dit water de dagelijkse route van huis zou zijn om sla te kopen, een trouwjurk te zoeken, naar de tandarts te gaan, een kaars op te steken in een kerk van duizend jaar oud.

Langs de riva wankelen de paleizen, broze byzantijnse en gotische façades, de renaissance- en barokgevels allemaal droevig op een rij, elk stevig tegen de volgende aangeleund. Des te beter om geheimen te verdoezelen, denk ik. Als we de Ponte di Rialto naderen, de halte die het dichtst bij mijn hotel ligt, ben ik er nog niet aan toe om van boord te gaan. Ik blijf zitten tot San Zaccaria en loop de steiger af naar de campanile, de klokkentoren. Ik blijf even wachten om te luisteren naar het luiden van la Marangona, de oudste klokken van de San Marco waarvan de plechtige bas vijftien eeuwen lang het begin en eind van de werkdag van Venetiaanse ambachtslieden heeft geluid. Ooit *waarschuwde hij als er een vijand naderde, begroette koningen op staatsbezoek en luidde als er een doge was overleden. Er zijn mensen die zeggen dat hij alleen maar luidt als hij dat zelf wil, dat als je in Venetië aankomt en zijn grootse, voorname gegalm klinkt, dat bewijst dat je een Venetiaanse ziel hebt, dat de oude klok zich jou herinnert van een vorige keer. Toen een vriend me dit verhaal jaren geleden vertelde vroeg ik hem hoe je ooit kon weten voor wie de klok luidde als er op elk willekeurig moment zeshonderd mensen voorbijlopen. 'Maak je niet druk,' zei hij. 'Hij zal nooit voor jou luiden.'*

Als ik voor de toren sta zwijgt La Marangona inderdaad. Ik kijk niet naar de basiliek die daar achter mij staat. Ik loop niet die paar meter het grote piazza op. Ik ben er nog niet klaar voor. Waarvoor niet? Ik zeg bij mezelf dat je gewoon niet verfomfaaid, vastgeklonken aan een aftandse koffer kunt binnenlopen in wat wel wordt geprezen als de mooiste salon ter wereld. Ik draai me om, neem de volgende boot richting station en stap uit bij Rialto. Waarom gaat mijn hart toch zo tekeer? Zelfs nu ik word aangetrokken door Venetië, wantrouw ik haar.

1
Signora, er is telefoon voor u

De kleine ruimte zit vol Duitse toeristen, een paar Engelsen en een of twee tafeltjes met Venetianen. Het is 6 november 1993 en ik ben die ochtend aangekomen in Venetië, met twee vrienden in mijn kielzog. We zitten zachtjes met elkaar te praten en Amarone te nippen. Er gaat wat tijd voorbij en het restaurant stroomt leeg, maar ik zie dat één tafeltje, het verst bij ons vandaan, bezet blijft. Ik ben me ervan bewust dat een van de vier mannen die daar zitten met een milde blik naar me zit te staren, zonder opdringerig te zijn. Ik breng mijn schouders wat naar voren, over mijn wijn heen, en vermijd het om rechtstreeks naar de man te kijken. Al snel gaan de heren weg en zitten alleen wij drieën er nog. Er gaan een paar minuten voorbij en dan komt de ober om te zeggen dat er telefoon voor me is. We moeten onze vrienden nog vertellen dat we zijn aangekomen, en als er al iemand weet dat we in Venetië zijn, dan zouden ze met geen mogelijkheid kunnen weten dat we bij Vino Vino zitten te lunchen. Ik zeg tegen de ober dat hij zich vergist. 'Nee, signora. *Il telefono è per Lei*,' houdt hij vol.

'*Pronto*,' zeg ik in de oude, oranje muurtelefoon die ruikt naar rook en aftershave.

'*Pronto*. Is het mogelijk u morgen op hetzelfde tijdstip te ontmoeten? Het is heel belangrijk voor me,' zegt een lage, vastberaden stem die ik nooit eerder heb gehoord, in het Italiaans.

In de korte stilte die daarop volgt dringt het op de een of andere manier tot me door dat hij een van de mannen is die net zijn weggegaan uit het restaurant. Hoewel ik heel goed begrijp wat hij zonet zei, kan ik geen antwoord geven in het Italiaans. Ik mompel een linguïstieke mengelmoes in de geest van: '*No, grazie.* Ik weet niet eens wie u bent,' en denk bij mezelf dat ik zijn stem heel mooi vind.

De volgende dag besluiten we terug te gaan naar Vino Vino, omdat het vlak bij ons hotel ligt. Ik denk niet aan de man met de mooie stem. Maar hij is er, en ditmaal heeft hij zijn collega's niet bij zich en lijkt hij niet zo'n klein beetje op Peter Sellers. We glimlachen naar elkaar. Ik ga bij mijn vrienden zitten, en omdat hij blijkbaar niet precies weet hoe hij ons moet benaderen draait hij zich om en gaat naar buiten. Er gaan een paar tellen voorbij voordat dezelfde ober, die nu voelt dat hij deel uitmaakt van iets heel groots, op me afkomt en me recht in de ogen kijkt: '*Signora, il telefono è per Lei.*' Er volgt een herhaling van wat gisteren gebeurde.

Ik loop naar de telefoon, en de prachtige stem zegt in zorgvuldig ingestudeerd Engels, misschien vanuit de gedachte dat het zijn taal was die ik gisteren niet begreep: 'Is het mogelijk u morgen te treffen, alleen?'

'Ik denk het niet,' stamel ik, 'ik denk dat ik naar Napels ga.'

'O,' is het enige wat de prachtige stem kan uitbrengen.

'Het spijt me,' zeg ik en hang op.

De volgende dag gaan we niet naar Napels en de dag daarna ook niet, maar voor de lunch gaan we wel naar hetzelfde restaurant, en telkens is Peter Sellers er. Geen enkele keer richten we het woord rechtstreeks tot elkaar. Elke keer belt hij op. En elke keer zeg ik dat ik hem niet kan ontmoeten. Op de vijfde dag, een vrijdag, onze laatste hele dag in Venetië, zit ik met mijn vrienden in Café Florian onder het genot van Prosecco en kopjes bittere, dikke chocolademelk met een scheut Grand Marnier de rest van onze reis uit te stippelen. We besluiten niet te gaan lunchen maar onze eetlust te bewaren voor een afscheidsetentje in Harry's Bar. Op de terugweg naar het hotel komen we langs Vino Vino, en daar zit Peter Sellers, met zijn neus tegen het raam. Een verdwaald kind. In de *calle* blijven we even staan en mijn vriendin Silvia zegt: 'Ga nou naar binnen en maak een praatje met hem. Hij heeft zo'n lief gezicht. We zien je wel in het hotel.'

Ik ga naast het lieve gezicht met de prachtige stem zitten en we drinken een glas wijn. We zeggen niet veel, iets over de regen geloof ik, en waarom ik die dag niet ben komen lunchen. Hij vertelt me dat hij manager is van de Banca Commerciale Italiana in de buurt, dat het laat is en dat hij de enige sleutels heeft om de kluis open te doen voor de zaken van die middag. Het valt me op dat het lieve gezicht met de mooie stem prachtige handen heeft. Zijn handen trillen als hij zijn spullen bij elkaar pakt om weg te gaan. We spreken af om elkaar die avond om halfzeven te treffen, daar, op dezelfde plek. '*Proprio qui*, op precies dezelfde plek,' blijft hij maar herhalen.

Met een raar gevoel loop ik naar het hotel en rommel de hele middag wat op mijn kamertje, maar half genietend van mijn traditie om in bed Thomas Mann te lezen. Zelfs na al die jaren dat ik in Venetië kom is elke middag een ritueel. Vlakbij op het nachtkastje zet ik een of ander heerlijk gebakje of een paar koekjes of, als ik tijdens de lunch niet genoeg heb gegeten, misschien één krokante *panino*, die bij de *bottega* aan de andere kant van de brug bij mijn Pensione dell'Accademia door Lino is opengesneden en volgestopt met *prosciutto*, en daarna in slagerspapier is verpakt. Ik prop het donzen dekbed onder mijn armen en sla mijn boek open. Maar vandaag lees ik en lees ik toch ook weer niet eèn uur lang dezelfde pagina. En er komt al helemaal niets van het tweede deel van het ritueel, dat ik buiten ga ronddwalen om de beelden te zien die Mann heeft gezien, de stenen aan te raken die hij heeft aangeraakt. Vandaag kan ik alleen maar aan *hem* denken.

Die avond verandert de aanhoudende regen in noodweer, maar ik ben vastbesloten de Venetiaan te ontmoeten. Het water van de lagune spat omhoog en loopt in grote bruisende plassen over de *riva*, en het Piazza is een meer van zwart water. De wind lijkt de adem van furiën. Ik weet de warme veiligheid van de bar van Hotel Monaco te bereiken, maar verder kom ik niet. Op nog geen paar honderd meter van Vino Vino ben ik zo dichtbij, maar kan ik niet dichterbij komen. Ik ga naar de balie en vraag om een telefoonboek, maar de wijnbar staat er niet in. Ik probeer *assistenza* te bellen, maar het inlichtingennummer 143 kan niets vinden. Het afspraakje valt letterlijk in het water en ik kan met geen mogelijkheid in contact komen met Peter Sellers. Het moest gewoon niet zo zijn. Ik ga terug naar de bar van het hotel, waar een ober, Paolo, mijn doorweekte schoenen volpropt met kranten en ze bij een verwarming zet met hetzelfde ceremonieel als waarmee een ander de kroonjuwelen zou opbergen. Ik ken Paolo al sinds mijn eerste reis naar Venetië, vier jaar eerder. Ongedurig zit ik op kousenvoeten met een kop thee op de vochtige plooien van mijn rok, waaruit de wollige geur van natte lammetjes opstijgt, en zie hoe hevige, knetterende bliksem de wolken doorklieft. Ik denk terug aan mijn allereerste bezoek aan Venetië. Mijn hemel, wat had ik me tegen die reis verzet! Ik was een paar dagen in Rome geweest en had er willen blijven. Maar daar zat ik dan, ineengedoken in een tweedeklastrein, op weg naar het noorden.

'Gaat u naar Venetië?' vraagt een klein stemmetje in aarzelend Italiaans, waarmee het mijn Romeinse halfdroom verstoort.

Ik doe mijn ogen open en kijk uit het raam, en zie dat we Tiburtina zijn binnengereden. Twee jonge Duitse vrouwen met roze gezichten zwiepen hun grote rugzak in het bagagerek en laten hun eigen omvangrijke gestalte neerploffen op de bank tegenover me.

'Ja,' antwoord ik eindelijk, in het Engels, tegen een plekje ergens tussen hen in.

'Voor het eerst,' zeg ik.

Ze zijn ernstig, verlegen, lezen braaf de Lorenzettigids van

Venetië en drinken bronwater in de hete, bedompte trein die met horten en stoten door het vlakke Romeinse platteland rijdt, de Umbrische heuvels in. Ik doe mijn ogen weer dicht en probeer mijn plekje te vinden in het leven aan de Via Giulia, waar ik kamers had genomen op de bovenste verdieping. Ik ga terug naar het begin van de droom in het okerroze palazzo tegenover de Hongaarse Kunstacademie. Ik had besloten dat ik elke vrijdag een kom vol pens zou gaan eten bij Da Felice in Testaccio. Ik zou elke ochtend boodschappen doen op de Campo dei Fiori. In het Ghetto zou ik een taverna voor twintig personen openen, één grote tafel waar de winkeliers en ambachtslieden de heerlijke gerechten zouden komen eten die ik voor ze zou bereiden. Ik zou een Corsicaanse prins nemen als minnaar. Zijn huid zou ruiken naar oranjebloesem en hij zou net zo arm zijn als ik, en we zouden langs de Tiber wandelen en langzaamaan wegsukkelen. Als ik de prachtige trekken van het gezicht van de prins begin samen te stellen, vraagt het stemmetje van de indringster: 'Waarom gaat u naar Venetië? Hebt u daar vrienden?'

'Nee. Geen vrienden,' zeg ik tegen haar. 'Ik denk omdat ik er nog nooit ben geweest, omdat ik vind dat ik er moet zijn geweest,' zeg ik meer tegen mezelf dan tegen haar. Ik ben het gezicht van de prins hopeloos kwijt, dus vraag ik meteen terug: 'En waarom gaan jullie naar Venetië?'

'Voor de romantiek,' zegt de nieuwsgierige heel eenvoudig.

Voor mij is de realiteit heel wat prozaïscher. Ik ga naar Venetië omdat ik erheen ben gestuurd, om aantekeningen te maken voor een reeks artikelen. Vijfentwintighonderd woorden over de bacari, traditionele Venetiaanse wijnbars, nog eens vijfentwintighonderd over het feit dat de stad langzaam wegzinkt in de lagune, en een recensie van dure restaurants. Ik was liever in Rome gebleven. Ik wil terug naar mijn smalle groene houten bed in het rare kamertje daarboven op de vierde verdieping van Hotel Adriano. Ik wil er slapen, om te worden gewekt door glinsterend zonlicht dat door de kieren in de luiken wordt gefilterd. Ik vind het prettig hoe mijn hart klopt in Rome, dat ik sneller *kan lopen en beter kan zien. Ik vind het prettig dat ik me thuis voel als ik dwaal door haar eeuwenoude trance van list en bedrog. Ik vind het prettig dat ik van haar heb geleerd om maar een vonkje te zijn, een amper waarneembaar, vluchtig opgloeien. En ik vind het prettig dat ik tijdens de lunch, met de gebakken artisjokken nog in mijn mond, alweer moet denken aan het avondeten. En tijdens het avondeten herinner ik me de perziken die naast mijn bed in een kom koud water liggen te wachten. Bijna zie ik de trekken van het gezicht van de prins weer voor me als de trein met een ruk over de Ponte della Libertà rijdt. Ik doe mijn ogen open en zie de lagune.*

Toen had ik me nooit kunnen voorstellen hoe liefdevol deze betoverende oude prinses me zou opnemen in haar gevolg, hoe ze zou wervelen en dansen zoals alleen zij dat kan, hoe ze 's ochtends zou uitbarsten in goudkleurig licht, de avond zou doordrenken met de blauwachtige nevel van een droomtoestand. Ik glimlach naar Paolo, een glimlach van ingewijden, een veelzeggende stilte. Hij blijft in de buurt en houdt mijn theepot gevuld.

Het is pas na halftwaalf als de storm gaat liggen. Ik trek schoenen aan die hard zijn opgedroogd in de vorm van de opgepropte kranten. Met een vochtige hoed op nog vochtige haren in een nog vochtige jas maak ik me op voor de wandeling terug naar het hotel. Er tintelt iets in me, komt sidderend naar voren in mijn bewustzijn. Ik probeer me te herinneren of ik de Venetiaan heb verteld waar we logeerden. Wat gebeurt er met me? Met mij, de onverstoorbare? *Ook al word ik aangetrokken door Venetië, toch wantrouw ik haar.*

Blijkbaar heb ik hem inderdaad de naam van ons hotel gegeven, want ik vind een berg roze briefjes onder mijn deur. Van zeven uur tot middernacht had hij elk halfuur gebeld; de laatste boodschap was dat hij de volgende dag om twaalf uur in de lobby op me zou wachten, precies op het moment dat we naar het vliegveld zouden vertrekken.

Die ochtend schijnt de eerste zon die we tijdens dat verblijf in Venetië te zien krijgen. Ik schuif mijn raam open, een glasheldere, milde dag tegemoet, alsof het een verontschuldiging is voor al die stortbuien van de avond daarvoor. Ik trek een zwartfluwelen legging en een coltrui aan en ga naar beneden om kennis te maken met Peter Sellers, zodat ik hem in de ogen kan kijken en kan ontdekken waarom een man die ik nauwelijks ken me zo van de wijs brengt. Ik weet trouwens niet hoe ik veel over hem te weten moet komen, omdat hij geen Engels lijkt te spreken en het enige duidelijke gesprek dat ik in het Italiaans gaande kan houden over eten gaat. Ik ben wat te vroeg, dus haal ik buiten een frisse neus en merk dat ik precies op tijd ben om hem de Ponte delle Maravegie te zien oversteken: regenjas, sigaret, krant, paraplu. Ik zie hem voordat hij mij ziet. En wat ik zie en voel bevalt me.

'*Stai scappando?* Probeer je te ontsnappen?' vraagt hij.

'Nee. Ik kwam jou tegemoet,' zeg ik, voornamelijk met mijn handen.

Ik had tegen mijn vrienden gezegd dat ze moesten wachten, dat het een halfuur, hooguit een uur later zou worden. Voor onze vlucht van drie uur naar Napels zouden we nog tijd genoeg hebben om een watertaxi te nemen naar het Marco Polo-vliegveld en in te checken. Ik kijk naar hem. Voor het eerst kijk ik eens goed naar de Venetiaan. Het enige wat ik zie is het blauw van zijn ogen. Ze hebben dezelfde kleur die de lucht en het water vandaag hebben, en als de kleine, paarsblauwe besjes die volgens mij *mirtilli* worden genoemd. Hij is verlegen en vertrouwelijk tegelijk en we wandelen wat rond, zonder duidelijke bestemming. Op de Ponte dell'Accademia blijven we even staan. Hij laat telkens zijn krant vallen, en als hij zich bukt om hem op te rapen steekt hij de punt van zijn paraplu in de hordes mensen die achter ons langs schuifelen. Dan, met de krant onder de ene en de paraplu onder de andere arm, de gevaarlijke punt nog steeds een obstakel voor de wandelaars, slaat hij op zijn borstzakken, zijn broekzakken, op zoek naar lucifers. Hij vindt de lucifers en begint dan op dezelfde manier een nieuwe sigaret te zoeken, nadat de vorige vantussen zijn lippen in het water is gevallen. Hij is écht net Peter Sellers.

Hij vraagt of ik weleens heb nagedacht over het lot en of ik geloof dat er zoiets bestaat als *vero amore*, ware liefde. Hij kijkt langs me heen over het water en praat schijnbaar lange tijd in een hees soort gestamel, en meer tegen zichzelf dan tegen mij. Ik begrijp maar weinig woorden, behalve de paar laatste, *una volta nella vita*, één keer in je leven. Hij kijkt me aan alsof hij me wil kussen en ik geloof dat ik hem ook wil kussen, maar ik weet dat de krant en de paraplu dan in het water zullen vallen, en bovendien zijn we te oud om romantisch te doen. Daar zijn we toch te oud voor? Ik had hem ook vast willen kussen als hij geen bosbeskleurige ogen had gehad. Ik had hem vast ook willen kussen als hij eruitzag als een saaie nieuwslezer. Het is de plek, het uitzicht vanaf deze brug, deze lucht, dit licht. Ik vraag me af of ik hem had willen kussen als ik hem in Napels had ontmoet. We nemen een ijsje bij Paolin aan de Campo Santo Stefano, en gaan aan de voorste rij tafeltjes in de zon zitten.

'Wat vind je van Venetië?' wil hij weten. 'Dit is niet je eerste bezoek hier,' zegt hij, alsof hij een intern dossier over al mijn Europese gangen doorbladert.

'Nee, nee, dit is niet mijn eerste keer. Ik kom hier sinds de lente van 1989, iets van vier jaar geleden,' zeg ik opgewekt tegen hem.

'1989? Kom je al vier jaar in Venetië?' vraagt hij. Hij steekt vier vingers op alsof ik te veel mompelde toen ik *quattro* zei.

'Ja,' zeg ik. 'Wat is daar zo vreemd aan?'

'Dat ik je pas in december heb gezien. Afgelopen december. 11 december 1992,' zegt hij, alsof hij mijn dossier wat beter bekijkt.

'Wat?' vraag ik een beetje verbluft, terwijl ik teruggraaf tot de vorige winter en uitreken van wanneer tot wanneer ik hier voor het laatst ben geweest. Ja, ik was op 2 december in Venetië aangekomen en toen op de avond van de elfde naar Milaan gevlogen. Maar dan nog heeft hij me vast aangezien voor een andere vrouw, en ik sta op het punt om hem dat te vertellen, maar hij gaat al helemaal op in zijn verhaal.

'Je liep over het Piazza San Marco; het was even na vijf uur 's middags. Je had een lange witte jas aan, heel lang, tot op je enkels, en je haar was opgestoken, net als nu. Je stond in de etalage van Missiaglia te kijken, en je was samen met een man. Hij kwam niet uit Venetië, ik had hem tenminste nooit gezien. Wie was dat?' vroeg hij stijfjes.

Voordat ik ook maar een letter kan zeggen, vraagt hij: 'Was het je geliefde?'

Ik weet dat hij niet wil dat ik antwoord geef, dus doe ik dat niet. Hij praat nu sneller, en steeds vaker mis ik woorden en zinnen. Ik vraag of hij me kan aankijken en of hij alsjeblieft langzamer wil praten. Hij past zich aan. 'Ik heb je alleen maar van de zijkant gezien, en ik bleef naar je toe lopen. Een paar meter bij jou vandaan ben ik blijven staan en nam ik je in me op. Ik bleef daar staan totdat je met die man het piazza afliep naar de kade.' Hij illustreert zijn woorden met brede gebaren van zijn handen, zijn vingers. Zijn ogen kijken me dwingend aan.

'Ik begon je te volgen, maar stopte omdat ik geen idee had wat ik moest doen als ik oog in oog met je zou komen te staan. Ik bedoel, wat moest ik tegen je zeggen? Hoe kon ik een manier vinden om je te spreken? Dus liet ik je gaan. Dat doe ik altijd, weet je, ik laat de dingen gewoon gaan. De volgende dag en de dag daarna heb ik naar je uitgekeken, maar ik wist dat je was vertrokken. Had ik je maar ergens alleen zien lopen, dan had ik je staande kunnen houden en kunnen doen alsof ik dacht dat je iemand anders was. Nee, ik zou tegen je zeggen dat ik je jas zo mooi vond. Maar goed, ik heb je niet meer teruggezien, dus zorgde ik dat je in mijn gedachten bleef. Al die maanden probeerde ik me voor te stellen wie je was, waar je vandaan kwam. Ik wilde horen hoe je stem klonk. Ik was heel jaloers op de man die bij je was,' zei hij langzaam. 'En toen ik laatst bij Vino Vino zat en je je zo draaide dat je profiel net zichtbaar was onder al dat haar, realiseerde ik me dat jij het was. De vrouw in de witte jas. Dus ik heb op je gewacht. Op de een of andere manier hou ik van je, heb ik echt van je gehouden sinds die middag op het piazza.'

Ik heb nog steeds geen woord gezegd.

'Dat probeerde ik je zonet op de brug te vertellen, over het lot en ware liefde. Ik ben verliefd op je geworden, niet op het eerste gezicht, want daar zag ik maar een stukje van. Bij mij was het liefde op het halve gezicht. Dat was genoeg. En als je denkt dat ik gek ben, dan kan dat me niets schelen.'

~

'Is het goed als ik iets zeg?' vraag ik hem zachtjes en zonder een idee te hebben wat ik tegen hem wil zeggen. Zijn ogen zijn nu diepblauwe bliksemstralen die me veel te diep doorboren. Ik kijk naar beneden, en als ik weer opkijk staan zijn ogen milder. Ik hoor mezelf zeggen: 'Het is een prachtig geschenk, dit verhaal dat je me vertelt. Maar dat je me zag en je mij herinnerde en dat je me toen een jaar later weer zag is niet zo'n wereldschokkende gebeurtenis. Venetië is een heel kleine stad, en het is niet onwaarschijnlijk dat je dezelfde mensen telkens weer tegenkomt. Ik denk niet dat onze ontmoeting een of andere daverende klap van het lot is. En trouwens, hoe kun je nou verliefd zijn op een profiel? Ik ben niet alleen maar een profiel; ik heb dijen en ellebogen en hersenen. Ik ben een vrouw. Ik denk dat dit allemaal maar toeval is, een heel roerend toeval,' zeg ik tegen de bosbeskleurige ogen, waarmee ik zijn onschuldige getuigenis netjes gladstrijk, alsof het een kwak brooddeeg is.

'*Non è una coincidenza.* Dit is geen toeval. Ik ben verliefd op je, en het spijt me als dat je in verlegenheid brengt.'

'Het is geen verlegenheid die ik voel. Ik snap het alleen niet. Nog niet.' Terwijl ik dit zeg wil ik hem naar me toe trekken, van me afduwen.

'Ga niet vandaag weg. Blijf nog een poosje. Blijf bij me,' zegt hij.

'Als er iets tussen ons gebeurt, wat dan ook, dan zal daar niets aan veranderen als ik vandaag wegga. We kunnen elkaar schrijven, spreken. Ik kom terug in de lente, en we kunnen plannen maken.' In mijn woorden klinkt onmacht door, waarna ze bijna helemaal verzanden. Roerloos als een fries zitten we daar aan de rand van het zaterdagstumult op de *campo*. Er gaat lange tijd in stilte voorbij voordat we overeind komen. Zonder op een rekening te wachten laat hij lires achter op de tafel, onder het glazen schoteltje van zijn onaangeroerde aardbeienijsje dat in stroompjes op de biljetten loopt.

Mijn gezicht gloeit en ik ben verward, totaal van de wijs door een emotie die ik niet thuis kan brengen en die akelig veel weg heeft van paniek, maar ook niet wars is van blijdschap. Waren mijn oude Venetiaanse vermoedens dan niet ongegrond? Heeft het oude voorgevoel zich ontpopt tot deze man? Is dit *het* rendez-vous? Ik voel me aangetrokken tot de Venetiaan. Ik wantrouw de Venetiaan. *Ook al voel ik me aangetrokken tot Venetië, toch wantrouw ik haar*. Zijn Venetië en hij hetzelfde? Zou hij mijn Corsicaanse prins kunnen zijn, vermomd als bankdirecteur? Waarom kan het lot zichzelf niet aankondigen, een twaalfkoppige ezel zijn, een paarse broek aan hebben of zelfs een naambordje dragen? Het enige wat ik weet is dat ik niet verliefd word, niet op het eerste en ook niet op het halve gezicht, niet op slag en ook niet na verloop van tijd. Mijn hart is stram geworden door het oude struikgewas dat het al zo lang verborgen houdt. Zo denk ik tenminste over mezelf.

We wandelen via de Campo Manin naar San Luca, en hebben het over koetjes en kalfjes. Midden onder het lopen blijf ik staan. Hij staat ook stil, en slaat zijn armen om me heen. Hij houdt mij vast. Ik hou hem vast.

Als we van de Bacino Orséolo het Piazza San Marco op lopen, luidt la Marangona vijf keer. Dit is hem, denk ik. Hij is de twaalfkoppige ezel in de paarse broek! Hij is het lot en de klokken herkennen me alleen maar als ik bij hem ben. Nee, dat is onzin. Menopauzegebazel.

Er zijn vijf uren verstreken sinds ik uit het hotel ben vertrokken. Ik bel mijn vrienden die er nog steeds zitten te wachten, en beloof met mijn hand op mijn hart dat ik ze met mijn bagage direct op het vliegveld zal treffen. De laatste vlucht naar Napels vertrekt om tien voor halfacht. Het Canal Grande is onwaarschijnlijk leeg, bevrijd van de gebruikelijke kluwen bootjes en gondels en *sandoli*, zodat de *tassista* kan racen, zijn taxi kan laten slingeren, met harde klappen op het water kan doen belanden. Peter Sellers en ik staan buiten in de wind en varen een ondergaande, donkerrode zon tegemoet. Ik haal een zilveren flacon uit mijn tas en een piepklein, dun glaasje uit een fluwelen zakje. Ik schenk cognac in en we nippen er samen van. Weer kijkt hij alsof hij me gaat kussen, en ditmaal doet hij het – slapen, oogleden, voordat hij mijn mond vindt. We zijn niet te oud.

Bij gebrek aan betere amuletten wisselen we nummers en visitekaartjes en adressen uit. Hij vraagt of hij later die week misschien naar ons toe mag komen, waar we ook zijn. Dat lijkt me geen goed idee, zeg ik tegen hem. Zo goed en zo kwaad als ik kan geef ik hem onze route, zodat we elkaar af en toe goedemorgen of welterusten kunnen wensen. Hij vraagt wanneer ik weer naar huis ga, en dat vertel ik hem.

2
Er ligt een Venetiaan bij me in bed

Achttien dagen later, en nog maar twee dagen nadat ik voet aan de grond heb gezet in de Verenigde Staten, komt Fernando aan in Saint Louis, zijn allereerste reis naar Amerika. Bevend, lijkbleek, komt hij de gate uitlopen. Op JFK had hij zijn aansluiting gemist omdat hij niet snel genoeg een afstand had overbrugd die breder is dan het Lido, het eiland net buiten Venetië waar hij woont. Sinds zijn tiende was de vlucht verreweg de langste tijdspanne waarin hij geen sigaret had gehad. Hij neemt de bloemen aan die ik hem geef en we gaan samen naar huis, alsof we dat altijd al hebben gedaan en dat altijd zullen doen.

Met zijn jas en handschoenen en sjaal nog aan loopt hij zachtjes door het huis, alsof hij iets probeert te herkennen. Geschokt dat de Sub-Zero een ijskast is doet hij een van de deuren open, in de verwachting een klerenkast aan te treffen. '*Ma è grandissimo*,' zegt hij vol bewondering.

'Heb je trek?' vraag ik en begin te rommelen in de keuken. Hij ziet een klein mandje tagliatelle staan die ik die middag heb uitgerold en gesneden.

'Hebben jullie in Amerika ook verse pasta?' vraagt hij, alsof dat net zoiets zou zijn als wanneer je een piramide zag in Kentucky.

Ik laat het bad voor hem vollopen, net zoals ik voor mijn kind of een oude geliefde zou hebben gedaan, en giet er sandelhoutolie in, steek kaarsen aan, leg handdoeken en zeep en shampoo op een tafeltje ernaast. Ik zet een klein glaasje Tio Pepe neer. Na beangstigend lange tijd slentert hij de woonkamer binnen, zijn natte haar glad achterover gekamd. Hij draagt een ouderwetse donkergroene wollen kamerjas met één versleten zak waar een pakje sigaretten uitsteekt. Hij heeft bordeauxrode geruite kousen opgetrokken tot over zijn knokige knieën, zijn voeten zijn in grote, suède pantoffels gestoken. Ik zeg tegen hem dat hij op Rudolf Valentino lijkt. Dat bevalt hem. Ik heb de lage tafel voor de haard in de woonkamer voor ons gedekt. Ik geef hem een glas rode wijn aan en we gaan allebei op een kussen zitten. Ook dat bevalt hem. En zo dineer ik met de Venetiaan.

Er is een ovale witte schaal met gesmoorde prei in crème fraîche, besprenkeld met wodka, bubbelend, met een goudkleurig korstje van Emmenthaler en Parmezaanse kaas. Omdat ik niet weet wat prei is in het Italiaans moet ik het opzoeken in mijn woordenboek. 'Ah, *porri*,' zegt hij. 'Ik hou niet van *porri*.' Vlug wapper ik met de bladzijden en doe alsof ik me heb vergist.

'Nee, het is geen *porri*; dit zijn *scallogni*,' maak ik de Venetiaan wijs.

'Dat heb ik nog nooit gehad,' zegt hij en neemt een hapje. De Venetiaan blijkt prei heel erg lekker te vinden, zolang het maar sjalot wordt genoemd. Dan is er de tagliatelle, smalle gele linten in een saus van geroosterde walnoten. Het voelt vertrouwd en vreemd tegelijk. We glimlachen meer dan dat we praten. Ik probeer hem iets over mijn werk te vertellen, dat ik journaliste ben, dat ik voornamelijk schrijf over eten en wijn. Ik vertel hem dat ik kok ben. Hij knikt toegeeflijk maar lijkt niet echt onder de indruk te zijn van mijn kwalificaties. Blijkbaar stelt hij zich tevreden met zwijgen. Ik heb een dessert dat ik in geen jaren heb gemaakt, een taart van brooddeeg, blauwe pruimen en bruine suiker die er grappig uitziet. De dikke zwarte sappen van de vruchten, vermengd met de gekarameliseerde suiker, zorgen voor een fijne, zoetige damp. We zetten de taart tussen ons in en eten uit de gehavende oude vorm waarin ik hem heb gebakken. Hij lepelt het laatste beetje pruimenstroop op en we drinken het bodempje wijn. Hij staat op en komt naar mijn kant van de tafel. Hij gaat naast me zitten, kijkt me recht in het gezicht en draait het dan voorzichtig een stukje naar rechts, met zijn hand onder mijn kin. '*Si, questa è la mia faccia*,' zegt hij fluisterend tegen me. 'Ja, dit is mijn gezichtje. En nu wens ik met jou mee naar je bed te gaan.' Hij spreekt de woorden langzaam en duidelijk uit, alsof hij ze heeft geoefend.

Als hij slaapt ligt zijn wang tegen mijn schouder, een arm om mijn middel geklemd. Ik lig wakker en streel zijn haar. Er ligt een Venetiaan bij me in bed, zeg ik bijna hoorbaar. Ik druk mijn mond op zijn hoofd en herinner me de opdracht die mijn uitgever me zo veel jaar geleden zo bits had gegeven: 'Ga twee weken naar Venetië en neem drie hoofdartikelen mee terug. We sturen wel een fotograaf vanuit Rome,' had ze gezegd, zonder gedag te zeggen. Waarom hebben we elkaar op die eerste reis niet gevonden? Waarschijnlijk omdat mijn uitgever me nooit opdracht heeft gegeven om terug te komen met een Venetiaan. En hier ligt hij dan te slapen, een Venetiaan met lange, dunne benen. Maar nu moet ik ook slapen. Slaap nou, zeg ik tegen mezelf. Maar ik slaap niet. Hoe kan ik nou slapen? Ik moet eraan denken dat ik altijd wat terughoudend ben geweest ten opzichte van Venetië. Ik had altijd wel een manier gevonden om haar op afstand te houden. Eén keer was ik bijna doorgereden tot het water dat haar omgeeft, tijdens een tochtje over de *autostrada* van Bergamo naar Verona en door naar Padua, toen ik op nog geen dertig kilometer afstand mijn witte Fiatje zuidwaarts wendde, richting Bologna. Toch heb ik altijd naarstig gezocht naar redenen om terug te keren toen mijn aanvankelijke antipathie na mijn eerste Venetiëreizen was verdwenen; ik smeekte om schrijfopdrachten waarvoor ik er in de buurt moest zijn, en graasde de reisbijlages af op zoek naar het juiste, goedkope ticket.

Afgelopen lente was ik vanuit Californië naar Saint Louis in Missouri verhuisd, waar ik twee maanden op een kamer woonde terwijl de laatste dingen aan het huis werden opgeknapt en het kleine cafeetje werd geopend. In juni had het leven vaste vorm aangenomen: het café, elke week een restaurant recenseren voor de *Riverfront Times*, een dagelijkse route door mijn nieuwe stad uitstippelen. Toch begon de reislust weer in me op te borrelen. Omdat ik me in de eerste dagen van november alweer onrustig begon te voelen was ik met mijn vrienden Silvia en Harold vertrokken, terug naar de honingzoete armen van Venetië. Ik had nooit gedacht dat ik onderweg was naar deze honingzoete armen, bedenk ik terwijl ik dichter tegen de Venetiaan aankruip.

~

’s Ochtends maken we er een gewoonte van om bij de schouw in de keuken te gaan zitten, tegenover elkaar in de roestbruine fluwelen oorstoelen, elk met een tweetalig woordenboek in de hand, een vol, stomend mokkapotje, een piepklein kannetje room en een bord scones met boter voor ons op tafel. Aldus voorzien vertellen we over ons leven.

‘Ik probeer steeds om me belangrijke dingen te herinneren die ik je moet vertellen. Je weet wel, over mijn jeugd, toen ik jong was. Ik denk dat ik het prototype Jan met de pet ben. In films zouden ze mij de rol geven van de man die het meisje niet kon krijgen.’ Er spreekt geen zelfmedelijden of schaamte uit zijn zelfbeeld.

‘Kun jij je je dromen herinneren?’ wil hij op een ochtend weten.

‘Bedoel je de dromen die ik ’s nachts heb?’

‘Nee. Je dagdromen. Wat je dacht dat je wilde? Hoe je dacht dat je zou worden?’ zegt hij.

‘Natuurlijk. Er zijn er een heleboel uitgekomen. Ik wilde kinderen hebben. Dat was mijn eerste grote droom. Nadat ze waren geboren gingen mijn meeste dromen over hen. En toen ze ouder werden begon ik een beetje anders te dromen.

Maar zoveel van mijn dromen zijn ook echt uitgekomen. Ze komen nog steeds uit. Ik weet de dromen nog die in rook opgingen. Ik kan ze me stuk voor stuk herinneren, en er komen altijd weer nieuwe bij. En jij?'

'Nee. Niet zoveel. En tot nog toe steeds minder. Toen ik opgroeide dacht ik altijd dat dromen net zoiets was als zondigen. In mijn jeugd gingen de preken van priesters en leraren, van mijn vader, over logica, verstand, normen en waarden, eer. Ik wilde piloot worden en saxofoon spelen. Ik ging op kostschool toen ik twaalf was, en geloof maar niet dat het eenvoudig is om te dromen als je bij de jezuïeten zit. Als ik naar huis ging, en dat was niet zo vaak, stonden de zaken er daar ook somber voor. De jeugd en vooral de puberteit waren aanstootgevende fases waar bijna iedereen me doorheen probeerde te jagen.'

Hij praat heel snel, en ik moet telkens vragen of hij langzamer kan praten, dit of dat woord kan uitleggen. Ik zit nog bij de jezuïeten en de saxofoon als hij al zegt dat *la mia adolescenza è stata veramente triste e dura.*

Hij denkt dat volume de oplossing is voor mijn beperkte bevattingsvermogen, dus haalt hij adem als een tenor op leeftijd en zijn stem stijgt tot gebulder. 'Het was de wens van mijn vader dat ik snel *sistemato*, gesetteld zou zijn, een baan, een veilige weg zou vinden en die braaf zou blijven bewandelen. Al vroeg leerde ik willen wat hij wilde. En in de loop van de tijd kwamen er steeds meer lagen nauwelijks doorzichtig verband over mijn ogen, over mijn dromen.'

'Wacht even,' smeek ik terwijl ik snel blader in een poging het woord *cerotti* te vinden, verband. 'Wat was er met je ogen gebeurd? Waarom zaten ze in het verband?' wil ik weten.

'*Not letteralmente.* Niet letterlijk,' brult hij. Hij is ongeduldig. Ik ben een sukkel die na twaalf uur samenleven met een Italiaan zijn op hol geslagen verbeelding nog niet kan volgen. Hij voegt een derde dimensie toe om zijn verhaal duidelijk te maken. Hij komt overeind. Hij hijst zijn kousen over zijn gerimpelde knieën, trekt zijn kamerjas recht, bindt een theedoek voor zijn ogen en gluurt over het randje. De Venetiaan combineert snelheid en volume met theater. Nu moet het lukken. Hij vertelt verder. 'En weer later merkte ik bijna niets meer van het gewicht van het verband, de belemmering ervan. Soms kneep ik mijn ogen samen en keek ik onder het gaas door om te kijken of ik bij daglicht nog steeds een glimp van mijn oude dromen kon opvangen. Soms kon ik ze zien. Meestal was het wel zo makkelijk om weer terug te gaan onder het verband. Tot nu toe tenminste,' zegt hij zachtjes; de voorstelling is afgelopen.

Misschien is hij de man die het meisje alleen maar kreeg als het Tess of the D'Urbervilles of Anna Karenina was. Of misschien wel Edith Piaff, denk ik. Hij is zo in- en intriest, denk ik weer. En hij wil het voortdurend over 'tijd' hebben.

Als ik hem vraag waarom hij zo vlug de zee was overgestoken, zegt hij dat hij het zat was om te wachten.

'Je was het zat om te wachten? Je kwam twee dagen nadat ik weer thuis was,' help ik hem herinneren.

'Nee. Ik bedoel dat ik het zat was om te wáchten. Ik zie nu in dat ik mijn tijd heb verspild. Het leven is deze *conto*, rekening,' zegt de bankier in hem. 'Het is een onbekend aantal dagen waarvan je er maar één kostbare per keer mag opnemen. Je kunt ze niet op een aparte rekening zetten.' Deze allegorie biedt een prachtige kans voor nog meer bravoure van de Venetiaan. 'Ik heb er zoveel gebruikt om te slapen. Stuk voor stuk heb ik vooral gewacht tot ze voorbij waren. Het komt vaak genoeg voor dat iemand een veilig plekje opzoekt om ze uit te zitten. Telkens wanneer ik de dingen ging onderzoeken, ging nadenken over wat ik voelde, wat ik wilde, was er niets dat me raakte, belangrijker was dan iets anders. Ik ben lui geweest. Het leven ontrolde zich en ik sjokte *sempre due passi indrieto*, altijd twee stappen erachteraan. *Fatalità*, het lot. Lekker makkelijk. Geen risico's. Alles is de fout of verdienste van een ander. Dus nu ga ik niet meer wachten,' zegt hij, alsof hij het heeft tegen iemand die ver weg in de coulissen staat.

Als het mijn beurt is, begin ik hem te vertellen over de een of andere mijlpaal: onze verhuizing van New York naar Californië, verhalen over mijn kortstondige, afgrijselijke klusjes op het Culinary Institute of America in Hyde Park, over dat ik op mijn maag naar de meest afgelegen streken van Frankrijk en Italië afreisde om een perfect gerecht en perfecte wijn te vinden. Alles klinkt als een doopceel, en na een kleine reeks relazen weet ik dat het voor het heden allemaal niets uitmaakt, dat alles wat ik tot op deze minuut heb gedaan en ben geweest een aanloop was. Zelfs in deze eerste dagen samen is het heel duidelijk dat mijn gevoel voor de Venetiaan alle andere avonturen in mijn leven in zijn schaduw stelt. Alles en iedereen waarvan ik dacht dat ik er afstand van nam of me er op richtte staat erdoor op zijn kop. Van Fernando houden is alsof alles één keer flink door elkaar wordt geschud, zodat ik alle patronen doorzie die me vroeger dwarszaten en soms ronduit kwelden. Ik wil niet pretenderen dat ik iets begrijp van deze gevoelens, maar ik ben bereid het onverklaarbare te laten voor wat het is. Het lijkt erop dat ik mijn eigen geërfde verband had. Onvoorstelbaar hoe een man die tederheid in zich heeft het voor elkaar kan krijgen dat een hart zich openstelt.

Hij gaat elke ochtend met me mee naar het café, helpt met de tweede bakronde, hakt rozemarijn en gooit meel in de Hobart. Hij vindt het heerlijk om de *focaccia* op de houten schietplank uit de oven te trekken, leert hoe hij het hete, platte brood handig op de koelroosters kan laten glijden. We houden altijd een klein exemplaar voor onszelf apart, zorgen dat het bakt waar de oven het heetst is, zodat het hazelnootbruin is als het uit de oven komt. We scheuren het ongeduldig kapot, eten het op terwijl het nog stoomt, zodat we onze vingers branden. Hij zegt dat hij het heerlijk vindt als mijn huid naar rozemarijn en vers brood ruikt.

's Middags gaan we even langs het kantoor van de krant als ik een artikel moet afgeven of iets moet overleggen met mijn uitgever. We gaan wandelen in Forest Park. 's Avonds eten we in het café of gaan naar Balaban of Café Zoe, en daarna naar het centrum, naar de jazzclubs. Hij snapt niet veel van topografie, en het duurt maar liefst drie dagen voordat ik hem ervan kan overtuigen dat Saint Louis in Missouri ligt. Hij zegt dat hij nu begrijpt waarom ze bij het reisbureau in Venetië zo geïrriteerd waren toen hij een reis probeerde te boeken naar Saint Louis in Montana. Toch stelt hij doodleuk voor om een dagje naar de Grand Canyon te gaan, of naar New Orleans om te lunchen.

Op een avond komen we laat thuis van een etentje bij Zoe. We hadden lang gepraat over de tijd dat mijn kinderen klein waren. Ik haal een klein doosje foto's, bekleed met groene faille, uit mijn bureau, op zoek naar eentje die ik kan laten zien van het huis aan Lane Gate Road in Gold Spring, New York, waar we allemaal zo van hielden. Bij het vuur neust de Venetiaan tussen oude portretten. Ik kijk met hem mee, en zie dat hij telkens teruggrijpt naar een foto van toen Lisa net geboren was en in mijn armen ligt. Hij zegt dat ze zo'n lief gezichtje heeft en zo op de foto's van als ze volwassen is, zo op haar vrouwengezicht lijkt. Hij zegt dat ik ook een lief gezicht heb, dat Lisa en ik heel veel op elkaar lijken. Hij zegt dat hij wou dat hij me toen kende, dat hij het gezicht kon aanraken dat ik op die oude foto had.

Nu begint de Venetiaan mijn beha los te maken, en zijn handen zijn prachtig, groot en warm, en onderzoeken stuntelig mijn huid door het zachte kant. Hij begint kruimels weg te vegen uit mijn decolleté, tussen mijn borsten. '*Cos è questo?* Wat is dit? Je hele dag is hier vastgelegd. Dit is bewijs van verbrand roggebrood; twee, misschien drie soorten koekjes, focaccia, een koffiebrownie, allemaal opgeslagen in je lingerie,' zegt hij terwijl hij de paar kruimels proeft die me verraden. Ik lach totdat de tranen me over de wangen lopen en hij zegt: 'En dan die tranen. Hoe vaak huil jij wel niet op een dag? Zit je altijd vol *lacrime e bricole*, vol tranen en kruimels?' Hij duwt me in de koele kussens van mijn bed, en als hij me zoent proef ik mijn eigen tranen, vermengd met een vleugje gember.

'Zit je altijd vol tranen en kruimels?' Als ik naar hem kijk terwijl hij slaapt en ik me zijn vraag herinner, denk ik bij mezelf dat hij een wijze oude man is. De kruimels zijn het eeuwige symbool van mijn buitensporige gesnoep, en mijn boezem vormt een goede richel om ze op te vangen. En de tranen blijven ook maar komen. Ik huil net zo snel als ik kan lachen, Joost mag weten waarom. Iets van lang geleden dat nog steeds aan me knaagt. Iets diep in mijn binnenste. Dit zijn niet de hete, nachtelijke tranen van verdriet die ik nog steeds kan plengen om oude wonden. 'Sta op, jij wie niets rest van je oude wonden,' zei mijn vriend Misha op een avond na een dubbele wodka, nadat een van zijn patiënten zichzelf dood had geschoten met een pistool met parelmoeren handvat.

Een groot deel van mijn tranen vergiet ik eerder uit vreugde en verwondering dan uit verdriet. Het geweeklaag van een trompet, een warme windvlaag, het getinkel van een belletje om de nek van een verdwaald lammetje, de rook van een kaars die net is opgebrand, dageraad, schemering, vuur. De schoonheid van elke dag. Ik huil om hoe het leven bedwelmt. En misschien ook een beetje om hoe snel het voorbijgaat.

~

Er is nog geen week voorbij als ik op een ochtend wakker word met hevige griep. Ik heb nooit griep. Het is zelfs jaren geleden dat ik verkouden was, en uitgerekend nu, nu deze Venetiaan in mijn rozenrode bed met zijden lakens ligt, gloei ik van de koorts, staat mijn keel in brand en kan ik niet ademhalen omdat er een vijftig kilo zware steen op mijn borst drukt. Ik begin te hoesten. Ik probeer me te herinneren wat ik in het medicijnkastje heb liggen om de pijn te verlichten, maar ik weet dat er alleen maar vitamine c ligt en een flesje olieachtige babyzalf zonder label van tien jaar oud, dat ik al sinds New York bij me heb.

'Fernando, Fernando,' rasp ik vanuit de gehavende engte van mijn keel. 'Ik geloof dat ik koorts heb.' Op dat moment weet ik nog niet dat het woord, het concept koorts, *fever*, bij elke Italiaan spookbeelden oproept aan de pest. Ik denk dat dat fenomeen blijk geeft van een geheugen dat teruggaat tot de Middeleeuwen. Koorts betekent zoveel als een wisse, langzame en slepende dood. Met een sprong is hij uit bed en zegt telkens: '*Febbre, febbre*', springt weer terug in bed en legt zijn handen op mijn voorhoofd en gezicht. Elke drie seconden herhaalt hij het woord febbre, als een mantra. Hij legt zijn van slaap nog warme wang op mijn borst en versnelt zijn mantra. Hij zegt dat mijn hart erg snel klopt en dat dat een heel slecht teken is. Hij wil weten waar de thermometer is, en als ik zeg dat ik er geen heb zie ik voor het eerst pijn op Fernando's gezicht. Ik vraag hem of deze thermometerloosheid onoverkomelijk is.

Zonder aan ondergoed te denken schiet hij in zijn spijkerbroek en trekt een trui over zijn hoofd; kledij voor een barmhartigheidsmissie. Hij vraagt me hoe je in het Engels *termometro* zegt, en omdat de uitspraak veel lijkt op de Italiaanse kan hij de twee niet uit elkaar houden. Ik schrijf het op een papiertje, samen met 'Tylenol en iets tegen griep'. Het doet afgrijselijk veel pijn om te lachen, maar ik doe het toch. Fernando zegt dat hysterie veel voorkomt in dit soort gevallen. Hij kijkt hoeveel geld hij nog heeft.

Hij heeft lires en twee gouden Krugerrands. Ik zeg dat de apotheek alleen maar dollars accepteert. Hij gooit zijn handen in de lucht en zegt dat er geen tijd te verliezen is. Hij wikkelt zich in zijn jas, doet zijn sjaal om, zet zijn bontmuts recht en trekt een handschoen over zijn linkerhand; de rechterhandschoen is verdwenen in de ether boven de Atlantische Oceaan. De Venetiaan vertrekt volledig uitgerust voor de veldslagen die hem in de zonneschijn van vier graden misschien wel te wachten staan op de tocht van drie huizenblokken westwaarts richting Clayton. Dit wordt zijn eerste zelfstandige sociaal-economische ontmoeting in Amerika. Hij komt terug om zijn woordenboek te halen, kust me weer tweemaal en schudt zijn hoofd vol ongeloof dat ik zo'n rampspoed over mezelf heb kunnen afroepen.

Vol hete thee en alle pilletjes en drankjes die de Venetiaan me heeft bezorgd slaap ik het grootste deel van de dag, tot in de avond. Eenmaal, als ik wakker word, zie ik hem op de rand van het bed naar me zitten kijken, zijn ogen vol liefde. 'De koorts is voorbij, je bent nu heerlijk koel. *Dormi, amore mio, dormi.* Slaap, m'n liefje, slaap.' Ik kijk naar hem, naar zijn smalle gebogen schouders, zijn gezicht nog steeds een toonbeeld van bezorgdheid. Hij staat op om de deken recht te trekken, en ik kijk terwijl hij zich over me heen buigt in zijn degelijke knielange wollen ondergoed. Ik vind dat hij eruitziet als een dunne man op het strand voor hij per post zijn exemplaar van *Sport en Fitness* bestelt, en bedenk dat hij het geweldigste is dat ik ooit heb gezien.

Ik vraag hem: 'Dacht je dat ik doodging?'

Hij zegt: 'Nee. Maar ik was wel bang. Je was ernstig ziek. Dat ben je nog steeds, en nu moet je weer gaan slapen. Maar weet je, voor áls je doodgaat voordat ik doodga heb ik een plan, een manier om je te vinden. Ik wil niet graag nog eens vijftig jaar wachten, dus ga ik naar Petrus en vraag ik direct naar de keuken, naar de houtoven om precies te zijn. Denk je dat er in het paradijs een broodoven is? Als er een is dan ben je vast daar, onder het meel en met een geur van rozemarijn om je heen.' Hij vertelt me dit alles terwijl hij aan de lakens trekt in een poging messcherpe militaire vouwen te krijgen. Eindelijk tevreden over zijn aanpassingen gaat hij weer vlak bij me zitten en met een fluisterende bariton zingt de Venetiaanse vreemdeling, die heel erg lijkt op Peter Sellers en een beetje op Rudolf Valentino, een slaapliedje. Hij streelt mijn voorhoofd en zegt: 'Weet je dat ik altijd heb gewild dat er iemand voor mij zong? Maar nu weet ik dat ik nog liever voor jou zing.'

De volgende ochtend ren ik naar de woonkamer, de geur van zijn brandende sigaret achterna. 'Jij mag niet op zijn gestaan,' zegt hij in het Engels tegen me, en jaagt me weer terug naar bed. Hij kruipt naast me en we slapen. We slapen de slaap der rechtvaardigen.

Op de ochtend dat hij weer teruggaat naar Venetië houden we geen haardpraatje, laten we de koffie in onze koppen. We gaan niet langs het café. We praten niet eens veel. We lopen lange tijd door het park en vinden dan een bankje waarop we een poosje kunnen zitten. Een vlucht ganzen gakt en wiekt sierlijk door de kristalheldere koude lucht. 'Is het niet wat laat om naar het zuiden te vliegen?' vraag ik hem.

'Een beetje wel,' zegt hij. 'Misschien wachtten ze nog tot eentje hen inhaalde, of misschien waren ze wel verdwaald. Maar het gaat erom dat ze nu op weg zijn. Net als wij,' zegt hij.

'Wat ben je toch poëtisch,' zeg ik tegen hem.

'Een paar weken geleden zou ik nooit naar die vogels hebben gekeken, had ik ze niet eens gehoord. Nu heb ik het gevoel dat ik deel uitmaak van de dingen. Ja, ik voel me *verbonden*. Ik geloof dat dat het woord is. Het voelt alsof ik al met je getrouwd ben, alsof ik altijd al met je getrouwd ben geweest maar je gewoon niet kon vinden. Het lijkt zelfs overbodig om je ten huwelijk te vragen. Het lijkt me beter om te zeggen: raak alsjeblieft niet weer kwijt. Blijf dichtbij. Blijf heel dicht bij me.' Hij heeft de schichtige stem van een jongen die geheimen verteld.

~

Nadat ik die avond terugkom van het vliegveld maak ik een vuurtje in de schouw in mijn slaapkamer en gooi er kussens voor, zoals hij elke avond deed. Ik zit daar waar hij heeft gezeten, trek zijn wollen hemd over mijn nachtjapon en voel me klein en kwetsbaar als nooit tevoren. Alles is geregeld. Hij gaat in Venetië met paperassen in de weer om ons huwelijk voor te bereiden. Ik zal mijn leven in Amerika zo snel mogelijk afwikkelen en naar Italië gaan, met juni als uiterlijke datum. Ik besluit bij het vuur te gaan slapen, trek een deken van het bed en ga eronder liggen. Ik snuif de geur van de Venetiaan op die uit zijn hemd opstijgt. Ik hou van deze geur. 'Ik hou van Fernando,' zeg ik tegen mezelf en tegen het vuur. Ik ben ontheemd door dit nieuwe feit in mijn leven, eerder doordat het zo snel is gekomen dan doordat het waar is. Ik probeer te ontdekken of het een soort *folie à deux* is. Het lukt me niet. Ik ben niet verblind door liefde, kan eerder in liefde zien, werkelijk zien.

Nooit is het ook maar een fractie van een seconde in me opgekomen dat een boerenjongen met krullen me zou gebaren op zijn witte paard te springen, of de man die koning zou worden, of de ware Jakob. Nooit heb ik de aarde voelen openscheuren. Nooit. Wat ik voelde, wat ik nu voel, is rust. Behalve die eerste uren samen in Venetië is er geen verwarring geweest, niet dat gewik en geweeg dat heel natuurlijk zou zijn voor een vrouw die tot haar knieën in de middelbare leeftijd zit en erover denkt in het diepe te springen. Nu staan alle deuren open, en daarachter gloeit een warm geel licht. Dit voelt niet als een nieuw perspectief, maar als het eerste en enige perspectief dat alleen mij toebehoort, het eerste perspectief dat geen compromis is en ook niet achteraf is bijgesteld. Fernando is een eerste keus. Ik heb mezelf er nooit van hoeven te overtuigen van hem te houden, zijn voor- en nadelen op een blocnootje tegen elkaar hoeven wegstrepen. Evenmin hoefde ik mezelf er voor de zoveelste keer aan te herinneren dat ik er niet jonger op werd, dat ik blij moest zijn met de belangstelling die ik van zo'n 'vreselijk aardige man' kreeg.

Maar al te vaak zijn wij het die ervoor zorgen dat het leven zo ingewikkeld wordt. Waarom moeten we het toch zo afknijpen en onze tanden erin zetten en het telkens maar aankwakken tegen het redeneringsvermogen dat we toch zo fantastisch vinden? Omwille van gezond verstand doen we de onschuld van de dingen geweld aan, zodat we onverstoorbaar rond kunnen dolen, op zoek naar passie en emotie. *Laat het onverklaarbare voor wat het is.* Ik hou van hem. Met zijn dunne benen, smalle schouders, droefheid, tederheid, prachtige handen, prachtige stem, rimpelige knieën. Zonder saxofoon. Zonder vliegtuigen. Zelfs met de spookbeelden uit zijn tijd bij de jezuïeten.

Ik wacht op de slaap die niet komt. Het is bijna drie uur 's nachts, en ik bedenk dat over vijfenhalf uur de makelaar en haar collega's en masse komen, om het huis te bekijken. Ik ben benieuwd naar mijn audiëntie bij het Italiaanse consulaat in Saint Louis, waar naar verluidt een Siciliaanse heks zit. Ik realiseer me wat ik me met de Venetiaan op de hals heb gehaald, maar ik weet nog beter dat ik, wat er verder ook gebeurt, voor het eerst van mijn leven verliefd ben.

3
En waarom zou ik niet aan de rand van een Adriatische lagune gaan wonen met een Venetiaan met bosbeskleurige ogen?

Ik word wakker van een adembenemende kou. Achter het witte kantwerk op het raam laat zich flauw, bleek sneeuwlicht zien. Wit op wit, en Fernando is weg. Vlug sta ik op om de thermostaat hoger te zetten, te kijken naar de sneeuw die neerdaalt. Op het terras is al zo'n dertig centimeter ijzige sneeuw gevallen. Zouden de makelaars nog komen? Moet ik wachten met de boel oppoetsen? Ik dwaal door de kamers, die nu groter of kleiner lijken en kaal zijn nu ze niet meer worden opgevrolijkt door zijn open koffers en schoenen en al zijn extreem kleurrijke bagage. Ik mis de chaos die samen met hem is verdwenen. Niets voor mij. Ik denk terug aan de juniochtend toen ik besloten had om dit huis te kopen. Ik had de meedogenloze tiran gespeeld, mijn handen over de muren laten glijden, met mijn tong geklakt over verfspatten op de satijnachtige mahoniehouten vloeren, gedreigd de zaak op te houden vanwege een haperende afstandsbediening van de garagedeur. Het opknappen van het huis had zich een jaar lang voortgesleept, waarvan ik tien maanden helemaal vanuit Sacramento had gedirigeerd. 'Een schouw in de keuken, de slaapkamer en de woonkamer?' smaalde de aannemer tijdens onze eerste ontmoeting. De laatste twee maanden van de werkzaamheden had ik bij Sophie gelogeerd, een nieuwe vriendin en een vrouw die zelf in een overgangsfase zat, en wie het al evenzeer te doen was om het gezelschap als om de inkomsten van het verhuren van kamers in haar muffe oude huis. Elke dag was ik urenlang ter plaatse, opgaand in een of andere projectje van mezelf of soms met heen en weer rennen en spullen halen voor de werklieden. Ik dacht terug aan het grote oproer van de schilders, op de ochtend dat ik begon: 'Ik wil dat elke kamer wordt geschilderd in terracotta dat nauwelijks zichtbaar steeds lichter wordt.' Ik had een zak vol kleursnippers op de grond uitgestrooid. 'En ik wil graag dat de eetkamer helder, vurig, primair rood wordt, zoals dit,' ging ik verder terwijl ik met een staal damast wapperde.

'Rood, knalrood, zoals uw lippenstift?' vroeg een van hen ongelovig.

'Ja, precies. Lippenstiftrood,' glimlachte ik, geheel voldaan dat hij me zo snel begreep. Trouwens, wat is er zo gek aan rood? Rood is aarde en steen en zonsondergang en schuren en schoolgebouwen, en rood kan toch zeker wel op de muren van een kleine door kaarsen verlichte kamer waar mensen samenkomen voor het diner?

'Met zo'n donkere kleur zijn er zes, misschien wel acht lagen nodig voor een goede dekking, mevrouwtje,' waarschuwde een ander. 'Dat maakt de ruimte kleiner, benauwder,' zei hij.

'Ja, de ruimte wordt er warm en uitnodigend van,' zei ik, alsof we het met elkaar eens waren.

Ik moest er weer aan denken dat ik bij de schilders langsging als ze aan het werk waren, en ze ijsthee bracht en de eerste dikke rijpe kersen, vers van Sophies boom. En toen het meesterwerk was voltooid en bijna alle werklieden, een voor een op hun zondags met een geurtje op, naar het inwijdingsfeest kwamen, was het de schildersbrigade die de kamers uit wel honderd verschillende hoeken fotografeerde, en twee van hen kwamen telkens terug om de kamers in een andere lichtval vast te leggen. Het schattige huisje dat met zoveel liefde was gecreëerd was tenslotte een obsessie geweest, hoe kort ook. Het enige wat ik nu wilde was er vanaf zijn, het snel achter me laten, om in een huis te gaan wonen dat ik nog nooit had gezien, een oord dat Fernando huiverend beschreef als 'een heel klein appartementje in een naoorlogse flat waar een hoop aan moet gebeuren.'

'Wat dan allemaal?' had ik opgewekt gevraagd. 'Verf en meubels? Nieuwe gordijnen?'

'Om precies te zijn moet er heel wat orde op zaken worden gesteld.' Ik wachtte af. Hij ging verder: 'Sinds de bouw, nu vijftig jaar geleden, is er vrijwel niets aan gedaan. Mijn vader was de eigenaar, hij verhuurde het. Ik heb het van hem geërfd.'

Ik schroefde mijn voorstellingsvermogen op tot het groteske, in de hoop latere teleurstellingen te voorkomen. Ik stelde me vierkante kamers met kleine ramen voor, veel Milanees plastic, mintgroene en flamingoroze verf die overal afbladderde. Dat waren toch de kleuren van het Italië van na de oorlog? Het zou leuk zijn geweest als hij me had verteld dat hij in een appartement met fresco's woonde op de tweede etage van een gotisch *palazzo* dat zich verhief aan het Canal Grande, of misschien wel in het voormalige atelier van Tintoretto, waar het licht sprookjesachtig zou zijn. Maar dat was niet zo. Ik ging niet voor Fernando's huis naar Venetië.

Ik miste hem vreselijk, snuffelde zelfs of er nog ergens wat van zijn sigarettenrook hing. Toen ik door de woonkamer liep kon ik hem daar zien, zijn Peter Sellers-grijns, de armen over zijn borst geslagen, terwijl hij me met zijn vingers wenkte. 'Kom eens met me dansen,' zei hij, terwijl zijn gloednieuwe, hoogst gewaardeerde plaat van Roy Orbison door de luidsprekers snikte. Dan legde ik altijd mijn boek of mijn pen neer en gingen we dansen. Ik wil nu dansen, op blote voeten, rillend in de kou. Wat wil ik graag met hem dansen. Ik herinner me de mensen die op het Piazza San Marco walsten. Ging ik daar echt wonen? Ging ik echt trouwen met Fernando?

Al heel vroeg in mijn leven had ik te maken gekregen met angst, ziekte, bedrog, misleiding, trouwen, scheiden, eenzaamheid; zaken die mijn rust hadden verstoord. Sommige demonen waren gewoon op doorreis, terwijl andere hun kampement opsloegen bij mijn achterdeur. En bleven. Een voor een vertrokken ze, en lieten elk een indruk achter van het bezoek dat me sterker en beter maakte. Ik ben dankbaar dat de goden geen geduld met me hadden, dat ze nooit wachtten tot ik dertig of vijftig of zevenenzeventig was, dat ze het fatsoen hadden om me uit te dagen toen ik zo jong was. Met uitdagingen krijg je in elk leven te maken, maar als je al jong leert om ze aan te gaan, hoe je ze tegen de demonen kunt gebruiken en uiteindelijk diezelfde demonen kunt overleven of er zelfs aan kunt ontsnappen, kan het leven milder lijken. Juist als iemand lange tijd schijnbaar probleemloos door het leven zeilt, zal hij vroeg of laat tegen een muur oplopen. Ik ben nooit ergens doorheen gezeild, maar ik ben altijd dankbaar geweest dat ik de kans kreeg te blijven proberen de dingen meer glans te geven. Maar goed, inmiddels was er niet veel meer waar ik bang voor hoefde te zijn. Een akelige jeugd, met iets afgrijselijks hier en daar, zorgde al vroeg voor schaamte en verdriet. Altijd dacht ik dat ik het was die totaal niet spoorde, die zo verschrikkelijk was, die de oorzaak was van de epische drama's van mijn familie. Niemand deed erg zijn best om me op andere gedachten te brengen. Waarom kon ik niet wonen in een huis met gouden ramen waar de mensen gelukkig waren, waar niemand nachtmerries had of tergende angst kende? Ik wilde daar zijn waar niet iemand mijn nieuwe leven geselde met oude pijn, er hard mee ranselde alsof het een leren riem was.

Toen ik begreep dat ik het zelf was die het huis met de gouden ramen moest bouwen ging ik aan de slag. Ik lenigde mijn smarten, leerde brood bakken, voedde kinderen op, creëerde een leven dat goed aanvoelde. En nu kies ik ervoor dat leven achter me te laten. Ik dwing mezelf te denken aan de gierende angsten van toen de kinderen klein waren, de magere jaren, de smeekbedes tot de goden om meer tijd, om te vragen sterk en gezond genoeg te mogen blijven om voor hen te zorgen, ze nog wat langer op te mogen voeden. Dat doe je toch als alleenstaande moeder? We zijn bang dat iemand die sterker is dan wij onze kinderen weghaalt. We zijn bang dat iemand iets vreselijks heeft aan te merken op ons werk, op de keuzes die we maken. We maken het onszelf al moeilijk genoeg. En zelfs in onze kracht worden we als gebrekkig beoordeeld. In het beste geval zijn we half goed. We zijn bang voor armoede en eenzaamheid. *Vrouwe* madonna, *met kinderen aan haar voeten.* We zijn bang voor borstkanker. We zijn bang voor de angsten van onze kinderen. We zijn bang voor de snelheid waarmee hun jeugd voorbijgaat. *Wacht. Wacht even alsjeblieft. Ik geloof dat ik het nu snap. Ik denk dat ik het beter kan. Kunnen we vorige maand gewoon even overdoen? Hoe kan het dat je al dertien bent? Hoe kan het dat je al twintig bent? Ja, ja, natuurlijk moet je gaan. Ja, ik begrijp het. Ik hou van je, liefje. Ik hou van je, mama.*

Aanvankelijk sprak ik Lisa en Erich, mijn kinderen, vaker dan normaal. Dan belde ik op en stelden ze eindeloos veel vragen waarvan ik niet wist hoe ik ze moest beantwoorden, of zij belden op om te vragen of het goed met me ging, of ik twijfels had of zo. Na een paar weken spraken we elkaar minder vaak en ietwat geforceerd. In die tijd hadden ze meer behoefte om met elkaar te praten dan met mij, omdat ze de schok, de vreugde en de angst te boven moesten komen misschien. Dan belde Lisa en moest ik huilen en zei zij alleen maar: 'Mam, je bent lief.'

Erich kwam op bezoek. Hij nam me mee uit eten bij Balaban en zat me vanaf de andere kant van de tafel onderzoekend aan te kijken. Blij dat ik er tenminste nog hetzelfde uitzag zat hij lange tijd zwijgend wijn te drinken. Uiteindelijk begon hij: 'Ik hoop dat je dit allemaal niet eng vindt. Het zal je goed doen.' Het was een oude truc van hem om mij gerust te stellen, terwijl hij het was die ergens doodsbang voor was.

'Nee, ik ben niet bang,' zei ik, 'en ik hoop jij ook niet.'

'Bang? Nee. Ik moet mijn kompas gewoon bijstellen. Jij en thuis zijn altijd op dezelfde plek geweest,' zei hij.

'Dat zijn ze nog steeds. Maar voortaan zijn thuis en ik in Venetië,' zei ik tegen hem.

Ik wist dat het iets anders is als je gaat studeren en weet dat thuis een paar honderd kilometer verderop is, dan als je moeder dat thuis opheft en naar Europa verhuist. Nu zou thuis negenduizend kilometer weg zijn, en dat is niet te doen voor een lang weekend. En dan was er nog die vent, Fernando. Voor mijn dochter was het hele gebeuren een stuk minder dramatisch, omdat zij al een paar jaar in Boston woonde, waar ze opging in de liefde, haar studie, haar werk. Ik wou dat mijn kinderen deel konden uitmaken van mijn toekomst, maar dit alles overkwam niet ons drieën tegelijk, zoals de meeste gebeurtenissen eerder in ons leven. Dit was iets wat alleen mij overkwam. Ergens wist ik dat we van oudsher een verbond hadden, dat zich door een zee niet liet verbreken. Maar ik wist ook dat hun jeugd ten einde was en dat mijn jeugd merkwaardig genoeg juist begon.

De dingen die er in mijn leven echt toe doen zijn verplaatsbaar en niet geografisch bepaald. Waarom zou ik niet aan de rand van een Adriatische lagune gaan wonen met een man met bosbeskleurige ogen, zonder een spoor van biscottikruimels achter te laten om de weg terug te vinden? Mijn huis, mijn mooie auto, zelfs het land waar ik geboren was bepaalden niet per definitie wie ik ben. Mijn diepste wezen, mijn emotionele identiteit waren doorgewinterde reizigers. En ze zouden me overal volgen.

~

Ik maak me los uit mijn gemijmer en zet water op, laat het bad vollopen, bel het café om te horen of de bakker op tijd en nuchter was en zet Paganini aan op een beschaafd volume. De makelaars zullen zo wel komen.

In plaats van als een bezetene het hele huis schoon te maken kies ik voor de primitiever verleiding van een knappend haardvuur en de geur van een of ander iets met kaneel uit de oven. Zodra in alle drie de haarden het vuur opvlamt snij ik wat drie dagen oud sconedeeg dat nog over is van Fernando's ontbijt in stukken, strooi specerijen en suiker en flinke snippers boter over de kussentjes en doe net de ovendeur dicht als de bel gaat. Ik begroet de horde makelaars die, ondanks het noodweer, tegelijk arriveert, als op goddelijk gezag. De brigade loopt in een rij langs me heen, gooit jassen en sjaals op een bank, waardoor hun keurige chique mosterdgele blazers zichtbaar worden, en begint zonder plichtplegingen aan de inspectie. In totaal zijn er elf makelaars. Het zachte, goedkeurende gemompel maakt al snel plaats voor verrukte kreten als de een de deur naar de gastenbadkamer met tinkleurig behang opendoet, een ander in de woonkamer naar een negentiende-eeuwse Oostenrijkse kroonluchter aan het plafond kijkt en weer een ander neerzijgt in de koperkleurige fluwelen weelde van de oorstoel voor de schouw in de keuken.

'Wie was de architect?'

'Wie heeft dit huis opgeknapt?'

'Uw binnenhuisarchitect komt vast uit Chicago.'

'Mijn God, dit is fantastisch,' zegt de enige meneer tussen de dames. 'Waarom wilt u dit in vredesnaam verkopen?'

'Inderdaad,' fluistert een ander op luide toon. 'Het is zo romantisch dat ik me een slons voel.'

'Je bént ook een slons,' verzekert de meneer haar.

'Hoe kunt u hier nou weggaan?' vraagt een ander.

Het is nu duidelijk mijn beurt om iets te zeggen. 'Nou, ik ga weg omdat ik met een Venetiaan ga trouwen.' Diep ademhalen. 'Ik ga in Venetië wonen,' zeg ik voorzichtig, verzaligd, en proef de woorden. Was ik dat, was dat mijn stem? De brigade antwoordt met een lange stilte. Als er één begint te praten, beginnen ze allemaal.

'Hoe oud bent u?'

'Hoe hebt u die man ontmoet?'

'Is hij een graaf of zo?' vraagt een ander, die het verhaal graag wat smeuïger wil maken.

Ze willen vooral weten of hij rijk is, denk ik bij mezelf. Als ik keihard zou zeggen dat hij relatief arm is, zouden ze onthutst zijn, zou hun fantasie worden afgekapt, dus ik kies voor een deel van de waarheid. 'Nee, hij is geen graaf. Hij is bankier en lijkt precies op Peter Sellers,' zeg ik.

'Ach lieverd. Voorzichtig hoor.' Het is de slons. 'Laat hem natrekken, maar dan ook goed. Vier jaar geleden had mijn vriendin Isabelle op Capri een Napolitaan ontmoet en hij had haar bijna zover gekregen dat ze halsoverkop met hem zou trouwen tot ze op een nacht wakker werd en hem op het terras van hun hotelkamer in zijn mobiele telefoon hoorde kreunen en fluisteren. Hij had nog het lef om te zeggen dat hij alleen maar zijn moeder welterusten wilde wensen.'

Haar verhaal lijkt een ongepaste cocktail van laag-bij-de-grondse jaloezie en de oprechte wens me ergens voor te behoeden. Ze kent Fernando niet, denk ik. Dat ik hem evenmin ken lijkt niet relevant.

Een van hen, die het melodieuze van het verhaal probeert te redden, oppert: 'Hij heeft vast een prachtig huis. Hoe ziet het eruit?'

'O, ik denk niet dat er veel prachtigs aan is. Hij woont in een jaren-vijftigflat aan het strand. Ik heb het nog niet eens gezien,' zeg ik.

'Wilt u zeggen dat u uw huis verkoopt en uw hele leven inruilt zonder...' Haar vraag wordt afgekapt door de meneer die het gezelschap tot bedaren wil brengen.

'Misschien bent u wel verliefd op Venetië. Als ik de kans kreeg om naar Venetië te verhuizen zou het me geen lor kunnen schelen hoe het huis eruitzag.' Ze bekvechten en ginnegappen zonder mij.

Als de brigade vertrekt, blijft één makelaar achter om zelf een bod op mijn huis te doen. Het bod is serieus, redelijk, niet eens zoveel duizend dollar minder dan de prijs die Fernando en ik met mijn advocaat hadden bedisseld. Ze vertelt me dat ze al lang van plan is om haar huwelijk te beëindigen, haar baan eraan te geven en zelf een kantoor te beginnen. Ze zegt dat het vinden van dit huis met de lippenstiftrode eetkamer het laatste zetje is om haar wedergeboorte in gang te zetten.

'Ik laat hier geen toverstof achter hoor,' waarschuw ik. 'Als u dit huis koopt moet u niet verwachten dat u verliefd wordt op een of andere charmante Spanjaard of zoiets. Het is gewoon een mooi, doorsneehuisje,' zeg ik weinig overtuigend, omdat ik haar wil behoeden voor haar impuls, en misschien wel mezelf voor de mijne. 'Waarom denkt u er niet even over na, dan hebben we het er later over,' ga ik door zonder haar aan te kijken, alsof ik groot ben en zij klein.

'Hoe lang hebt u nagedacht voor u ja zei tegen uw Venetiaan? Het gaat allemaal precies zoals het moet gaan,' zegt ze met een stem die opdoemt uit mistige diepten. 'Ik wil graag van u weten welke meubels u wilt verkopen,' gaat ze verder. Veel later hoor ik dat mijn rode eetkamer, na wat handig geritsel met de oorspronkelijke indeling, de kamer werd van waaruit ze haar zelfstandige kantoor runt.

~

Ik bel mijn kinderen. Ik bel mijn advocaat. Fernando belt mij. Ik bel Fernando. Zou het allemaal zo gemakkelijk gaan? Ik doe mijn mooie zwarte jurk uit en trek een spijkerbroek en stevige schoenen aan, omdat ik bedenk dat ik vóór tien uur een bestelling had moeten plaatsen bij de vleesleverancier. Ik bel meneer Wasserman zonder van tevoren te bedenken wat er die avond op het menu staat. Ik hoor mezelf zeggen dat ik kleine lamsschenkel nodig heb, vijftig stuks. Ik heb nog nooit lamsschenkel gemaakt in het café. Omdat hij gewend is dat ik kalfsvlees en gevogelte bestel, verslikt meneer Wasserman zich half en verzekert me dan dat ze voor drieën bezorgd zullen worden. 'Hoe gaat u ze klaarmaken?' wil hij weten.

'Ik ga ze smoren in saffraan-tomatenbouillon, leg ze op een bedje van linzen en maak het af met een reepje zwarte olijvenpasta,' zegt mijn koksstem zonder mij te raadplegen.

'Kunt u mij voor twee personen noteren om halfacht?' vraagt hij. Na een blik op de met ijs bedekte auto loop ik de ongeveer anderhalve kilometer naar het café, hoewel ik nooit eerder naar mijn werk ben gelopen. Natuurlijk had ik ook nog nooit gezwijmeld over oude rook van een Italiaanse sigaret die in mijn slaapkamer is blijven hangen. En dan die lamsschenkel. Ik been door hoge sneeuw die nog steeds in grote hoeveelheden neervalt, mijn Moedertje-Ruslandjas achter me aan slepend met een zacht, schrapend geluid. Ik vraag me af wanneer ik verdrietig begin te worden van al deze afsluitingen die ik aan het bezegelen ben, als dat al gebeurt. Zou de moed me op het laatste moment in de schoenen zinken? Is het inderdaad moed die mijn richting bepaalt? Of lef? Beeld ik me in dat ik een heldin ben die zich eindelijk in het avontuur stort? Nee. Volgens mijn vriend Misha ben ik *la grande cocotte* met meel aan mijn handen. Of inktvlekken. Nog eens kijken waarom ik vooruit moet lopen op angst of datgene moet vertroebelen wat voor mij overduidelijk is. Nee, ik zal nooit een ingebeelde wat-dan-ook zijn. Ik wil niets liever dan bij Fernando zijn. Hoe dan ook, juni lijkt nog ver weg, veilig en bedroevend ver weg.

Als ik de hoek van Pershing Avenue en Deballevier nader herinner ik me dat ik vóór de lunch een afspraak heb met mijn vennoten. Van de vader en zoon is de oudste een rancuneuze oude magistraat, de jonge een milde filosoof die in het restaurantwezen is gegaan om zijn autoritaire oude pa een plezier te doen. Dat pa ervoor heeft gekozen om nooit tevreden te zijn moet nog tot de zoon doordringen. De toon van ons korte gesprek is koel, een bijna te mooie scheiding, en we komen overeen dat 15 juni, de dag na ons laatste geplande evenement en op de kop af een jaar na de dag waarop ik mijn huis had betrokken, mijn laatste zou zijn. Ik bel Fernando. Hij zegt dat ik mijn ticket moet boeken, ook al is het nog maar 19 december. Het is nog geen twaalf uur 's middags en ik heb mijn huis al verkocht en op een nette manier een deel van mijn zaak afgewikkeld. Het enige wat me nu nog te doen staat is de vijftig lamsschenkels langzaam laten smoren.

4
Is het jou ooit overkomen?

Voordat Fernando terugging naar Venetië hadden we een soortement tijdbalk in elkaar geflanst, waarop we onze prioriteiten vastlegden en de data vaststelden waarop alles klaar moest zijn. Hij kwam met het idee dat het beter was om het huis meteen te verkopen dan om het een poosje te verhuren en even af te wachten. Verkoop de auto ook maar, had hij gezegd. En de paar mooie kunstwerken, het meubilair. Ik moest naar Italië komen met alleen die dingen die absoluut *indispensabili* waren. Ik stribbelde tegen totdat ik me herinnerde dat ik het al met mezelf had gehad over 'huis, mooie auto enzovoorts'. Toch vond ik het gevoelloos van hem om over het huis te praten alsof het alleen maar een aardig omhulsel was waarin ik zou wachten tot het tijd was om te gaan, een leuk aangeklede springplank. Maar ik herinnerde me ook iets anders waar ik het met mezelf over had gehad, toen ik Fernando nog maar een paar dagen kende. Hij had het nodig om de leiding te hebben.

Ik wist al hoe dat moest. In voor- en tegenspoed was ik altijd meer dan bereid geweest het leven flink te kneden, als de schikgodinnen me daar wat ruimte toe lieten. Maar hij was een slaperige waarnemer van zijn leven geweest, had de gebeurtenissen bekeken en ze met een soort passieve gehoorzaamheid geaccepteerd. Hij zei dat dat telefoontje naar mij in Venetië die middag toen we elkaar voor het eerst zagen, en vooral mij helemaal volgen naar Amerika, twee van de eerste daden uit zuivere wil waren die hij ooit had durven stellen. Een heel teer begin, denk ik. Hij heeft een nieuw, ragdun zelfvertrouwen, en voor Fernando is het een absolute noodzaak dat hij de leiding heeft. Het zij zo. Als ik iemand vertrouw weet ik net zo goed te volgen als te leiden. Maar ik weet ook dat volgen soms irritant kan zijn.

'Laten we gewoon bij het begin beginnen,' zei hij, die het grootste deel van zijn leven in twee appartementen had gewoond op een eiland dat krap een kilometer breed en twaalf kilometer lang was, hij, die op zijn drieëntwintigste bij een bank was gaan werken terwijl hij eigenlijk piloot had willen worden en saxofoon had willen spelen. Maar zijn vader had hem ongevraagd een baan bezorgd en toen een nieuw pak en overhemd en das op zijn bed gelegd, met nieuwe schoenen op de vloer eronder, en tegen Fernando gezegd dat ze hem de volgende ochtend om acht uur bij de bank verwachtten. Hij ging. En hij gaat er nog steeds naartoe. Het was typisch dat hij zei dat ik een beginner moest zijn, terwijl zoveel dingen in zijn leven precies zo zouden blijven als ze waren. Of toch niet misschien?

En dus moest ik besluiten wat naar overzee zou gaan en wat zou achterblijven, en de meest bizarre dingen haalden de selectie. Een klein ovaal tafeltje, zwart, met een marmeren bovenblad en sierlijk bewerkte pootjes, bijna honderd kristallen wijnglazen (naar het Mekka van handgeblazen glas!), te veel boeken, te weinig foto's, minder kleren dan ik had gedacht mee te zullen nemen (de serveersters van het café kregen voor bodemprijzen een hoeveelheid merkkleding aangeboden waar ze de rest van hun leven mee vooruit konden); een oude quilt van Ralph Lauren, een cassette antiek zilveren bestek (om veiligheidsredenen apart verpakt en verscheept, maar nooit in Venetië aangekomen) en kussens, tientallen kussens, kleine en minder kleine, met kwasten, met band, met ruches, van chintz, zijde, meubelstof en fluweel, als evenzoveel stalen van evenzoveel plekken waar ik had gewoond. Kleine bewijsstukken van vorige levens, dacht ik. Bewijs van mijn fraai ingerichte nestjes. Dienden ze misschien om mijn landing te verzachten?

De rest verdeelde ik grofweg in kleine nalatenschappen. Sophie was bezig om een logeerkamer om te bouwen tot kantoor, en daarom kreeg zij het Franse bureau. Ik wist dat mijn vriendin Luly het bakkersrek wilde hebben, dus wurmden we dat op een avond op de achterbank van haar auto. Dat soort taferelen kwam vaak voor. En in plaats van verdrietig te zijn dat ik van zoveel dingen afstand moest doen, vond ik mijn nieuwe en relatieve minimalisme heerlijk. Ik had het gevoel dat ik had gewied, geschrobd en de aarde helemaal tot in China had omgespit.

~

Mijn wachttijd zat helemaal volgeboekt. 's Ochtends het café, 's middags schrijven, dan weer terug naar het café voor de laatste voorbereidingen. Daartussendoor maakte ik afspraken met het Italiaanse consulaat, helemaal aan het godvergeten uiteinde van de stad, dat bestond uit een oud gehavend houten bureau, een oudere Smith Corona typemachine en een nog oudere *palermitana*, een vrouw uit Palermo, de echtgenote van de verzekeringsagent in wiens kantoor het consulaat was gevestigd. *La signora* had auberginekleurig haar, een forse taille en spichtige benen. Haar vingernagels waren knalrood gelakt en ze zoog op een gulzige manier met holle wangen aan haar sigaret. Op de een of andere manier inhaleerde ze de rook tegelijkertijd door haar neus en haar mond, deed dan haar hoofd achterover en liet de laatste pluimpjes opstijgen, en tijdens dit alles hield ze het smeulende geval tussen die roodgetopte vingers, vlak bij haar wang. Ze fluisterde veel. Het was alsof haar man, twee meter verderop gezeten aan een enorm formica bureau, geen deelgenoot mocht zijn van ons gesprek. Ze hamerde erop los op de Smith Corona en legde mijn levensverhaal vast op pakken officieel papier die door de Italiaanse regering werden verschaft.

Mijn persoonlijke gegevens, mijn motief om naar Italië te verhuizen, bewijsstukken van mijn vrije en ongehuwde staat en mijn waarachtige staatsburgerschap, de dikte van het pak bankbiljetten waarmee ik mijn nieuwe land zou binnenkomen, voorhuwelijkse stukken om de staat tevreden te stellen, voorhuwelijkse stukken om de kerk tevreden te stellen: ze werden allemaal geregistreerd. Het was een klus die in minder dan veertig minuten efficiënt werken kon zijn geklaard, maar de dame uit Palermo vond het nodig om het uit te smeren over vier bijeenkomsten die de hele ochtend duurden. De signora wilde praten. Ze wilde er zeker van zijn, fluisterde ze door haar rook heen, dat ik wist waar ik aan begon. 'Wat weet u eigenlijk van Italiaanse mannen?' vroeg ze uitdagend van onder haar halfgeloken ogen met de donkere kringen. Ik glimlachte alleen maar. Op haar tenen getrapt door mijn zwijgzaamheid ging ze sneller typen en stempelde ze de papieren nijdig, herhaaldelijk, met het grote, van inkt voorziene stempel van de Italiaanse staat. Ze probeerde het nog eens. 'Het zijn allemaal *mammoni*, moederskindjes. Daarom ben ik met een Amerikaan getrouwd. Amerikanen zijn minder *furbi*, minder geslepen,' fluisterde ze. 'Het enige wat ze willen is een grote tv, golfen op zaterdag, naar de Rotary Club op woensdag en af en toe kijken als je je aankleedt. Ze klagen nooit over het eten zolang het maar vlees is en warm, en voor zessen wordt opgediend. Hebt u ooit voor een Italiaan gekookt?' fluisterde ze op luidere toon.

Naarmate haar vragen persoonlijker werden, ging ze driftiger typen en stempelen. Ze zei dat ik mijn geld op een Amerikaanse bank moest laten staan, mijn meubels moest opslaan. Binnen een jaar zou ik terug zijn, zei ze. Ze bewaarde haar verhaal over de blondine uit Illinois tot het laatst; die was van haar knappe politicus gescheiden om te trouwen met een Romein die al een vrouw in Salerno had en, naar later bleek, een Nederlands vriendje dat hij elke maand opzocht in Amsterdam. Ik betaalde haar exorbitant hoge tarief dat met de natte vinger was berekend, pakte mijn dikke, tot in de puntjes verzorgde portefeuille, nam haar naar Marlboro geurende kussen in ontvangst en reed weg, me verbazend over de dwangmatige behoefte die sommige vrouwen leken te hebben om me voor de Venetiaan te behoeden.

De avonden bracht ik bijna altijd alleen door, in een mild soort ledigheid. Voordat ik vertrok uit het café pakte ik een klein lekker hapje in als avondeten, en om acht uur was ik thuis. Dan trok ik Fernando's bekende wollen hemd, nog steeds ongewassen, over mijn nachtjapon, stak in een van de kamers een vuur aan en schonk een glas wijn in. Op zoek naar datzelfde lekkere gevoel van 'wieden, schrobben en de aarde helemaal tot in China omspitten' dat ik had overgehouden aan het uitsorteren van mijn materiële bergplaats, wilde ik nu eens dingen bekijken die spiritueler waren dan zilveren theepotten en klerenkasten. Ik wilde toe zijn aan dit huwelijk.

Ik daagde spoken uit en keek terug op schimmen van lang geleden, verlevendigd door oude, eigenaardig tastbare taferelen. Ik kon mijn grootmoeders lieve, betraande ogen zien en wij tweeën geknield voor haar bed om de rozenkrans te bidden. Ik was altijd eerder klaar dan zij omdat ik elke derde kraal oversloeg. Dat wist ze, maar ze gaf me nooit op mijn kop. Van haar heb ik het gevoel voor mysterie meegekregen. Of misschien was het mysterie voor ons beiden wel net zo gewoon en gemakkelijk als huilen of het piepkleine perkje met stokrozen en zinnia's tegen de schuur in de achtertuin wieden. Het kostte geen moeite om naar Rosy te lopen of naar de koffiedame, de drie steile treetjes op om bij Perreca twee broden te kopen, één rond knapperig brood voor het avondeten, één rond knapperig brood voor de anderhalve straat naar huis. Tegenover anderen was ze gereserveerd, zelfs gesloten, maar mijn grootmoeder en ik vertelden elkaar altijd geheimen. Toen ik nog te jong was om het echt te begrijpen vertelde ze me over haar zoontje.

Hij was vijf, geloof ik, misschien nog jonger, en elke ochtend maakte ze hem altijd vóór de rest van het gezin wakker en stuurde hem naar de overkant van de smalle straat voor het huis, naar de spoorbaan om kolen te halen voor de oude ijzeren kachel. Samen maakten ze dan een vuurtje, zetten de koffiepot op en roosterden brood, voordat ze alle anderen wakker maakten. Toen ze op een ochtend zoals gewoonlijk bij het keukenraam naar hem stond te kijken kwam er een korte rij goederenwagons van B&O de bocht om denderen, veel te vroeg. Uit het niets. Terwijl haar gegil werd overstemd door kletterend staal zag ze hoe de trein haar kind overreed. In haar eentje liep ze naar de plek waar hij lag, wikkelde hem in haar rokken en droeg hem naar huis.

Toen mijn kinderen geboren waren, en misschien zelfs daarvoor al, begon ik te begrijpen waarom ze me dat verhaal zo openlijk vertelde dat ze in de vijftig jaar die er sindsdien waren verstreken nooit aan iemand had kunnen navertellen. Natuurlijk, de mensen kenden het verhaal, maar niemand had het ooit uit haar mond gehoord. Ze had het gruwelijkste van al het menselijk leed doorgemaakt, en wat ze me erover vertelde was een soort erfenis: het verschafte mij een perspectief dat me altijd van nut zou zijn, een prisma waardoor ik mijn eigen leed onder de loep kon nemen, om hun gewicht en oplossing de juiste intensiteit te geven.

Ik heb veel te weinig tijd kunnen doorbrengen met mijn grootmoeder. Ik wilde altijd dat ik ouder was dan al haar kinderen, ouder dan zij zodat ik voor haar kon zorgen. Maar ze overleed in haar eentje in de vroege schemering van een decembermiddag. Er viel sneeuw. En de flarden van de illusies die ik had over familie stierven met haar. De pijn van die eenzaamheid uit mijn kinderjaren kwelt me nog steeds. Maar het leven was compleet, mooi tijdens die vluchtige momenten dat mijn grootmoeder mijn hand vasthield, als ze dicht genoeg bij me was om de geur van haar op te vangen. Dat is het nog steeds.

Op die eenzame avonden bij mijn haardvuur ontdekte ik fijngesponnen draden, een patroon, mijn eigen verhaal. Ik stelde het soort geheugen open dat voelt als een weemoedig verlangen naar iets dat verloren is gegaan of er nooit is geweest. Ik denk dat de meesten van ons dat hebben, die in potentie destructieve gewoonte om in gedachten een stand bij te houden die oploopt, vertekent en dan uiteenspat en zich verspreidt tot in de verste hoeken van de rede en het bewustzijn. Wat we doen is de pijn opstapelen, verzamelen als jampotjes. We zetten ze mooi neer, maken er een toren van. Dan stapelen we ze op tot een berg zodat we erop kunnen klimmen, en verwachten en eisen dan sympathie, redding. 'Hé, zien jullie dit? Zien jullie hoe groot mijn pijn is?' We gluren naar andermans berg en nemen hem op en schreeuwen: 'Mijn pijn is groter dan die van jou.' Het lijkt allemaal een beetje op de middeleeuwse hang naar torens bouwen. Elke familie liet zien hoe machtig hij was met de hoogte van zijn persoonlijke toren. Eén laag meer stenen, één laag meer pijn, elk een graadmeter van macht.

Ik had me er altijd tegen verzet mijn berg te ontmantelen, zoveel mogelijk rotzooi te sorteren en weg te gooien. Nu dwong ik mezelf alleen maar meer om rechtstreeks te kijken naar wat voorbij was, en naar dat wat er nooit zou zijn. Ik was vastbesloten om naar Fernando te gaan, en als we de kans wilden hebben verder te komen met ons verhaal dan dit begin wist ik dat ik weinig bagage mee moest nemen. Ik was er vrij zeker van dat wij tweeën genoeg werk zouden hebben aan de bergen van de Venetiaan.

~

Behalve met mijn kinderen had ik die laatste maanden in Saint Louis weinig gesprekken. Ik wilde alleen bij mezelf te rade gaan. Er waren twee uitzonderingen. Misha, mijn vriend uit Los Angeles, kwam op bezoek en keurde mijn voornemen om met Fernando te trouwen af door het kortweg aan een midlifecrisis toe te schrijven. Milena zag de dingen anders. Mijn beste vriendin, een Florentijnse die al meer dan dertig van haar toen zesenvijftig jaar in Californië woonde, was van nature streng en zei het meeste met haar blik. Door de telefoon proberen te achterhalen wat ze dacht was gekkenwerk. Ik moest haar zien als ik wilde weten hoe ze over mijn nieuws dacht. Ik ging naar Sacramento om haar op te zoeken, en pas toen, tegenover die priemende, donkere ogen, kon ik voelen dat ze het goed vond. 'Neem deze liefde in beide handen en hou hem stevig vast. Als het komt, komt het maar één keer.'

Toen ik haar vertelde over Misha's cynische toekomstbeeld noemde Milena hem een onheilsprofeet wiens voorspellingen misschien wel waar waren. En met een blik in de verte, haar kin omhoog en getuite lippen, wuifde ze Misha's zwartkijkerij weg met haar prachtige bruine hand. 'Als dit ware liefde is, als het ook maar enigszins mogelijk is dat dit ware liefde is, wat kan het jou dan schelen? Wat heb je te verliezen als je het beleeft? Te veel? Alles? Kun je je voorstellen dat je het voor iets of iemand de rug durft toe te keren nu het zich aan je heeft geopenbaard?' Ze stak een sigaret op en inhaleerde driftig. Ze was al klaar met praten.

'Is het jou ooit overkomen?' vroeg ik. Haar sigaret was bijna een stompje toen ze antwoord gaf.

'Ja, ik denk dat het me één keer is overkomen. Maar ik was bang dat de gevoelens zouden veranderen. Ik was bang dat ik op de een of andere manier zou worden bedrogen, dus liep ik weg. Ik bedroog de liefde voordat ze mij kon bedriegen. En misschien dacht ik wel dat leven met zo'n intensiteit me zou verstikken. Dus koos ik voor een soort aangenaam, veilig compromis, een emotie die minder was dan passie en meer dan tolerantie. Daar kiezen de meesten van ons toch voor?' vroeg ze.

'Ik vind de intensiteit mooi. Ik heb me nog nooit zo rustig

gevoeld als sinds ik Fernando heb ontmoet,' zei ik tegen haar. Ze moest lachen.

'Jij zou nog rustig zijn in de hel. Jij zou gaan koken en bakken en de boel opnieuw inrichten. Jij bent je eigen rust. Die is niet gekomen en kan ook niet verdwijnen door Fernando,' zei ze. Die volgende herfst werd bij Milena kanker geconstateerd. Ze overleed op kerstavond 1998.

~

Te vlug en te langzaam wordt het juni, en op de avond voor ik vertrek komt Erich bij me logeren. Het huis is zo leeg als een schuur. Op de vloer van mijn slaapkamer maken we twee provisorische bedden van de pakdekens die door de verhuizers zijn achtergelaten, maken ze op met schone lakens die we van Sophie hebben geleend, drinken het laatste restje Grand Marnier op en praten de avond vol, genietend van de echo die onze stemmen in het lege huis hebben. De volgende ochtend nemen we heel gemakkelijk afscheid, omdat we hebben afgesproken dat hij in de maand augustus naar Venetië komt. De buschauffeur, Erich en twee buren tillen mijn bagage in het busje. Mijn nieuwe minimalisme lijkt zwaarder te zijn geworden.

Ik heb een halfuur nodig om alles naar de terminal en daarna naar Alitalia te slepen. De tarieven voor overgewicht zijn te afgrijselijk om te betalen, en ik wou dat ik Fernando's goede raad had opgevolgd om alleen mee te nemen wat *indispensabile* is. Er zit niets anders op dan de boel uit te pakken en ter plekke een veiling te beginnen, voor de incheckbalie.

De baliemedewerkers maken ritsen en riemen open terwijl ik schatten tevoorschijn haal. Ik verklaar de veiling voor geopend. 'Heeft er iemand belangstelling voor dit cacaoservies van Limoge?' En dan: 'Hier is een koffer vol hoeden, winterhoeden, strooien hoeden, sluiers, veren, bloemen.

Hoeden?' Al snel staat er een kluitje reizigers en voorbijgangers, van wie sommigen alleen maar kijken, en anderen dolgelukkig en ongelovig dingen uit mijn handen aannemen. Ik bied net een kistje cabernet aan, een Chateau Montelana uit 1985, en een koffer vol schoenen, als de gezagvoerder van mijn vlucht met zijn bemanning voorbij komt slenteren. We herkennen elkaar uit een ander leven: hij als sporadische gast in het café, ik als 'die kokkin'. Hij blijft staan. Ik bied hem een verkorte versie van mijn verhaal en na een onderonsje met een baliemedewerker beduidt hij dat ik hem moet volgen en buigt hij zich fluisterend naar me over: 'Alles is in orde.'

Een steward gaat me voor naar de wachtkamer eersteklas, een ander zet een blad met een fles Schramsberg Blanc de Noir en een champagneglas neer. Een van hen laat de kurk knallen, schenkt in en biedt me het glas bij de steel aan. Ik ben onder de indruk. Om de twintig seconden neem ik een slokje, frutsel aan mijn gloednieuwe Casedei-sandalen, maak mijn haar los en steek het weer op. Ik moet mezelf er telkens aan herinneren adem te halen. Een vrouw van een jaar of vijftig met een Stetsonhoed, krokodillenleren laarzen en een driekwart broek komt naast me zitten en laat de andere zes onbezette leren banken voor wat ze zijn.

'Bent u een vrouw in de overgangsfase?' begint ze. Ik weet niet zeker of ik haar goed heb verstaan dus blijf ik gewoon met spuug mijn schoenen poetsen, terwijl ik haar met een glimlach begroet.

Ze vraagt het me opnieuw, en ditmaal kan ik niet anders dan mijn oren geloven, dus antwoord ik: 'Nou, ik denk dat we dat allemaal zijn. Dat hoop ik tenminste. Het leven zelf is tenslotte toch een overgangsfase?' Ze bekijkt me met abject medelijden, houdt haar hoofd schuin en staat op het punt om me uit mijn argeloosheid te helpen als ik word gered door een stewardess en naar het penthouse van de 747 word begeleid, ver van mijn oorspronkelijke plaats in de economy class.

Ik word door de bemanning gevoerd en in de watten gelegd en krijg veel aandacht van de vier zakenlieden uit Milaan die bij me in de business class zitten. Als iedereen is geïnstalleerd en er behoorlijk wat chocolaatjes en cognac zijn geconsumeerd, zet de gezagvoerder zijn microfoon open en wenst iedereen welterusten. Hij voegt eraan toe dat hij zo vrij is om een oud liedje van Roberto Carlos te zingen, ter ere van de Amerikaanse die naar Venetië gaat om te trouwen. Op dertigduizend voet kweelt hij zachtjes, hees en gevoelig: '*Veloce come il vento, voglio correre da te, per venire, da te, per vivere con te.* Zo rap als de wind wil ik naar je toesnellen, om bij je te zijn, om mijn leven met je te delen.'

Bij zonsopgang ben ik nog steeds wakker. De kleine ruimte baadt in helder junilicht, en bij het ontbijt doe ik alsof het zomaar een gewone ochtend is. De troubadour, vermomd als onze gezagvoerder, kondigt onze afdaling boven Milaan aan. Ik zit daar te beven als een riet, mijn emoties tuimelen over elkaar heen, botsen, een ijselijke vrije val van het ene leven in het volgende. Ik klem me vast aan de armleuningen alsof die en het snelle, harde bonken van mijn hart kunnen zorgen dat de grote brullende machine sneller gaat of stil blijft hangen. Een laatste poging tot controle, wellicht. Ik was al zo vaak in Italië geland, als reiziger, als toerist met een retourtje. Ik heb alleen maar tijd om mijn gezicht droog te wrijven, mijn haar nog één keer los te maken en weer op te steken. We raken de grond met een vederlichte *plof*.

5
Savonarola had hier kunnen wonen

Plof. De eerste lading koffers wordt door de klapdeuren van de bagageband gesmeten in het afgrijselijke zwart met geel van Malpensa, de luchthaven van Milaan. De vriendelijke gezagvoerder heeft ervoor gezorgd dat al mijn spullen, behalve de dingen die ik al had weggegeven, tegelijk met mij aankomen. *Plof.* Een grenswacht laat zijn automatische wapen aan zijn riem bungelen terwijl hij onder mijn toeziend oog de ene na de andere kar de aankomsthal injaagt. '*Buona permanenza, signora*,' zegt de wacht *sotto voce*, bijna zonder zijn lippen te bewegen. 'Een prettig verblijf gewenst, mevrouw. Ik hoop dat het een echte heer is.'

'Hoe weet u dat er een man op me wacht?' vraag ik hem.

'*C'è sempre un uomo*,' antwoordt hij met een saluut. 'Er is altijd een man.' Ik slinger twee stuks handbagage over mijn gerechte schouders en loop achter mijn tassen aan, de horde wachtenden tegemoet. Ik hoor hem al voordat ik hem kan zien.

'*Ma tu sei tutta nuda*,' zegt hij vanachter een bos gele margrieten, net zo geel als het sportieve shirt dat hij losjes op een groengeruite pantalon draagt. Hij ziet eruit als een felgekleurde ansjovis, zo dun – bijna klein – tussen al die anderen achter de hekken. Bosbeskleurige ogen in een zongebruinde huid, zo anders dan zijn wintergezicht. Ik ga trouwen met die Venetiaan daar in dat gele shirt, zeg ik bij mezelf. Ik ga trouwen met een man die ik nog nooit in de zomer heb gezien. Dit is de eerste keer dat ik naar hem toe loop terwijl hij stilstaat. Alles om hem heen is in sepia, alleen Fernando is in kleur. Zelfs nu is het zo dat ik aan dat tafereel moet terugdenken als ik hem tegenkom, hem tref in een restaurant, om twaalf uur onder de klokkentoren, bij het tafeltje van het aardappelvrouwtje op de markt, in onze eigen eetkamer als daar allemaal vrienden zitten, en even, een fractie van een seconde, is hij dan weer de enige in kleur.

'Maar je bent helemaal bloot,' zegt hij weer, terwijl hij me fijnknijpt tussen de margrieten die hij nog steeds met één hand tegen zijn borst geklemd houdt. Ik heb blote benen die zich uitstrekken van mijn nieuwe sandalen tot een kort donkerblauw rokje en een wit T-shirt. Hij heeft mij ook nog nooit in de zomer gezien. Lange tijd blijven we in die eerste omhelzing staan, zwijgend. We zijn verlegen. Verlegen op een vertrouwde manier.

De meeste tassen en kisten bergen we op in de bagageruimte en op de achterbank van de auto, strak als sardientjes in blik. De rest bindt hij vast op het dak met twee spinnen en een rol plastic touw. '*Pronta?*' vraagt hij. 'Klaar?' Als een dartele metamorfose van Bonnie en Clyde, onderweg om een overval te plegen op de romantiek in ons leven, stuiven we met 120 kilometer per uur naar het noordwesten. De airconditioner blaast grote wolken ijskoude lucht, de raampjes zijn naar beneden gedraaid en nodigen de al hete, klamme lucht buiten uit. Hij heeft beide nodig.

Elvis kweelt vol overgave. Fernando kent alle woorden, maar alleen fonetisch. 'Wat betekent dat?' wil hij weten. '*I can't stop loving you. It's useless to try.*' Ik vertaal liedteksten waar ik nog nooit echt op heb gelet, woorden waar hij zijn leven lang naar heeft geluisterd. 'Ik mis je al sinds mijn veertiende,' zegt hij. 'Toen begon ik tenminste te merken dat ik je miste. Misschien was het zelfs eerder. Waarom heb je zo lang gewacht om naar me toe te komen?' Dit hele gedoe heeft iets geënsceneerds. Ik vraag me af of hij het ook voelt. Bestaat er echt zoiets zoetsappigs als dit? Ik, die Sjostakovitsj al een modernist vind, brul uit volle borst: '*I can't stop loving you*' over de grote vlakte van de Padana die zich plat en boomloos uitstrekt over het foeilelijke industriegebied van Italië. Misschien is dit wel het afspraakje dat ik altijd al heb verwacht.

Tweeënhalf uur later nemen we de afslag naar Mestre, de zwarte rook uitbrakende haven waar voor heel Noord-Italië aardolie is opgeslagen. Ligt Venetië werkelijk pal naast deze verschrikking? Bijna meteen is daar de brug, de Ponte della Libertà, de Vrijheidsbrug, acht kilometer lang, op slechts vijf meter boven het water uitgekeild, die Venetië verbindt met *terraferma*, het vasteland. We zijn bijna thuis. Het is twaalf uur onder een loodrechte zon, en de lagune is een grote versplinterde spiegel die schittert en verblindt. We eten dikke schijven knapperig brood belegd met lubben mortadella, een lunch van het barretje op de parkeerplaats waar we wachten op de veerboot die ons zal overzetten naar het Lido.

Het is een oversteek van drie kwartier op de *Marco Polo*, dwars door de lagune, via het Giudeccakanaal naar het eiland dat Lido di Venezia wordt genoemd, het strand van Venetië. Dertienhonderd jaar geleden woonden hier vissers en boeren. Ik weet dat het nu een wat verbleekte badplaats uit het fin de siècle is waar in hoogtijdagen Europese en Amerikaanse *literati* zich kwamen verpozen en vermaken. Ik weet dat het dorpje Malamocco, ooit de Romeinse nederzetting Metamaucus, in de achtste eeuw de zetel was van de Venetiaanse republiek, dat het Lido het podium is voor het filmfestival van Venetië en dat er een casino is. En Fernando heeft me er zo vaak over verteld dat ik me het kleine kerkje kan voorstellen, en in gedachten kan ik de onopgesmukte roodstenen gevel zien uitkijken over de lagune. Ik weet dat Fernando al bijna zijn hele leven op het Lido woont. Meer dan dat moet ik nog ontdekken.

Nadat de bootsman de auto op de veerboot heeft geleid kust Fernando me, kijkt me lange tijd aan en zegt dan dat hij naar het bovendek gaat om te roken. Het feit dat hij me niet uitnodigt vind ik verwarrend, maar slechts vagelijk. Als ik echt naar boven wil, dan ga ik toch wel. Ik leun achterover en doe mijn ogen dicht, en probeer te bedenken wat ik moet zijn vergeten. Lag er niet nog werk op me te wachten? Niets laten liggen? Nee. Niets. Ik heb niets te doen, of misschien heb ik wel alles te doen. De auto helt mee met de deining van de zee. Misschien ligt het maar aan mij, aan mijn hoop op een soort ritme. Op dit moment is er niets dan een frisse, nieuwe, pas ontsloten ruimte om in te kleuren. Ik voel een niet onaangenaam maar vreemd soort verschuiving van evenwicht. Ik voel het echt. Eén voet staat nog negenduizend kilometer verderop. Net als de boot tegen de steiger aanstoot komt Fernando terug, en we rijden de boot af.

Tijdens een winderig tochtje over het eiland wijst hij op oriëntatiepunten, persoonlijke en culturele. Ik probeer me te herinneren hoe lang het geleden is dat ik echt heb geslapen en kom uit op eenenvijftig uur. 'Kunnen we nu alsjeblieft naar huis?' vraag ik vanuit mijn trance. Hij gaat van de Gran Viale Santa Maria Elisabetta af, de brede boulevard die langs de kust van het eiland loopt, een stille straat in achter de theaters van het Filmfestival en de zeer vergane glorie van het Casino, en dan een smalle *vicolo* in, een straatje met aan weerszijden platanen waarvan de bladeren in een verkoelende arcade naar elkaar toe reiken. Een grote ijzeren poort geeft toegang tot een kleurloze binnenplaats met een rij smalle garages, elk voor één Italiaanse auto. Daarboven rijzen drie lagen ramen op, de meeste met de *persiane* neer. Net zoals hij heeft beloofd bevindt thuis zich in een naoorlogse betonnen bunker. Er is niemand te zien, behalve een heel klein vrouwtje van onbepaalde leeftijd dat in een soort tarantella om de auto heendrentelt.

'*Ecco Leda.* Dit is Leda, onze lieftallige portier,' zegt hij. '*Pazza completa.* Helemaal getikt.' Ze staat naar boven te staren, smekend. Is ze emotioneel vanwege onze komst? Maar ze begroet ons op geen enkele manier, noch verbaal, noch door haar schouders op te halen, noch door te knikken. 'Ciao, Leda,' zegt hij zonder haar aan te kijken of ons aan elkaar voor te stellen. Leda gorgelt iets over dat we de auto niet te lang voor de oprit mogen laten staan.

'*Buena sera, Leda. Io sono Marlena.* Dag Leda. Ik ben Marlena,' probeer ik.

'*Sei Americana?*' vraagt ze. 'Komt u uit Amerika?'

'*Si, sono Americana*,' zeg ik tegen haar.

'*Mi sembra piú francese.* U lijkt me eerder Frans,' zegt ze, alsof ze eigenlijk Mars bedoelt. We laden de auto uit, zij gaat door met de tarantella. Hoe hard ik het ook probeer, ik kan het niet laten om af en toe vluchtig naar haar te kijken. Ze is een faustiaanse trol met ogen die zo zwart zijn als olijven, verzonken als bij een havik. In de drie daaropvolgende jaren zal ik haar geen enkele keer horen lachen, hoewel ik haar grizzlyachtige gegrom vaker hoor en haar vaker haar vuisten ten hemel zie heffen dan me lief is. Ik kom er ook achter dat ze haar gebit alleen naar de kerk indoet. Maar hier, nu, romantiseer ik haar. Het enige wat ze nodig heeft is een beetje tederheid en een warme taart van pure chocola, denk ik.

Terwijl we mijn tassen door de gang naar de lift duwen en sleuren zijn er een paar mensen die net aankomen of weggaan. *Buon giorno. Buena sera.* De communicatie is uiterst beperkt. Al zeulden we kadavers in jutezakken, wat kan het hen schelen. Op de laatste tochtjes naar de auto zie ik meer dan één persoon uit evenzoveel ramen hangen waarvan de blinden omhoog zijn gehaald. *L'Americana è arrivata.* De Amerikaanse is gearriveerd. Hopend op een scène uit *Cinema Paradiso* wacht ik tot minstens één oude vrouw met zwarte kousen aan en een hoofddoek om naar me toekomt en me aan haar royale boezem drukt die naar rozenwater en salie geurt. Maar er verschijnt niemand.

Aan liften is veel af te lezen, en net zoals entrees zeggen ze veel over het huis. Deze, met een atmosfeer die na vijftig jaar lang rokende menselijke vracht volledig zuurstofvrij is, heeft een vloeroppervlak van één vierkante meter, met linoleum op de grond, en is geschilderd in glanzend aquamarijn. De kabels piepen en kraken onder het gewicht van meer dan een persoon. Ik lees dat hij is goedgekeurd voor maximaal driehonderd kilo. We sturen de tassen alleen naar boven, een paar per keer, terwijl wij drie trappen op rennen om ze bij de deur van de flat weer op te vissen. Dat doen we zes keer. Fernando kan het niet langer uitstellen om de deur open te doen. Moedig zegt hij: '*Ecco la casuccia.* Aanschouw dit stulpje.'

Aanvankelijk kan ik niets zien behalve de omtrekken van kartonnen dozen, die overal lijken te zijn opgestapeld. Er hangt een muffe geur. Door een peertje aan te knippen verlicht Fernando de ruimte, en dan weet ik dat het een grap is. Ik hoop dat het een grap is. Hij heeft me voor de lol meegenomen naar een leegstaande ruimte, een opslagplaats op tweehoog, en ik begin dan ook te lachen. Ik kan alleen maar lachen, en met mijn handen om mijn gezicht en hoofdschuddend giechel ik: '*Che bellezza.* Wat mooi.' Misschien komt nu de oude vrouw met zwarte kousen om me aan haar boezem te drukken en me mee te nemen naar mijn echte huis. Ik herken mijn handschrift op een van de dozen, en het dringt tot me door dat dit mijn echte huis is. Verstoken van enige snuisterij is dit het hol van een asceet, het nederige stulpje van een acoliet. Savonarola had hier kunnen wonen, alles getuigt van eerbied voor middeleeuws patina, niet verstoord door het verstrijken van de tijd of iemand die rondfladdert met een stofdoek. Ik kom wonen in de achter luiken verborgen somberheid van Bleak House. Ik begin de ware betekenis van het woord blinden te doorgronden.

De ruimte is verbazingwekkend klein, en ik bedenk meteen dat dat goed is, dat het makkelijker zal zijn om een klein saai huisje te veranderen dan een groot huis. Fernando slaat van achteren zijn armen om me heen. Ik begin die ellendige persiane open te doen, zodat er lucht en zonlicht binnenkomt. De keuken is een cel met een poppenfornuis. In de slaapkamer wordt één muur bedekt door een bizar oosters kleed, er hangt een verzameling stokoude skimedailles aan roestige klauwvormige haakjes en flarden gordijnen zweven als asgrauwe spoken voor een deur en een raam, die uitkomen op een onmogelijk klein balkon dat vol staat met verfblikken. Het bed bestaat uit twee matrassen op de grond, tegen de muur daarachter leunt een massief en bewerkt hoofdeind van knoestig hout. In de badkamer moet je behoedzaam lopen vanwege alle ontbrekende en kapotte tegels en de grote koppelriem van een stokoude wasmachine, die halverwege de wastafel en het bidet staat. Het valt me op dat de afvoerpijp van de wasmachine uitkomt in de badkuip. Er zijn nog drie andere kamertjes waarvan het verhaal te afgrijselijk is om te vertellen. Niets duidt erop dat hij zich heeft voorbereid op de komst van zijn bruid, en hij maakt geen grapje en biedt ook niet zijn verontschuldigingen aan als hij zegt: 'Stukje bij beetje zullen we alles aanpassen aan onze wensen.'

Telkens weer had hij met bedeesde openhartigheid gesproken over waar en hoe hij woonde, gezegd dat het waar en hoe een passieve rol speelden in zijn leven, dat hij de flat gebruikte om te slapen, televisie te kijken, te douchen. Dat ik sta te tollen van de eerste aanblik komt doordat ik me de zaken te mooi heb voorgesteld. Dit is niets meer en niets minder dan een eerlijke thuiskomst. Het is goed dat Fernando weet dat ik voor hem naar Italië ben gekomen, niet voor zijn huis. Het is makkelijker om een huis te vinden dan een lieve Venetiaan, bedenk ik. Van de weeromstuit denk ik aan een man die ik kende in Californië. Jeffrey was gynaecoloog, succesvol, smoorverliefd op Sarah, een kunstenares, straatarm, die smoorverliefd was op hem. Nadat hij Sarah jarenlang aan het lijntje had gehouden zette hij haar aan de dijk voor een oogarts die extreem succesvol was en met wie hij bijna meteen trouwde. Zijn redenering werd niet gehinderd door gevoel. Hij zei dat hij met de dokter een beter huis kon krijgen. Jeffrey trouwde dus met een huis. Die gedachte stelt me gerust. Toch mis ik mijn Franse hemelbed. Ik wil een lekkere wijn drinken uit een mooi glas. Ik wil een kaars en een bad. Ik wil slapen. Terwijl we wat plaats maken op het bed herhaalt hij wat hij al in Saint Louis heeft gezegd. 'Je ziet het, er is *un pò di cosette da fare qui*, het een en ander te doen hier.'

~

Een sikkelvormige maan verschijnt in het piepkleine, hoge raam in de slaapkamer. Ik concentreer me erop, probeer tot rust te komen zodat ik kan slapen. Ik zit nog steeds in het vliegtuig of misschien in de auto, op de veerboot. Ik heb elke etappe van de odyssee van vandaag opnieuw beleefd, steeds minder snel. Het is alsof er tijdens de reis van daar naar hier op een gegeven moment een soort overgang heeft plaatsgevonden, een korte dood, waarin de ene periode de sleutels heeft overhandigd aan de volgende. In plaats van aan het randje van een nieuw leven te zijn afgeleverd, zit ik er nu al middenin, uitvergroot en op het hoofdpodium. Er komen allerlei gevoelens los. Ik kan niet slapen. Hoe kan ik nou slapen? Nu ben ik het die in het bed van de Venetiaan ligt. Fernando slaapt. Zijn adem is warm, constant op mijn gezicht. Op zoek naar ritme? Ik geloof dat ik beet heb. Heel zachtjes begin ik te zingen: '*I can't stop loving you.*' Een wiegeliedje. Als het waar is dat dromen die je vlak voor het ontwaken hebt waar zijn, wat betekenen de dromen dan die je hebt vlak voor je in slaap valt? Ik zink weg in halfdromen. Zijn ze halfwaar?

6
Als ik Venetië een uur aan jou kon geven, dan zou het dit uur zijn

Ik word wakker van de geur van koffie en een pas geschoren Venetiaan. Hij staat aan het bed met een blad waarop een klein gehavend mokkapotje staat, stomend en wel, kopjes, lepeltjes en suiker in een zak. Ik ben ontzet door hoe het huis er in het ochtendlicht uitziet, maar hij staat te stralen. We besluiten twee uur lang te werken, dat alle orde die we aan de chaos kunnen ontworstelen genoeg is voor de eerste dag. Om elf uur rennen we de trap af. Hij wil naar Torcello, waar we kunnen uitrusten en praten en alleen kunnen zijn, zegt hij. 'Waarom Torcello?' vraag ik.

'*Non lo so esattamente.* Dat weet ik niet precies. Misschien omdat dat kruimeltje aarde nog ouder is dan Venetië.' Hij wil dat we bij het begin beginnen. 'Vandaag is mijn verjaardag, onze verjaardag, hè?' wil hij weten.

We installeren ons op de voorsteven van de vaporetto, met ons gezicht in de wind. Het is onmogelijk en onnodig om daar iets te zeggen; we knijpen elkaar in de hand. Hij kust mijn oogleden, en met fladderende zeemeeuwen als escorte glijden we onder een Tiepolo-lucht door eeuwige lagunes, langs verlaten vingerdopjes zand, eilandjes die ooit markttuinen en schaapskooien waren. Op het Canale Borgognoni stoten we tegen de wal. Torcello is de oermoeder van Venetië, met haar eenzame gele bladvorm. Er weerklinken oeroude echo's. Er worden geheimen gefluisterd: *Neem me bij de hand en word jong met mij; haast je niet, slaap niet; wees een beginneling, steek de kaarsen aan, houd het vuur brandende, durf iemand lief te hebben, vertel jezelf de waarheid, verbreek de betovering niet.*

Het is na tweeën en rammelend van de honger nemen we een tafeltje onder de bomen bij de Ponte del Diavolo, de Duivelsbrug, waar we lamsvlees van het houtvuur eten, rucola met een dressing van de licht aangebrande sappen van het lam, en het ene zware, zalige broodje na het andere. We eten zachte bergkaasjes, besprenkeld met kastanjehoning. We blijven lange tijd zitten, totdat wij de enigen zijn die de oude kelner gezelschap houden, dezelfde die mij *risotto coi bruscandoli* had geserveerd toen ik jaren geleden voor het eerst naar Torcello kwam. Hij heeft nog steeds een zalmkleurige zijden *cravate* om en een middenscheiding in zijn gepommadeerde haar. Heerlijk. Te midden van zoveel veranderingen kan ik die onaangeroerde dingen wel waarderen. Gelukzalig vouwt de kelner servetten terwijl wij, eveneens gelukzalig, treuzelen met zwarte kersen, die we een voor een uit een kom ijskoud water plukken.

De Basilica di Santa Maria Assunta van Torcello, op rechtstreeks gezag van God opgetrokken door de bisschop van Altinum, is een opgedirkt heiligdom voor een byzantijnse koning. Binnen in de grote holle ruimte voelt de lucht beladen, spookachtig, heilig. Een grote, langgerekte en schimmige Maagd van Byzantium die Christus vasthoudt kijkt kil uit de koepel van de apsis neer. Een plattelandskerk zonder parochie. Ik vraag een monnik in een bruine pij naar de tijden waarop de mis wordt opgedragen. Hij negeert me en zeilt door een met een tapijt versierde deur, misschien wel omdat mijn Italiaans te krom is om antwoord op te geven. Buiten laat ik mijn hand over de marmeren zetel glijden, glad geworden door een miljoen handen voor mij, sinds de tijd dat Atilla de Hun hier decreten zat uit te denken in het door wind geteisterde gras. Ik wil slapen in die wei daar, sluimeren in stekelig gras en herinneringen. Ik wil slapen waar de eerste Venetianen hebben geslapen, zesde-eeuwse gevluchte vissers en herders op zoek naar vrede en vrijheid. Van hieruit lijkt het appartement met zijn middeleeuwse patina onbelangrijk.

Teruggaan naar het Lido en ons omkleden lijkt tijdverspilling, dus stappen we bij San Marco van boord. Omdat ik mijn tas als een weekendtas heb volgepropt zal het damestoilet van het Monaco dienen als mijn kleedkamer. Meer dan eens hebben de luxe van blauwgroene en perzikkleurige chintz mij een dienst bewezen. Joost mag weten waarom, maar als ik voor de spiegel zit moet ik aan New York denken, aan Madison Avenue 488 en de Firma Herman, aan dat ik vier dagen per week van buiten de stad New York in reed om reclameteksten te schrijven en de kneepjes van het vak te leren. De Hermans zouden het geweldig vinden dat ik de oceaan ben overgestoken om met de Venetiaan te trouwen. Zij zouden met de eer gaan strijken dat ze lang geleden het gevoel voor avontuur in me hadden ontstoken. Zij waren het tenslotte die me bepakt en bezakt voor de presentatie van een advertentiecampagne naar Haïti stuurden, nog maar een paar weken nadat Baby Doc was gevlucht.

Ik kan me de twee mannen met vettige spijkerbroeken en een brede glimlach nog herinneren die me over een landingsbaan naar een volgekalkt busje leidden en zwijgend en onstuimig door de verschrikkelijkste taferelen van menselijke wanhoop en de adembenemendste uitzichten op natuurschoon reden die ik ooit heb gezien. Later die eerste avond lag ik in mijn hotelbed onder de hemel van een verstelde klamboe de dikke, zoetige lucht in te ademen en naar de trommels te luisteren. Net als in de film. Maar waar blijft die man van Interpol, die met dat zilvergrijze haar en witte smokingjasje, die zo ongeveer nu mijn kamer binnen zou glippen om mij als medeplichtige te betrekken in nachtelijk verraad?

Die week dat ik in Haïti was zag ik geen andere Amerikaanse of Europese vrouw, omdat de andere bureaus uit New York fris ogende jongens in donkerblauw hadden gestuurd. Een politieagent maakte eveneens deel uit van het toeristengezelschap. Hij was zo vriendelijk zijn automatische wapen op tafel te leggen en kwam naast me zitten. Elke keer dat ik een papiertje pakte streek ik met mijn hand langs de leren riem ervan. Ik begon op nerveuze toon maar ging steeds overtuigender praten, steeds sneller zelfs, en keerde terug naar New York met de opdracht op zak.

Nu ik hier zit, voor deze spiegel, herinner ik me dat ik de meeste avonden na mijn werk Madison Avenue af racete om een paar minuten voor een andere spiegel te zitten, in het damestoilet van Bendel. Even wat beschaving voordat ik op de bus naar Poughkeepsie van drie voor zes stapte, de kinderen ophaalde, kookte, at, zorgde dat ze hun huiswerk deden, ze in bad deed, de eindeloze instopceremonie. 'Mama, ik weet precies wat ik wil zijn met Halloween,' zei Erich elke avond vanaf juli.

'Slaap lekker, jochie. Slaap lekker, kleine meid.' Zo lang geleden. Niet eens zo lang geleden. Wat doe ik hier eigenlijk zonder hen? Waarom is dit niet allemaal vijftien of twintig jaar geleden gebeurd? Nu fris ik me op, trek andere schoenen aan, verruil mijn zwartlinnen bloes voor een van golvende witte voile. Ik doe parels in mijn oren. Het is avond in Venetië en de lieve Venetiaan is dol op parels, dus ik doe er een ketting van om. Opium.

De eeuwige barman in Hotel Monaco is Paolo, die beste Paolo die acht maanden eerder kranten in mijn natte schoenen had gepropt, toen ik mijn afspraakje met Fernando was misgelopen. Hij dirigeert ons naar het terras, naar de pracht van een traag rijpende avond. Hij brengt ons koude wijn en zegt: '*Guardate.* Kijk eens,' terwijl hij met zijn kin naar de mezzotint wijst, de Canaletto, recht voor onze neus in de roze sporen van de zon. Zijn dagelijkse aanblik verrukt hem, verrast hem. In mijn ogen zal Paolo nooit oud zijn.

Aan de andere kant van het kanaal staat een laag gebouw, de maritieme douane uit de latere tijd van de republiek. Het geval is op één miljoen houten peilers in de lagune gebouwd, en boven op de stenen toren van het gebouw torsen twee identieke Atlassen een grote gouden aardbol, een zetel voor Fortuna, godin van ieder lot. Ze is prachtig. Een bedeesde wind probeert nu met haar te dansen. En kleine brokjes licht sieren haar. '*L'ultima luce.* Het laatste licht,' zeggen we tegen elkaar, als een gebed. 'Beloof me dat we altijd samen zijn bij het laatste licht,' zegt hij, terwijl hij helemaal geen belofte nodig heeft.

Als ik Venetië één uur aan jou kon geven, dan zou het dit uur zijn, en het zou in deze stoel zijn dat ik je neer zou zetten, wetend dat Paolo vlak in de buurt is en er alles aan zal doen om het jou naar de zin te maken, wetend dat de nacht die dat volle laatste licht steelt er ook met jouw hartzeer vandoor zal gaan. Zo zou het zijn. Weg. Verdwenen.

'Laten we helemaal naar Sant'Elena lopen,' zegt hij. We steken het piazza over en lopen richting de Ponte della Páglia, langs de Ponte dei Sospiri, de Riva degli Schiavoni op, langs Hotel Danieli en nog een brug over, langs een bronzen Vittorio Emmanuele te paard, en vóór het Arsenaal weer een brug over.

'Hoe veel bruggen nog?' wil ik weten.

'Nog maar drie. Dan met een boot van Sant'Elena naar het Lido, een kilometer lopen naar de flat en we zijn er,' zegt hij. Dit is geen leven voor slappelingen.

~

Twee dagen later gaat Fernando naar de bank. Ik ken niemand, mijn kennis van het Italiaans is beperkt en vaak krom, en ik heb twee vaste punten: een soort filosofisch evenwicht, dat gevoel dat mijn diepste wezen me overal volgt, en mijn lieve Venetiaan. Nu heb ik alle vrijheid om te beginnen die *frisse, nieuwe, pas ontsloten ruimte* die mijn leven schijnt te zijn in te kleuren.

Ons gezamenlijke plan is om na de bruiloft aan een grondige renovatie van de flat te beginnen. We gaan muren en plafonds opnieuw laten stuken, nieuwe ramen laten maken, de badkamer en de keuken helemaal vervangen, nieuwe meubels uitzoeken die we mooi vinden. Vooralsnog een snelle opknapbeurt met flink boenen en een hoop nieuwe stof. Volgens Fernando kan ik rekenen op Dorina, zijn *donna delle pulizie*, poetsvrouw. De poetsvrouw? Wat maakte ze dan schoon?

Dorina arriveert om halfnegen op de eerste ochtend dat ik alleen ben. De grote vrouw, die al lang niet in bad is geweest, is in de zestig en stapt van haar ene gestreepte schort in een andere gestreepte schort, die ze heeft meegenomen in een verkreukelde rode boodschappentas, samen met een paar schoenen met uit laagjes bestaande hakken waar de achterkant is uitgesneden. Ze schuifelt rond met een emmer groezelig water, kamer in kamer uit met dezelfde emmer water en dezelfde smerige spons. Ik vraag Fernando of we niet iemand met meer energie kunnen zoeken, maar hij weigert en zegt dat Dorina al te lang voor hem werkt. Die trouw aan Dorina bevalt me. Maar het is de kunst om haar weg te houden bij die emmer, haar iets anders te laten doen, winkelen, verstellen, strijken, *stoffen*. Voordat ze terugkomt kan ik klaar zijn met de eerste grote schoonmaak. Ik heb dertien dagen, en het is nou niet bepaald de aarde die ik schoon moet maken. Ik kan dit in vier, misschien vijf dagen klaren. Ik denk terug aan mijn avondmantra in Saint Louis: '*Wieden, schrobben en de aarde helemaal tot in China omspitten*.'

Fernando helpt door me de boenwasmachine te laten zien. Mij lijkt het eerder een prototype voor een rechtopstaande scooter. Hoewel hij niet veel weegt kan ik de snelheid niet regelen en hij gaat er met me vandoor, sleurt me mee totdat ik vraag of je een helm moet dragen om hem te bedienen. Hij kan er niet om lachen. Dat noch hij, noch Dorina ooit in de gelegenheid is geweest om hem te gebruiken, verleent het apparaat in zijn ogen niet minder status. 'Dit is het toppunt van Italiaanse technologie,' zegt de boerse Venetiaan. Nadat het ding in de woonkamer met hem aan de haal is gegaan stoppen we het stilletjes weg, en sindsdien heb ik het nooit meer gezien. Hij heeft Dorina er vast op een dag mee naar huis gestuurd.

De volgende ochtend gooi ik overal azijnwater en schrob de vloeren met een nieuwe, groene zwabber met lussen. Een paar spatten scherpe, bruine vloeistof uit een blikje waar *Marmi Splendeti* op staat, Blinkend Marmer, en ik poets de vloeren door eroverheen te schaatsen, mijn voeten gewikkeld in de zachte, vilten omhulsels die Fernando als pantoffels gebruikt. Onder lange, soepele glijpartijen begint het marmer te glanzen. Mijn dijspieren gloeien. Hoewel de vloer niet echt blinkt, ziet het versleten, geaderde antraciet er in mijn ogen schitterend uit, en heb ik de smaak te pakken. Voor Fernando is dat anders. Elk stadium van de klus zorgt bij hem voor verdriet voordat hij schouderophalend overgaat tot voorzichtig enthousiasme. We leggen laag na laag bloot, sorteren de dingen met de zorg van antropologen, buigen ons over vermolmde kastjes en nagemaakte zeemanskisten. In een daarvan vind ik een doos met vierenvijftig audiocassettes, de plastic verpakking nog intact en met het label *Memoria e Metodio*, Geheugen en Methode erop. Het belooft 'de geest op orde te stellen'.

'*Accidenti*,' zegt hij. 'Verdomme, hier heb ik overal naar gezocht.' Elke avond ontdoen we het appartement van weer een laag van zijn verleden, en Fernando's ogen staan als die van een stervende vogel; zijn tochten naar de vuilstortplaats hebben iets weg van een begrafenis. Hij is degene die vaart zet achter deze tussentijdse schoonmaak, maar toch is hij getergd. Hij wil vooruitgang zonder verandering.

Ik begin overlevingsrituelen in te stellen. Zodra Fernando 's ochtends de deur uit is, was ik me en kleed ik me aan, en in plaats van de lift te nemen ren ik de trap af, langs de trol, de poort uit en linksaf, veertien meter naar de naar gist geurende, met suiker bestoven drempel van Maggion. Een piepkleine en zalige *pasticceria* waarvan de banketbakker eruitziet zoals een koekmannetje eruit zou zien als hij een cherubijn was. Daarbinnen ben ik dol van vreugde. *Deze banketbakker zit pal naast mijn huis*, denk ik. Ik neem twee abrikozen-*cornetti*, knapperige, glanzende, croissantachtige prachtdingen, en eet er eentje op weg naar de bar waar ik cappuccino drink (vijftig meter), de tweede op weg naar de *panificio*, de bakkerij, om die eens aan een inspectie te onderwerpen (zo'n zeventig meter, misschien minder), en waar ik tweehonderd gram, nog geen half pond *biscotti al vino* koop, knapperige koekjes bereid met witte wijn en olijfolie, venkelzaad en sinaasappelschil. Ik maak mezelf wijs dat dit mijn lunch is. In werkelijkheid zijn ze om op te eten terwijl ik langs het water loop, langs een stuk door de zee geteisterd zand dat het privé-strand is van het Excelsior Hotel. Hoewel Fernando me verzekert dat ik ongestoord door de lobby naar de zee kan lopen, de fraaie glazen achterdeuren door, zwaai ik liever mijn benen over het lage stenen muurtje van een terras dat uitkijkt op het water, sluip de kade af naar de natte bruine randen van de Adriatische Zee. Ik ben nu buiten mezelf van vreugde. *De zee ligt tegenover mijn huis*, denk ik. In zomer en winter, in de regen, gehuld in bont, in een handdoek, af en toe in wanhoop, zal ik drie jaren van mijn leven elke dag langs dit stukje Adriatische Zee lopen.

De trap weer op om te werken, 's ochtends nog twee of drie keer de trap af voor een espresso, om flink wat niet-muffe lucht op te snuiven, voor een, misschien wel twee kleine aardbeientaartjes van de cherubijn van koek. Vertrek en aankomst worden geregistreerd door de trol en haar handlangster, beiden gehuld in een bloemetjesschort. *Buon giorno* is het enige wat we zeggen. Ik heb alle hoop op een uitnodigende dame met zwarte kousen opgegeven, en ben minder zeker van de kans op tederheid en pure chocola. Er is een stereo in het appartement, maar behalve *Memoria e Metodo* zijn de enige cassettes natuurlijk van Elvis en Roy, en dus zing ik zelf. Ik zing uit pure vreugde over een nieuw begin. Ik vraag me af hoeveel huizen ik wel heb vormgegeven. Hoeveel zal ik er nog vormgeven? Sommige mensen zeggen dat als je huis af is, het tijd is om te sterven. Mijn huis is nog niet af.

Op de derde dag is het geschrob bijna klaar en kan ik beginnen met winkelen. Fernando wil dat we alles samen uitzoeken, dus als zijn werkdag erop zit sta ik bij de bank en gaan we naar Jesurum voor zware okerkleurige lakens, een beddensprei, een dekbed, allemaal met twintig centimeter geborduurde randen. We nemen bergen dikke witte handdoeken en badlakens versierd met cappuccinokleurig kant, een diepere kleur oker voor een tafelkleed van geborduurd damast en servetten zo groot als theedoeken. Alles bij elkaar zijn deze spullen duurder dan een babyvleugel, maar het hol van de Venetiaan wordt tenminste wat opgesmukt.

Op een andere dag kopen we een prachtige ivoorkleurige kanten sprei in een *bottega* in de buurt van de Campo San Barnaba. Met onze schat in de hand lopen we een paar meter de hoek om naar een schuit, een drijvende groentemarkt die in een of andere reïncarnatie al achthonderd jaar lang elke dag langs de Fondamenta Gherardini dobbert. We kopen een kilo perziken. Kant en perziken, de hand van de Venetiaan om vast te houden. Zo is het goed. En het is dit tafereel dat ik voor ogen heb als ik het kant rimpel en bevestig aan het verlichtingspunt van het plafond van de slaapkamer, de randen strak trek en vastknoop aan de knoppen van het hoofdeinde. Nu hebben we een *baldacchino*, een hemelbed. Nu hebben we een boudoir.

Een vaas van kobaltblauw glas die ik onder de gootsteen in de keuken vind staat prachtig met takken forsythia van de bloemenvrouw op de *imbarcadero*, de aanlegsteiger. Een grote vierkante schaal van dezelfde kleur blauw die ooit dienstdeed als een buitenmodel asbak bevat nu artisjokken die op lange stelen hun kop laten hangen en citroenen die nog aan hun takken en bladeren vastzitten. Reine-claudes met de kleur van vers gras liggen opgehoopt in een mand, die van Madeira naar New York naar Missouri is gezeuld en onlangs mee is gekomen naar Italië. Boeken staan in rijen op kraakheldere glazen planken die ooit werden bevolkt door gehavende modelvliegtuigen en stapels oude roze kranten, de *Gazzetta dello Sport*. Ik zet een stuk of twintig foto's in zilveren lijstjes op de vers in de was gezette en geboende deksel van wat een prachtige grenen kist lijkt, een *cassapanca* noemt hij het. Hij zegt dat zijn vader hem vanuit Merano heeft meegebracht, de stad die aan de grens met Oostenrijk ligt, waar de familie ooit woonde en waar Fernando geboren is.

Ik zal sterven met een onveranderlijke en vleselijke liefde voor stoffen. Stoffen vind ik belangrijker dan meubelen. Afgezien van erfstukken en antiek drapeer en versier ik liever een of ander zielig, gehavend overblijfsel dan iemand van een exclusieve interieurwinkel binnen te laten. Schaamteloos ga ik op weg naar de markt van het Lido, die altijd op woensdag langs de kanalen wordt gehouden. Ik koop een rol beige damast, waarvan ik met hele lappen, ongezoomd, een zwartleren bank aankleed. Ik verpak de niet bij elkaar passende stoelen zo'n beetje in een rol roomwitte ruwe zijde, naai voor elk een hoes en bind ze van onderen vast met een zijden koord. De eettafel van glas en metaal drapeer ik met een witlinnen beddensprei, waarvan ik de hoeken in dikke knopen om de poten draai. Een verzameling antieke kandelaars zet ik opgepoetst en glanzend in het midden op een rij, als juwelen.

Ik vind ideale plekjes voor bijna alle oude kussens die ik niet in Saint Louis wilde achterlaten. Alle peertjes die het goed zouden doen in een operatiekamer worden vervangen door *bugie*, letterlijk 'leugens', schemerlampen met een laag wattage, en kaarsen met kaneel- en vanillegeur. Overdag zonlicht, 's avonds kaarslicht; soms lijkt elektriciteit overbodig. Ik ben in mijn nopjes, terwijl de Venetiaan zit te mokken.

Fernando is zelfs laaiend als ik hem de pas gewitte muren

in de slaapkamer laat zien. Hij zegt dat muren in Venetië alleen maar in de herfst mogen worden gewit, als de lucht relatief droog is, anders gaat de gevreesde zwarte *muffa*, schimmel, kruipen en sluipen. Mijn hemel, alsof dat wat uitmaakt, denk ik. Om beurten staan we met mijn föhn op de ladder.

Hij weeklaagt om de dode planten die ik samen met de verfblikken op het terras zet. '*Non sono morte, sono solo un po' addormentate.* Ze zijn niet dood, ze doen alleen maar een dutje.'

'Jij zou moeten weten wat dat inhoudt,' mompel ik *sotto voce* terwijl ik ze de slaapkamer weer binnendraag en hun verschrompelde blaadjes tot hun saploze steel afknip. Ik begin te ontdekken hoe handig het is om een taal te spreken die je geliefde niet verstaat. Ik stamp door het appartement, waarbij ik een spoor van verpulverde bladeren achterlaat en me afvraag waarom er altijd, net een paar centimeter boven de liefde, een lichte drang tot wraak hangt.

Een witwollen tapijt uit Sardinië verhult de dramatische toestand waarin de badkamer zich bevindt, en de spiegel met de rode plastic rand boven de wastafel wordt vervangen door een afgekante spiegel van rookglas, op maat gemaakt in een barokke kroonlijst van Gianni Cavalier op de Campo San Stefano. Hij haalt ons over om twee lelievormige blakers met bladgoud aan weerszijden van de spiegel te hangen, ook al is er geen stopcontact voor. 'Hang ze op en doe er kaarsen in,' raadt hij ons aan, en dat doen we. Het appartement is niet langer triest maar intiem, uitnodigend. Ik begin het 'de datsja' te noemen, en dat vindt Fernando geweldig. Nu lijkt het opeens een leuke plek om te zijn, te eten en drinken en te praten, uit te rusten, te vrijen. Fernando loopt elke dag drie, vier keer door het huis, waarbij hij onderzoekt, aanraakt en flauw glimlacht in een nog aarzelende goedkeuring.

Brandend van nieuwsgierigheid belt de trol op een avond aan en wuift met een achtergehouden brief om haar binnenkomst te rechtvaardigen. '*Posso dare un occhiata?* Mag ik vlug even kijken?'

Haar gekir doet Fernando goed. '*Ma qui siamo a Hollywood. Brava, signora, bravissima. Auguri, tanti auguri.* Maar het lijkt hier wel Hollywood. Mooi, signora, heel mooi. Gefeliciteerd, van harte gefeliciteerd,' zegt ze, terwijl ze de trap weer afrent. Rond middernacht is de hele bunker waarschijnlijk op de hoogte. Dankzij de trol begin ik te begrijpen dat Fernando goedkeuring, bevestiging nodig heeft voordat hij kan aanvaarden wat ik doe. Als ik de rest van de wereld kan behagen, dan is hij blij. Zeven jaar en drie huizen later, nu ik dit vertel, wacht hij nog steeds op een, of misschien wel twee, blijken van waardering voordat hij zich kan ontspannen en iets kan goedkeuren.

Als hij eenmaal zover is begint Fernando buren en collega's uit te nodigen om een kijkje te nemen in het huis. Hij vraagt niemand plaats te nemen, een glas wijn te drinken. Iedereen weet dat het zijn taak is om zijn ogen goed de kost te geven en de rest van het eiland in te lichten. Ik maak deel uit van het meubilair, een leunstoel bekleed met een nostalgisch stofje, en niemand spreekt me direct aan. Met zijn blik op een punt in de lucht zo'n twintig centimeter boven mijn hoofd, komt iemand dan met een slappe tekst als: '*Signora, Le piace Venezia?* En, bevalt Venetië mevrouw?' Dan draait hij zich mechanisch in een soort menuetbeweging richting deur en vertrekt. Ik zal nog ontdekken dat dit een vorm is van het sociale leven in Venetië, dat sommigen van deze 'gasten' nog jaren verzaligd zullen zeggen hoe vreselijk leuk ze het hebben gehad in ons huis. Niets voelt aan als iets echts, en ik begin me af te vragen of het ooit zover zal komen. Sterker nog, ik begin me af te vragen of ik nog wel zou weten wat echt is als het zich weer zou aandienen. Ik speel vadertje en moedertje. Het lijkt een beetje op toen de kinderen nog een baby waren en ik kon doen alsof ik met poppen speelde. Maar nee, dit is anders. Toen was ik veel ouder.

Hoewel hij op eigen terrein is, de dingen doet die hij altijd heeft gedaan, staat ook Fernando's leven op zijn kop. Hij loopt langs dezelfde straten, wenst dezelfde mensen *buena sera*, koopt zijn sigaretten bij dezelfde sigarenboer, slaat dezelfde *aperitivo* achterover in dezelfde bar waar hij hem dertig jaar achterover heeft geslagen, maar nu is niets meer hetzelfde. Fernando heeft zijn eigen Venetiaan. 'Jij zit ook in een ander leven,' zeg ik tegen hem.

Hij zegt van niet. Hij zegt dat dit geen ander leven is, maar een eerste leven. 'Tenminste het eerste leven waarin ik meer doe dan waarnemen,' zegt hij. Mijn Venetiaan heeft iets bitterzoets. En een lang onderdrukt, hevig beven van woede. Ik bedenk hoe eenzaam het moet zijn om gewoon mee te hobbelen, je vast te grijpen, terwijl het leven je rondvoert. Ik geloof in het lot, in een soort fundamentele voorbestemming, maar onverbrekelijk verbonden met een zelfgekozen strategie. Ik weet nog dat toen ik jong was, ik opgelucht was toen ik Tolstoj las. 'Het leven vormt zichzelf,' beloofde hij. Hoewel ik er niet helemaal in geloofde, vond ik het prettig om te denken dat het leven ook maar een deel van het werk zelf deed, dat ik af en toe even pauze kon nemen. Maar slapen zoals Fernando had geslapen was triest.

Het is zaterdagavond en we dwalen doelloos rond. Op het dek van een vaporetto haal ik Prosecco uit mijn tas tevoorschijn; de wijn heeft een halfuurtje in de diepvries gelegen, doet pijn van de kou, de compacte, scherpe belletjes verdoven de tong. Hij is verlegen, hoopt dat niemand hem zal aanzien voor een toerist, maar hij neemt grote, krachtige teugen van de wijn. '*Hai sempre avuto una borsa così ben fornita?* Ga je altijd met zo'n goed voorziene tas op stap?' vraagt hij. Mijn tas is een geëvolueerde luiertas, leg ik uit. Probeer ik uit te leggen. We hebben er al een gewoonte van gemaakt om een mengelmoes van onze talen te spreken, een soort zelfverzonnen Esperanto. Of soms stelt hij een vraag in het Engels en geef ik antwoord in het Italiaans. Elk wil de steun van de ander. De boot stampt door het zwarte water, door vochtige, zijdezachte lucht met een roze weerschijn, die via amber verandert in goud.

In Zattere gaan we van boord, stappen over op een andere boot en varen terug naar San Zaccaria. Het is bijna negen uur. Er zijn merkwaardig weinig Venetianen en het piazza ligt te soezen in de zwoele lucht. Onze stappen klinken hol terwijl violen Vivaldi en Frescobaldi heen en weer sturen vanuit de cafés aan weerszijden van het ontvolkte plein. Er is niemand die danst, dus dansen wij. We blijven zelfs dansen als er geen muziek is, tot er een stel luidruchtige Duitsers op weg naar een restaurant met ons mee begint te dansen. '*Sei radiosa*,' zegt Fernando. 'Je straalt helemaal. Venetië staat je erg goed. Dat komt zelden voor, zelfs bij Venetianen, en wat buitenlanders betreft, die negeert ze vaak, stelt ze in haar schaduw. Buitenlanders zijn meestal onzichtbaar in Venetië. Jij bent niet onzichtbaar,' zegt hij zachtjes, en bijna alsof het makkelijker voor hem zou zijn als ik dat wel was.

We besluiten te gaan dineren bij Il Mascaron op de Campo Santa Maria Formosa, een restaurant dat altijd mijn favoriet is geweest op eerdere reizen naar Venetië. Ik vind het heerlijk om aan de plak oud hout aan te schuiven die als bar dienstdoet, met overal grote mandflessen Refosco en Prosecco en Torbolino. Gigi drinkt altijd bekers vol Tokay, schuimend en met een witte kap door de snelle, compacte tocht door de tapkraan. We zeggen tegen hem wat we voor antipasti willen hebben uit de ovale witte schalen met *baccalà mantecato*, *castraure*, *sarde in saor*, *fagioli bianchi con cipolle*. Stokoud, scherp, sensueel. Authentiek Venetië van de tanden van een vork.

Als we teruglopen naar de boot is de lucht inmiddels gehuld in steeds donkerder blauw. Een besef doet me huiveren. *Dit is mijn buurt.* Ik ben draaierig, huilerig, en toch voel ik me op mijn gemak in dit geluk, alsof het me altijd heeft toebehoord, alsof dit alles me altijd heeft toebehoord. Ik heb vertrouwen in dit geluk. Maar meneer Kwikzilver, wiens stemmingen voortdurend omslaan, doorbreekt het vredige gevoel.

Als ik iets vraag over een of ander palazzo, over een kunstenaar, een periode, antwoordt hij onverschillig of helemaal niet, als een onwillige gids. 'Venetië is niet bepaald exotisch voor Venetianen,' zegt hij. 'En trouwens, ik weet niet overal antwoord op. Er zijn delen van de stad waar ik nog nooit ben geweest. Ik wil dat je mij eerst kent, dat je je bij mij op je gemak voelt, en dan gaan we weleens kijken hoe we kunnen zorgen dat je je bij *haar* op je gemak voelt,' zegt hij als een jaloerse minnaar. 'Je bent hier tenslotte niet op vakantie,' vervolgt hij.

'Vakantie?' wil ik schreeuwen. 'Heb je enig idee wat ik de afgelopen weken heb gedaan?' wil ik nog harder schreeuwen met een blik op mijn tweehonderd jaar oude handen. Ik zou die woorden alleen maar in het Engels kunnen schreeuwen, en ik weet nu al dat hij zich zou verschuilen achter onbegrip, al verstond hij verdomme elke lettergreep.

'Ik kan niets vinden in mijn eigen huis. Ik grijp naar een schaar en er ligt er geen,' zegt hij met de inmiddels bekende dode-vogelogen.

'Ik héb niet eens een huis,' help ik hem herinneren, waarbij ik de woorden zo vals uitspreek als ik durf. Ik ben nu op stoom, en het interesseert me niet of hij me snapt. Ik ga zeggen hoe ik me voel, en ik ga het in mijn eigen taal zeggen. 'Ik ben niet in balans, heb geen baan. En wat dacht je van vrienden? Wat dacht je van iemand die je in de ogen kijkt en je begroet? Wat dacht je van een schoon glas?' zeg ik, kokend van woede.

We lopen nog even door voordat hij stilstaat, en met het maanlicht en het begin van een glimlach op zijn gezicht, alsof we ons net om beurten hebben gedragen als verwende kinderen, zegt hij: 'Vertel eens wat ik kan doen om te zorgen dat jij je *thuis* voelt.' Nu is het mijn beurt om geen antwoord te geven. Vlakbij fladdert wraak.

7
Dat weldadige moment vlak voor rijpheid

Langzaam, heel langzaam begin ik me echt thuis te voelen. Soms neem ik even wat afstand om te kijken of ik het goedkope gevoel krijg dat we een soort farce zijn. Zijn we tweedehands mensen die doen alsof ze nieuw zijn? Nee. Zelfs de nauwkeurigste hartslagmeting is altijd negatief. We zijn niet oud. We bevinden ons op dat weldadige moment vlak voor rijpheid, het moment waarop de liefde verstilt tot een milde, lyrische toon die aanhoudt. In het kaneelgouden kaarslicht en een toenemende tederheid hebben wij Venetianen het samen goed in de kleine datsja. Wij als stel, dat voelt als risico, als avontuur, als de compacte, scherpe belletjes van een lekkere Prosecco. Zelfs al raken we van elkaar in de war, worden we gillend gek van elkaar, toch hebben we ook een soort heldere metalige ondertoon, als de weerklank van iets van goud en van zilver dat met grote snelheid over natte stenen tinkelt. Het voelt alsof we voortdurend aan de vooravond van een staat van verrukking leven.

~

De Venetiaan vindt het leuk als ik hem verhalen vertel. Als hij op een avond languit op de bank met zijn hoofd bij me op schoot ligt, zegt hij: 'Vertel eens over de allereerste keer dat je Venetië zag.'

'Dat verhaal ken je al,' kreun ik.

'Niet het héle verhaal. Vertel me alles. Je was samen met een man, hè?' Hij gaat rechtop zitten en kijkt me aan.

'Ik was niet samen met een man, en al was dat zo, wat dan nog?' zeg ik half smalend.

Maar hij is serieus, rustig. 'Wil je alsjeblieft het verhaal vertellen?'

'Goed. Maar dan moet jij je ogen dichtdoen en echt luisteren, want het is een heel mooi verhaal. Probeer niet in slaap te vallen,' zeg ik.

'Je weet nog wel dat ik in Rome zat, dat ik daar niet weg wilde om naar Venetië te gaan. Maar ik had een opdracht om over Venetië te schrijven, dus ik moest wel. Weet je dat nog allemaal?' vraag ik hem terwijl ik de gebeurtenis als een goede *raconteuse* in een kader plaats.

'Ja. Ik weet nog dat je met de trein aankwam en dat je uitstapte bij San Zaccaria zodat je naar la Marangona kon luisteren.'

'Die nooit heeft geluid,' onderbreek ik hem.

'Die nooit heeft geluid. Maar waarom ben je toen niet het piazza opgelopen? Hoe kon je nou pal bij de ingang zijn en je niet omdraaien?' vraagt hij, terwijl hij weer rechtop gaat zitten om de uitdrukking op mijn gezicht te kunnen zien. Hij steekt een sigaret op in de vlam van de kaars, loopt naar de andere kant van de woonkamer en doet de deuren naar het kleine balkon open. Hij stapt naar buiten, leunt met zijn gezicht naar me toe tegen de balustrade en wacht af.

'Ik weet het niet, Fernando. Ik was er gewoon niet op voorbereid. Ik was er niet op voorbereid wat Venetië me zou doen, vanaf het moment dat ik de stationsdeuren uitliep. Het leek wel alsof Venetië meer was dan een stad. Het was alsof Venetië een persoon was, iemand die vertrouwd was maar tegelijkertijd totaal onbekend, iemand die me overrompelde. Ik was in die tijd behoorlijk afgestompt. Ik had al veel gereisd, had zoveel gezien dat ik op dat moment gewoon niet was voorbereid op zo'n storm van emoties,' vertel ik.

'Net zoals je niet was voorbereid toen je mij ontmoette?' vraagt hij.

'Ja. Eigenlijk net zoals toen ik jou ontmoette,' zeg ik. 'Kom nou maar weer liggen en doe je ogen dicht, dan kan ik het verhaal vertellen.'

Fernando installeert zich.

Met de kaart in de hand ga ik naar Il Gazzettino, het hotelletje dat mijn uitgevers voor me hebben uitgezocht. Ik vind de Campo San Bartolomeo vrij snel en loop met het gedrang mee naar links, de smalle, donkere steegjes van de Mercerie in, en trek en duw mijn koffer door de straatjes.

'De Campo San Bartolomeo? Dan ben je pal langs de deur van de bank gelopen,' zegt hij, alsof dat feit getuigt van opzettelijk gebrek aan eerbied.

'Niets zeggen en ogen dicht,' zeg ik tegen hem.

Ik doe de deur open en kom terecht in een piepkleine, lege receptie en trek aan de bel die aan de muur hangt. Il Gazzettino, waarvan ik later ontdekte dat de inrichting een parodie op Venetië is, is bijna helemaal getooid in Muranoglas: kroonluchters en vazen en sculpturen met grillige vormen en kleuren bedekken elk oppervlak, behalve daar waar platen van wellustige, spottende carnevale-*figuren hangen. De verlichting is obscuur. Ik begin Rome weer te missen. Door de deur achter me komt een kleine, glimlachende vrouw binnenvallen die me vertelt dat ze Fiorella heet terwijl ze de grote, ellendige reistas onder haar arm neemt en hem de trap op draagt. Mijn kamer is afgestemd op het huisthema, en als tegenwicht drapeer ik een kanten sjaal over de ergste van de grijnzende harlekijns. Het groteske van de kamer verdwijnt in het licht van het enige raam, dat uitkijkt op de weggestopte Venetiaanse pracht van de Sottoportego de le Acque. Ik hijs mezelf in de vensterbank en leun tegen de omlijsting van de massieve, zwarte luiken en blijf een poosje zitten om het beeld in me op te nemen. Ik klap voor de oude bas die vanaf een gondel op de* rio *onder mij een serenade brengt en hij maakt een diepe buiging vanuit zijn middel, alsof het wankele bootje een rekwisiet is op het toneel van La Fenice. Het licht verandert in schaduw, en ik heb het een beetje koud. Als ik weer binnen ben, dans ik als een bokser door de kamer, omdat ik geen idee heb hoe ik moet beginnen om Venetië in me op te nemen. En het avondeten? Zal ik nu naar het piazza gaan kijken of wachten tot het donker is? Ik besluit mijn haar te wassen en me te verkleden, en dan door de buurt te gaan dwalen op zoek naar mijn zeebenen en een lekkere* aperitivo.

Ik steek mijn haar op, glij in een nauwsluitende jurk, gemaakt van een lap saffraankleurige zijde die ik jaren eerder in Rome had gekocht en die oorspronkelijk was bedoeld als kleed voor mijn toilettafel. Het is een mooie jurk, bedenk ik terwijl ik mijn grijze slangenleren sandalen dichtgesp. Ik ga door Venetië wandelen.

'Heb je die jurk nog?' wil hij weten.

'Nee. Ik was aangekomen en hij paste niet meer, dus heb ik er kussenslopen van gemaakt. En als je me nog één keer onderbreekt ga ik naar bed,' zeg ik.

Fiorella raadt aan om tot morgen te wachten met de jacht op exclusieve eet- en drinkgelegenheden en zegt dat ik in de buurt moet blijven, om de hoek bij Antico Pignolo. Ik ontdek dat Fiorella's wil wet is. Ze belt Pignolo, reserveert een tafeltje, geeft ze te kennen dat ze me vriendelijk moeten behandelen en zegt dat ik onmiddellijk terug naar boven moet om andere schoenen aan te trekken, dat alles voor ik ook maar aanstalten kan maken om tegen te stribbelen. Ik doe alsof ik dat van die schoenen niet begrijp en ren naar buiten, een schemering in van puur moiré.

Opnieuw trotseer ik Fiorella en loop vlug – alweer alsof ik op weg ben naar een afspraakje – de Mercerie in naar de Calle Fiubera, via de Calle dei Barcaroli en de Calle del Fruttarol de Campo San Fantin op. Voor de Taverna della Fenice zit ik koude Prosecco te drinken en word ik een vreemd soort troost gewaar. Een milde liefkozing van de wijn, van de zoete, vochtige lucht op mijn huid? De oude prinses maakt een rillerige afwezigheid in me los. En toch heb ik niet het gevoel dat ik hier niet hoor; op een vreemde manier voel ik me thuis. Op de terugweg dwaal ik meer dan dat ik loop; ik blijf staan, gluur in hoekjes, raak het gehavende oppervlak van een muur aan of de grote koperen leeuwenkop die een paleisje bewaakt, vermomd als deurklopper. Ik begin iets te begrijpen van het ritmische spel van vastgrijpen en loslaten dat je met Venetië kunt spelen. Van licht naar schaduw en weer terug het licht in, dwaal ik door haar bedompte, nauwe stegen. Zoals ik soms door het leven ben gedwaald. En zodoende kom ik anderhalf uur te laat aan voor mijn tafeltje, schaapachtig en rammelend van de honger.

'En ben je naar de San Marco geweest?' valt Fernando me in de rede.

'Ja,' zeg ik.

Ik kom aan via het Piazzetta dei Leoncini en heb vol zicht op het Piazza. Het lijkt wel een lange, brede, door de maan verlichte balzaal, met de stille, peinzende koepels van de basiliek als portaal. De muren zijn voorname bogen, als versiering afgezet op wit doek; de vloer is van stenen die zijn versleten door regen en lagunewater en duizend jaar kuierende, dansende, marcherende voeten van vissers en courtisanes, adellijke dames met blanke boezems, van oude doges en hongerige kinderen, van veroveraars en koningen. Er lopen maar weinig mensen, er zitten er nog een paar buiten bij Quadri. Het is Florian waar de muziek vandaan komt. Het ensemble speelt Wiener Blut *en twee stellen van zekere leeftijd zijn onbevangen aan het dansen. Ik neem een tafeltje bij hen in de buurt en blijf daar gewone koffie drinken, totdat er niemand meer danst of zit of vioolspeelt. Ik laat wat lires achter op tafel om het kluwen obers niet te storen dat bezig is strikjes af te doen en elkaar een vuurtje te geven. Ik weet niet precies hoe ik terug moet lopen naar het vreselijke kamertje aan de Sottoportego de le Acque, maar ik neem maar een paar keer de verkeerde afslag op stille calli voordat ik Fiorella's hotel vind.*

Op een dag vaar ik naar Torcello om door het hoge weidegras te lopen en uit te rusten in de zevende-eeuwse duisternis van de Santa Maria dell'Assunta. Bij de Osteria de al Ponte del Diavolo zit ik onder de pergola risotto con i bruscandoli *te eten, risotto met hopscheuten, geserveerd door een ober met gepommadeerd haar met een middenscheiding en een zalmroze zijden cravate.*

'Waar we jouw eerste weekend hier hebben gegeten,' zegt Fernando.

Bij dat eerste bezoek zie ik tientallen kerken en de sublieme schilderingen die in sommige daarvan schuilgaan, zonder een voet in de Accademia of het Museo Correr te zetten. Mijn onderzoek naar de bacari, *de wijnbars, is nogal onregelmatig en spontaan. Als ik er een tegenkom, ga ik naar binnen en drink* Incrocio *Manzoni of een groot glas Malbec of Recioto, altijd met een of andere heerlijke soort* cicheti, *hapjes. Ik hou van de net niet hardgekookte eieren, de dooier oranje en zacht, gegarneerd met een reepje verse sardine, en van de piepkleine gefrituurde inktvisjes besprenkeld met olie, artisjokken ter grootte van een duimnagel in een badje van knoflook. Ik vind het eigenlijk heel gemakkelijk om het Venetië te vermijden waar ik zo lang voor schroomde. Ze biedt een duidelijke keus tussen het aangaan of juist vermijden van clichés. Haar hartenbloed stroomt vlak onder haar bedrieglijke voorkomen. Net als bij mij, denk ik. Venetië vraagt alleen maar wat lef om je toe te laten tot haar sentimentele wegen.*

Ik weet niet hoe lang hij al ligt te slapen, waarom het zachte tikken van zijn gesnurk me niet is opgevallen. Ik ben in elk geval blij de kans te hebben gehad mijn eigen verhaal te horen. Voorzichtig loop ik met hem naar bed omdat ik vermoed dat hij de rest van de avond onder zeil is, maar als we er eenmaal zijn zegt hij, leunend op zijn elleboog: 'Vertel je me morgenavond echt *alles*?'

De Venetiaan heeft minder moeite om wakker te blijven voor ons bad. En al snel ontdekken we dat onze beste gesprekken plaatsvinden in de badkuip. Voor twee mensen die zo bol staan van de geheimen als wij heerst er tussen ons een spirituele intimiteit die geen aanmoediging nodig heeft. Net als op die eerste avond in Saint Louis ben ik degene die het bad klaarmaakt. Ik strooi er handenvol badzout met groenetheegeur en sandelhoutolie in, te veel dennenschuim en een of twee druppels muskus. Ik maak het water altijd te heet, en ik ben altijd weggezonken in de bubbels en stoom als Fernando de badkamer binnenkomt. Hij steekt de kaarsen aan. Het duurt ruim vier minuten voor hij aan het water is gewend, waarbij zijn bleke huid knalrood wordt. '*Perche mi fai bollire ogni volta?* Waarom wil je me toch altijd koken?' Tijdens een van onze badsessies gaat het gesprek over wreedheid. Ik wil hem meer vertellen over mijn eerste huwelijk.

'Ik heb mijn eerste man bedrogen,' begin ik. 'Hij was een geduldige man die net zo lang wachtte tot ik hem een duidelijke reden verschafte om bij me weg te gaan. Hij kon niet gewoon zeggen: ik hou niet van je, ik wil dit huwelijk niet, of jou, of deze kinderen. Hij vertelde me dat alles pas vele jaren later. Indertijd was het enige wat hij deed mijn duidelijk pathologische onzekerheden over of ik wel aantrekkelijk was, versterken.

Hij is psycholoog. Hij is ook doortrapt. En wat hij deed was niet meer met me praten. Hij trok zich terug, liet mij stuntelen en beven, me afvragen wat er aan de hand was. En als hij wel iets zei, dan maakte hij me meestal belachelijk of bedreigde me. Hij leek voldoening te halen uit zijn immense vermogen om me bang te maken.' Fernando's gezicht is niet langer rood maar heel bleek. Voor elke zin lijkt vijf minuten vertaling nodig te zijn, en dan weer een eeuwigheid voor het tot hem doordringt. Het water wordt tenminste steeds kouder. Maar ik zit te huilen.

Ik ga verder: 'Ik wist niet eens wat een depressie was, maar die moet ik wel hebben gehad. Op het dieptepunt was ik zwanger van Erich. Misschien wist ik toen dat zijn vader ons al had verlaten. Het was mijn dochtertje Lisa die opgewonden werd toen de baby voor het eerst schopte. Zij was het, met haar hoofd in mijn schoot, die juichte om zijn gebrabbel, dat ze voor me vertaalde. Samen zongen we voor de baby, zeiden tegen hem dat we al van hem hielden, dat we stonden te popelen om hem vast te houden. Toch wist Erich op de een of andere manier wat verdriet was toen hij geboren werd.'

Nu zit Fernando ook te huilen, en hij zegt dat hij behoefte heeft me in zijn armen te hebben, dus lopen we soppend naar de slaapkamer en gaan we liggen.

'Al snel nadat Erich geboren was, waren er momenten dat ik mijn man confronteerde, hem vertelde dat ik eenzaam en bang was. "Waarom ben je zo wreed?" vroeg ik dan. "Waarom hou je je dochter niet vast? Waarom hou je de baby niet vast? Waarom hou je niet van ons?"

Maar hij beidde gewoon zijn tijd, in afwachting van dat teken om te vertrekken. Dus zorgde ik daarvoor, Fernando, ik zorgde voor de perfecte reden om weg te gaan. Ik ontmoette een man en viel als een blok voor hem. Ik vond hem aardig en gevoelig. Ik zag hem niet regelmatig, maar ik was ervan overtuigd dat zijn passie een uiting van liefde was. Ah, dus zo voelt dat, dacht ik dan. Toen mijn man mijn overduidelijke sporen volgde, geloofde ik nog dat hij voor me zou vechten. Maar binnen drie dagen was hij vertrokken. Toch zou het nog goed komen omdat die andere man echt van me hield. Hij hield echt van me, daar was ik van overtuigd.

Maar ik kon het mijn minnaar niet door de telefoon vertellen en dus stapte ik op de trein, lunchten we samen en zei ik: "Hij weet het. Hij weet alles en nu is hij weg en hebben wij alle vrijheid."

"Alle vrijheid waarvoor?" vroeg hij, zonder de sigaret uit zijn mond te halen.

"Om samen te zijn. Ik bedoel, dat wil je toch?" vroeg ik hem. Hij blonk uit in twijfelen. Door een vers wolkje rook hoorde ik hem zeggen: "Sukkel". Hij moet ook andere dingen hebben gezegd, maar dat is het enige wat ik me kan herinneren. Ik stond op van mijn stoel en vloog naar de dames-wc. Ik bleef daar een hele tijd en moest overgeven. De juffrouw die de toiletten schoonmaakte zat me op te wachten toen ik eindelijk uit de wc tevoorschijn kwam, met een nat doekje in haar hand. Ze zei dat ik op haar moest leunen, dat ik moest gaan zitten. Ik probeerde te lachen en zei dat ik misschien wel zwanger was. "Nee. Dit is een gebroken hart," zei ze tegen me. De Fransen zeggen dat een vrouw alleen na de eerste man doodgaat. Voor mij kwam de dood twee keer in één week.'

We lagen daar stilletjes totdat Fernando op zijn knieën ging zitten, met zijn ogen op mij gericht zijn handen op mijn schouders legde en zei: 'Er is geen hartzeer in deze wereld dat krachtiger is dan tederheid.'

8
Iedereen vindt het belangrijk hoe anderen over hem denken

Al geef ik de Venetiaan vaak reden om te huilen, ik lijk hem nog vaker reden te geven om te lachen. Tegen zijn collega bij de bank, een man uit Pisa, zeg ik dat ik vind dat *i Piselli* tot de aardigste mensen van Italië horen. Helaas zeg ik in werkelijkheid dat ik vind dat erwten tot de aardigste mensen van Italië horen. *Piselli*, erwten. De inwoners van Pisa worden *Pisani* genoemd. Signor Muzzi is slim genoeg om niet op mijn blunder te reageren en praatziek genoeg om het verhaal na te vertellen en aan te dikken, zodat *l'americana* zorgt voor gegiechel onder klanten en personeel.

Ik geneer me niet, ben juist blij dat ik deze hilariteit heb veroorzaakt. Omdat ik zo hard mijn best doe om van de dagelijkse dingen te genieten, valt de malaise die zich in me nestelt me nauwelijks op: een zweempje droefenis, een beurse plek die komt en verdwijnt en weer terugkomt, nos-talgie. Dit is geen tragisch gevoel en gaat evenmin in tegen de volheid van dit nieuwe leven. Het is vooral mijn eigen taal die ik mis. Ik mis de klanken van het Engels. Ik wil begrijpen en begrepen worden. Natuurlijk, ik ken de remedies. Behalve de tijd zelf is er de Engelse gemeenschap, waarvan de leden over heel Venetië zijn uitgewaaierd. Ik heb een maatje nodig. En er is misschien nog iets: ik mis mijn eigen uitbundigheid.

Ik voel me verstikt door die noordelijke *bella figura*-instelling, die schone schijn, het afkappen van spontaniteit voor een onontkoombare schijnvertoning die de Italianen 'smaak' noemen. Daar is een lijstje goedgekeurde vragen en antwoorden voor nodig. Fernando is mijn *scudiero*, schildknaap, en beschermt zichzelf en mij tegen 'fluistercampagnes'. Als we in het openbaar zijn loopt hij altijd vergoelijkend rond en probeert me te behoeden voor culturele gêne. Tevergeefs. Maar al te vaak voel ik me een Bombastes van middelbare leeftijd met veel te rode lippen. Me niet bewust van en ongevoelig voor mijn eigen geblunder praat ik tegen iedereen. Ik ben nieuwsgierig, ik glimlach te veel, por en tuur en onderzoek. Het lijkt erop dat de Venetiaan en ik ons uitsluitend op ons gemak voelen als we met zijn tweeën zijn.

'*Calma, tranquilla*,' zegt hij tegen me, de standaard waarschuwingen tegen elk soort gedrag dat niet op het lijstje voorkomt. Oubollige aanstellerij onder mensen die geen lor om elkaar geven; dit non-verbale jargon is hun ware taal, en die spreek ik niet. Het was precies zoals Misha had voorspeld.

Misha, geboren en getogen in Rusland, was als pas afgestudeerd arts geëmigreerd naar Italië, waar hij bijna tien jaar lang in Rome en Milaan werkte alvorens naar Amerika te emigreren. We ontmoetten elkaar toen we allebei in New York woonden. Onze vriendschap werd hechter toen hij een andere baan kreeg in Los Angeles en ik in Sacramento woonde. Misha had altijd heel wat te zeggen. Vlak nadat ik Fernando had ontmoet kwam hij me opzoeken in Saint Louis, en onze eerste lunch samen was lang en verbolgen.

'Waarom doe je dit? Wat wil je van, met deze man? Hij heeft geen van de standaard kwaliteiten waarvoor vrouwen de aarde oversnellen om zich aan vast te klampen,' zei hij met zijn Raspoetin-stem. Hij ging maar door over de gevaren van het mengen van culturen, zei dat ik zelfs de eenvoudige geneugte van een goed gesprek zou opgeven. 'Zelfs al leer je echt denken en praten in een andere taal, dan nog is dat niet hetzelfde als communiceren in je moedertaal. Je zult begrijpen noch begrepen worden. Dat is altijd zo belangrijk voor je geweest. Jij die zo van woorden houdt, die prachtige dingen zegt met dat kleine, zachte stemmetje. Niemand zal je kunnen horen,' zei hij. Hoewel dit duidelijk een monoloog was, probeerde ik hem te onderbreken.

'Misha, voor het eerst van mijn leven ben ik verliefd. Is het dan zo raar dat ik bij deze man wil zijn, of hij nou in El Paso woont of in Venetië?' vroeg ik. 'Ik kies niet voor een cultuur. Ik kies voor een geliefde, een partner, een echtgenoot.' Hij was genadeloos.

'Maar wie zul je daar zijn, wat kun je daar doen? De mediterrane cultuur in het algemeen en de Italiaanse cultuur in het bijzonder werkt met een ander soort indrukken en oordelen. Je bent tenslotte geen negentien, en in het gunstigste geval zullen ze denken dat je "ooit mooi moet zijn geweest". Het zal belangrijk zijn ze te laten denken dat je geld hebt, maar dat is niet zo. Dat is zo ongeveer het enige wat telt. Je hebt een hoogst ongebruikelijke reden om te verhuizen en de meeste mensen zullen je wantrouwen en zich afvragen: "Wat heeft die hier te zoeken?" Het idee van een zuiver motief is ondenkbaar voor ze, omdat zij altijd zo zitten te konkelen. Elke zet wordt ondernomen met het oog op een tegenzet. Ik wil niet suggereren dat dit typisch Italiaans is, maar wel dat die instelling daar tegenwoordig nog net zozeer geldt als in de Middeleeuwen. Hoe pienter je ook bent, zij zullen je toch kinderlijk vinden. Naar hun smaak ben je veel te optimistisch en onrealistisch. Dat je altijd en eeuwig opnieuw begint, als ze zich zoiets überhaupt al kunnen voorstellen, zal onnozel op hen overkomen. Het zou beter zijn als die Fernando van je een rijke ouwe zak met artritis was. Dan zouden ze misschien nog snappen waarom je je tot hem aangetrokken voelt,' bleef hij doorhameren.

'Misha, waarom kun je niet gewoon inzien dat ik gelukkig ben, of zelfs blij voor me zijn?' vroeg ik.

'Gelukkig, wat is gelukkig? Geluk is iets voor stenen, niet voor mensen. Af en toe wordt ons leven opgeluisterd door iets of iemand. We zijn in een roes en noemen dat geluk. Jij gedraagt je spontaan en toch zul je als het tegenovergestelde worden beoordeeld, omdat je alleen maar volgens hun normen en waarden kunt worden beoordeeld, en daarin komt spontaniteit niet voor,' concludeerde hij langzaam, bedachtzaam.

'Het kan me niet schelen hoe anderen over me denken,' zei ik.

'Iedereen vindt het belangrijk hoe anderen over hem denken,' zei hij.

Toen had ik geprobeerd om naar hem te luisteren, maar ik had zijn zwartkijkerij grotendeels weggestopt, alsof ik me dom en bang zou voelen als ik ernaar keek. En nu ik aan zijn zwartkijkerij terugdenk voel ik me inderdaad dom en bang.

Voorzichtig begint Fernando me voor te stellen aan wat mensen die we toevallig tegenkomen op straat, op de veerboot of de vaporetto, bij de krantenkiosk op zondagochtend of als we bij Chizzolin een Aperol gaan drinken of bij Tita aan een bevroren metalen coupe *gelato di gianduia* zitten. In het weekend gaan we richting Alberoni en stappen uit bij Santin voor de lekkerste koffie van het eiland, voor warme gebakjes met een vulling van rum en chocola en later op de avond, als het er nog drukker is, gaan we weer terug voor knapperige kleine ricotta-pasteitjes en eindeloos veel glazen Prosecco. Maar dit is een gelegenheid waar mensen liever niet met anderen praten. Of mensen komen er alleen en vinden dat prettig, of ze komen om op te treden, om *tegen* de mensen te praten. En zoals het bij de bar gaat, zo gaat het op het eiland. Ik zal nog ontdekken dat de Lidensi die hij zijn vrienden noemde bijna allemaal 'vijfkreets'-vriendjes zijn, die hun affectie tonen tijdens toevallige ontmoetingen met een gesprek dat begint met het weer en eindigt met kussen in de lucht en de belofte om te bellen. Maar op het Lido belt bijna niemand elkaar.

Meestal moet ik glimlachen om dat hele stijve gedoe. Het is het toppunt van tuttigheid, en ik sus de kleine kwetsuren die ik er soms aan overhoud door te bedenken dat het niet zijn eiland is, net zomin als het zijn huis is, waarom ik bij Fernando ben komen wonen. Ik ontwikkel de gewoonte om korte liedjes te bedenken en ze hem in het Engels te leren, zodat we tenminste een beetje de draak kunnen steken met de vlekkeloosheid van elke ontmoeting. Hij vindt dat leuk, vergroot het sadistisch uit. Maar als ik een reactie of gebeurtenis aan de kaak durf te stellen die wel heel verbijsterend is, dan ruikt hij agressie en verandert hij van vlag, verdedigt hooghartig zijn eiland. 'Maar wie denk je wel dat je bent om een cultuur te veroordelen of te proberen die te veranderen? *Quanto pomposa sei.* Wat ben je toch pretentieus.'

Ik probeer hem duidelijk te maken dat ik niets wil veroordelen. Ik probeer niets te veranderen aan deze mensen of hun cultuur. Ik probeer alleen maar niets te hoeven veranderen aan mezelf of mijn cultuur. Hij heeft soms iets weg van een hologram, een Venetiaan, die vervaagt en vorm krijgt, vervaagt en vorm krijgt. Is de afstand die Fernando neemt van de bella figura, waarvan hij openlijk beweert dat hij er een hekel aan heeft, nog te klein? Eén stap vooruit, een heleboel stappen achteruit. Zelfs nu de weg achter hem lang is, danst hij nog steeds op oude wijsjes. En ik dans op de mijne.

En wanneer hij het Lido noch verdedigt noch er gehakt van maakt vertelt Fernando me verhalen over hoe het er vroeger was, hoe de Gran Viale tot begin jaren zestig werd geflankeerd door chique tearooms met obers in livrei en strijkkwartetten, waar Oostenrijkse en Franse soubrettes met gesluierde hoeden zich verpoosden, hun gemalen in gekreukte witlinnen pakken. Ik ben veertig jaar te laat. Nu zijn er alleen maar kroegen met pizzaovens. De enige exotische types die ik op de boulevard zie zijn vakantiegangers uit Düsseldorf in te korte shorts op plastic sandalen. En de enige die een hoed op heeft ben ik. Op de korte naoorlogse verfijning van de tearooms na is er op het Lido niet veel gebeurd sinds Byron de gewoonte had om in korte broek een kastanjebruine hengst de golven in te drijven, in de lagune te duiken en op zijn rug door het blauwgroene water van het Canal Grande te zwemmen.

Iedereen die ergens naartoe kan, ontvlucht het Lido elke dag per boot, alsof het de tiende cirkel van de hel is, terwijl degenen die blijven zijn veroordeeld tot snelle inkooprondes naar de winkels, en dan weer terug achter de luiken voor middagdutjes en tv-wakes. Ondanks de tekortkomingen van dit eiland blijf ik proberen de romantiek van het Lido te vinden. In sommige opzichten lijkt me dat eenvoudig omdat het wordt omringd door de zee – ík word omringd door de zee; delen van het strand zijn als extra kamers van mijn huis. 's Ochtends laat ze de zon los en 's avonds lokt ze die weer onder haar boezem, met al haar kuren en nukken en luimen. Maar zelfs de zee met haar nukken en luimen kan dit zanderige kleine leengoed niet uit zijn apathie doen ontwaken. Al is daar nog de dans van de stranddames.

Totnogtoe had ik in totaal nog geen veertig minuten van mijn leven stilgelegen onder een hete, brandende zon. Hier leef ik in een cultuur die voorschrijft dat alle vrouwen hun huid grillen. Ik heb niet eens een badpak. Als de datsja op orde is ga ik naar Milaan om wat paperassen uit te wisselen met het Amerikaanse consulaat en om een Alaia te kopen, diagonaal gesneden, uit één stuk, prachtig. Als ik dan geen Italiaanse kan zijn, dan zal ik er op zijn minst als Italiaanse uitzien. Gewikkeld in een witte pareo, achter een zonnebril van Versace en met een parelroze mond om de vermomming te bezegelen, wacht ik tot tien uur – stranddames staan niet vroeg op – steek de straat over, paradeer ditmaal dwars door het Excelsior, de zandvlakte op. Daar wacht me de elfde cirkel van de hel.

Vrouwen liggen 's ochtends drie uur lang voor hun *cabana* te roken, gaan na de lunch thuis twee uur slapen, komen terug naar het strand om 's middags drie uur lang in de zon te liggen roken, totdat hun echtgenoten hen om halfzeven vergezellen voor *aperitivi* in de bar van het hotel. Nog op het strand nemen ze een douche, met een sigaret tussen hun lippen, ze kleden zich aan met een sigaret tussen hun lippen, en nog immer rokend gaan ze uit eten. Met een huid die lijkt op een verschrompeld roodbruin blad en omhangen met een kilo aan goud en juwelen lijkt zij nog uitgeputter dan hij. Het badpak belandt in de onderste la van mijn bureau.

Nu het strandleven is afgehandeld denk ik aan koken. In de paar weken die zijn verstreken hebben we 's avonds meestal vroeg en bescheiden gegeten in kleine *osterie* in Venetië, nadat ik Fernando 's avonds bij de bank heb opgehaald. Soms zijn we eerst thuis geweest om ons om te kleden, waarna we een mand met brood en kaas en wijn en chocola naar de rotsen aan de kust zeulen voor een picknick om tien uur 's avonds. Vanavond zal Fernando thuis eten.

Te voet steek ik de Ponte delle Quattro Fontane over naar de Via Sandro Gallo, op weg naar het *quartiere popolare*, de volksbuurt op het Lido waar ik volgens Fernando betere spullen voor minder geld kan vinden dan in de winkels in de buurt. Dat mag dan zo zijn, maar het is ook zo dat er tussen elke twee kooplieden eindeloos lange, hete, door de zon geblakerde stukken straat liggen. Ik breng een bezoek aan de zuivelman, de slager, de visboer, de fruitman (die iets anders is dan de groenteboer, die weer iets anders is dan de kruidenman). Bloem, olijfolie, pancetta van de *gastronomia*. Deze pas gearriveerde cultuurbarbaar vraagt bij de bakker om *lievito*, gist. Met grote ogen vertelt de bakkersvrouw me dat ze geen gist verkoopt, ze verkoopt brood. Ze zegt dat het brood wordt gebakken in de *forno*, de oven, die aan de andere kant van het eiland staat. Haar post dient alleen maar als distributiepunt. Ik vraag of ze weet waar ik gist kan krijgen. Gist voor taarten? Bakpoeder? Is dat wat u zoekt? stelt ze me op de proef. 'Nee, *signora*, gist om brood te bakken,' zeg ik. Mijn voornemens zorgen ervoor dat haar borst begint te deinen. Ik koop brood om haar ontsteltenis te verzachten. Ik laat de pasticceria voor wat hij is, slechts een paar honderd meter verderop en aangeraden door de slijter, en zegen de nabijheid van Maggion. Een halve dag later, met spieren die zeer doen van de loodzware tassen die ik vijf kilometer en drie trappen op heb meegezeuld, ben ik verbrand, triomfantelijk en klaar om te beginnen.

Tot dusver heb ik het fornuis alleen nog maar gebruikt om koffie te zetten. Ik ontdek dat de pit die ik heb gebruikt de enige is die het doet, en dat uit de andere vooral lucht suist. Het enige raampje in de keuken is afgesloten, en op de dertig vierkante centimeter vloeroppervlak is alleen maar een discreet soort zwaaien vanuit het middel mogelijk. Op een grapefruitmesje na zijn er geen messen, en het ziet ernaar uit dat de mijne tot de spullen horen die ik op het vliegveld heb weggegeven. Ik denk aan de honderden kooklessen die ik heb gegeven, hoe ik me spottend uitliet over een goed uitgeruste keuken. Ik hoor mezelf opgewekt zeggen: 'Voldoende ruimte, goed keukengerei en apparatuur zijn essentieel. Maar als je een echte kok bent, kun je nog een blik open krijgen met een pollepel.' Ik had het mis. Ik heb meer nodig dan een blik, en veel meer dan dit blikformaat ruimte. En ik heb verdomme meer nodig dan een pollepel.

Toch maak ik deeg voor enorme goudkleurige pompoenbloemen en vulling voor een kalfsborst met pistachenoten en pancetta en Parmezaanse kaas en salie. Vetgemest en ingesnoerd met katoenen touw smoor ik het kalfsvlees in boter en witte wijn en laat het in de pan rusten en afkoelen in zijn eigen sappen. We beginnen met een koude soep van geroosterde gele tomaten gegarneerd met twee in anijs gegrilde gamba's, en een puntje Taleggio, rijp en zacht, witte vijgen en meringues van Maggion toe. We eten langzaam. Fernando is nieuwsgierig naar elke gang, wil weten wat erin zit en hoe het is bereid. Hij vraagt hoe lang ik ervoor nodig heb gehad om het eten klaar te maken, en ik zeg dat het drie keer langer duurde om de boodschappen te doen dan om te koken.

'Je moet niet denken dat ik verwacht dat je elke avond

voor zo'n dis zorgt,' zegt hij. Ik vraag me af of hij bedoelt: je moet niet verwachten dat ik elke avond zo *eet*. En ja hoor: 'Ik hou meer van eenvoud. Trouwens,' vervolgt hij, 'je hebt zoveel te doen, een bruiloft voorbereiden, toezicht houden op de verbouwing, een taal leren.' Ik snap het. Er is een omweg naar zijn hart die zijn maag totaal omzeilt.

'Maar ik ben kok. Je kunt me niet zomaar verbieden om te koken,' jammer ik.

'Ik verbied je niet om te koken,' sist hij naar me. 'Ik bedoel dat jouw idee van dagelijkse kost mijn idee van een feestmaal is,' zegt hij, alsof een feestmaal heidens is.

Wat is er zo vreemd aan dat ik wil koken, echt koken, iedere dag? Hij vindt dat een-, misschien tweemaal per week meer op zijn plaats is. Op andere avonden kunnen we gewoon *pasta asciutta* eten of een salade met wat kaas, *prosciutto e melone, mozzarella e pomodoro*. We kunnen pizza gaan eten. Hij houdt zijn poot stijf. De keuken is zo klein, totaal niet ingesteld op uitgebreid koken, zegt hij. Hij is het die niet is ingesteld op uitgebreid eten, denk ik. Dat ik brood zou bakken jaagt hem nog meer schrik aan dan de bakkersvrouw.

'Niemand bakt thuis brood of maakt thuis *dolci* of pasta,' zegt hij. 'Zelfs oma's en oude vrijsters gaan liever naar de winkel om in de rij te staan dan zelf te koken of te bakken.' We zijn een moderne cultuur, houdt hij me telkens voor. Op het Lido betekent dat dat vrouwen uit de keuken zijn losgelaten in de *salotto* om televisie te kijken en een spelletje canasta te doen, denk ik. 'We hebben hier een paar van de beste *artigiani* in heel Italië die dat spul maken, zodat wij het niet hoeven doen,' zegt hij. Straks gaat hij me nog vertellen op welke dagen de Bo-Frostkar langs de bunker komt, de ijzige leverancier van de stranddameslunch die altijd zorgt voor perfecte rechthoekige etenswaar. Ik huiver, maar hij stelt de Bo-Frost niet voor als oplossing.

Tijdens deze gesprekken weet ik dat hij het goed bedoelt,

dat hij alleen maar wil helpen me aan te passen aan de nieuwe realiteit. Er zijn niet meer elke avond veertig hongerige gasten die komen eten, zoals in het café. Er zijn geen kinderen, geen verdere familieleden die bij ons aan tafel komen zitten. En Fernando heeft me al verteld dat vrienden en buren hier aan hun eigen tafel eten. Ik voel me het Rode Kippetje in de menopauze. Dit gaat allemaal voorbij, zodra de bruiloft voorbij is, het appartement mooi is opgeknapt, het weer koeler is. Dan heeft de Venetiaan honger en kan ik zo af en toe ergens wat mensen optrommelen voor het avondeten. Ik neem wel een baan in een restaurant. Ik begin zelf wel een restaurant. Als ik mijn messen nog had gehad, dan had ik ze neergesmeten. Fernando trekt me uit mijn stille woede door wrang op te merken: 'Morgenavond kook ik wel voor jou.' Ik kan niet wachten, denk ik hatelijk. Later in bed bedenk ik hoe ik mijn culinaire identiteit beter aan de Venetiaan kan openbaren.

Bijna twintig jaar lang had ik met eten gewerkt, ervan gedroomd, erover geschreven, andere mensen geleerd wat ze ermee moesten doen, het op verre continenten opgespoord, een leuk leventje bekostigd met de vaak aanzienlijke buit die ik eraan had overgehouden, in een loopbaan die erop was gebaseerd, een loopbaan waarvan hij denkt dat het een *jobette* was, een soort leuke betaalde hobby. Aan mij was het ontwerp van zowel mijn eigen gastronomische verhitte dromen als die van anderen toevertrouwd. Meer dan eens had ik de boerderij verwed en hem gehouden, vertrouwend op wat ik verstandelijk en intuïtief wist over eten. Ik zal dit alles rustig en in de loop van de tijd zeggen. Ik zal zelfs mijn sjofele aktetas vol gedrukt bewijsmateriaal pakken die ik in de loop der jaren uit kranten en tijdschriften heb geknipt. Maar als ik dat doe is het enige wat de Venetiaan te zeggen heeft: 'Nu je "taalloos" bent denk je dat je middels eten moet communiceren.' Gewauwel.

Voor mij is eten veel meer dan alleen een metafoor voor

liefde en gevoel en communicatie. Ik laat mijn affectie niet blijken middels eten. Het is minder nobel dan dat, ik kook omdat ík dol ben op koken, omdat ík dol ben op eten, en als er iemand in de buurt was die ook dol was op eten, dan kwam dat goed uit. In feite heb ik altijd alleen maar voor grote groepen gekookt, zelfs al waren er geen grote groepen; voor de groepen waarvan ik, altijd al en nog steeds, wilde dat ze er waren. Volgens mijn kinderen heb ik ooit pompoensoep gemaakt; ik pofte een overstelpende hoeveelheid uitgeholde pompoenen tot ze karameliseerden en zacht waren, mengde het vruchtvlees met cognac en slagroom en wat snufjes nootmuskaat. Volgens hen waren er liters van. Na het een weeklang 's avonds te hebben gegeten keken ze toe terwijl ik geraspte Emmenthaler en versgekneusde witte peper en eidooiers toevoegde aan wat ervan over was. Toen klopte ik volgens hen eiwitten stijf en deed de massa in met boter ingevette, gehavende vormen, drie heel grote vormen volgens hen. *Voilà*, heerlijke pudding. Ik kan me herinneren dat het zalig was, zelfs op de tweede en derde avond. Lisa zegt vast dat haar huid op dat moment oranje begon te worden. Uiteindelijk schepte ik de rest van de pudding met wat ricotta en een paar eetlepels geraspte Parmezaanse kaas in een beslagkom en maakte gnocchi; bij pompoengnocchi met salieboter en geroosterde pompoenpitten houdt hun verhaal op, hoewel ik me nóg een avond in de grote pompoensage kan herinneren. Ja, ik weet zeker dat we die gnocchi hebben gegeten, minstens één keer, als gratin met slagroom en kleine klontjes gorgonzola. Wat je allemaal kunt doen met restjes. Misschien is het naïef, maar het hoort echt bij me, die hang naar huiselijkheid. Dat is het oudste wat ik over mezelf weet, het eerste eigenlijk. Behalve dan die eenzaamheid.

~

De volgende avond staat de Venetiaan als de Graaf van Montefeltro achter het fornuis, in een paarse zijden boxershort. Hij haalt een weegschaal tevoorschijn en weegt voor elk van ons 125 gram *mezzamachine*-pasta af. Ik ga trouwen met een Venetiaanse J. Alfred Prufrock die zijn eten tot op de gram afweegt! Hij giet tomatenpuree in een klein, dun, gehavend oud pannetje, in plaats van in een van mijn kleine koperen pronkstukken. Hij voegt zout toe en grote hoeveelheden gedroogde kruiden die hij in een blik boven het fornuis heeft staan. '*Aglio, pepperoncino, e prezzemolo.* Knoflook, pepertjes en peterselie,' zegt hij, alsof hij het zelf gelooft. De pasta is lekker en dat zeg ik tegen hem, maar ik heb nog steeds honger.

Drie uur later rammel ik van die honger, dus als Fernando in slaap valt sluip ik het bed uit en kook een heel pond dikke, vette spaghetti. Die drenk ik in boter die is geparfumeerd met een paar druppels balsamicoazijn van vijfentwintig jaar oud die ik, gekoesterd als een Fabergé-ei, had meegenomen van Spilamberto naar Saint Louis naar Venetië. Ik rasp een punt Parmezaanse kaas over de pasta totdat mijn hand moe wordt en garneer de zijdezachte, stomende massa dan met lange halen peper. Ik doe de rolluiken in de eetkamer omhoog om het maanlicht en een nachtbriesje binnen te laten, steek een kaars aan en schenk wijn in. Ik schep mezelf telkens weer op en verslind de pasta, neem hem in me op, ruik, proef, kauw, voel telkens weer de troost ervan losbarsten. Wraak hangt in de lucht, dus draai ik de pasta telkens opstandig om mijn vork, precies zoals Fernando me had geleerd om het niet te doen. Eindelijk eet Lucullus met Lucullus.

Ik zit daar uitgeput; de ene honger is gestild, de volgende komt al op. Fernando mag dan tot het einde der tijden eten als Prufrock als hij daar zin in heeft, maar ik ga koken en eten als mezelf. Wat vond hij me ook alweer, *pomposa*? Wie is er hier pretentieus? In de afgelopen maand heb ik in alle rust meer 'suggesties', adviezen en regelrechte instructies aangehoord dan in mijn hele leven. Hij vindt mijn kleren niet mooi, hij vindt mijn *modo d'essere*, mijn gedrag niet leuk, mijn mond te groot. Misschien is hij inderdaad verliefd geworden op een profiel in plaats van op mij. Ik heb uit het verkeerde flesje gif gedronken. Fernando doet me verschrompelen, vlakt me uit. En ik heb hem zijn gang laten gaan.

Voortdurend glimlachend heb ik geprobeerd het oude pact te respecteren dat ik met mezelf gesloten had, er begrip voor te hebben dat hij moest leiden. Maar ik heb nooit een pact gesloten voor ook maar de mildste vorm van tirannie. Ik weet dat hij denkt dat hij me helpt. Misschien ziet hij zichzelf zelfs wel als Svengali, een soort redder. Ben ik zo aardig geweest omdat ik bang ben dat onenigheid hem zal afschrikken? Doe ik te veel mijn best om die nieuwe, pas ontsloten ruimte van dit nieuwe leven binnen de lijntjes in te kleuren? Probeer ik te compenseren wat ik nog steeds beschouw als emotionele blunders, zodat hij me niet ook verlaat? In zoveel opzichten is het prachtig om Fernando te beminnen en door hem te worden bemind, maar ik mis mezelf. Ik hield zoveel meer van mezelf als vrouw dan als verwelkend braaf meisje in nederige overgave. Ik blijf niet op dit eiland en in dit huis, om te flirten met de plaatselijke apathie. Culinair en in andere opzichten, zeg ik tegen mezelf terwijl ik op mijn tevreden, ronde buikje klop. Ik sluit me liever aan bij de vluchtelingen die elke ochtend over het water naar Venetië varen, dan dat ik met de kluizenaars indut. Ik wis alle sporen van mijn zonden uit en glij terug in bed. De Venetiaan hoort niets van mijn tranen.

9
Snap je dat dit de mooiste tomaten op aarde zijn?

De volgende ochtend ben ik vastbesloten om de sluimerende wellusteling in mij te doen ontwaken. Nadat ik de Venetiaan naar de bank heb gestuurd met de lege aktetas die hij per se overal mee naartoe wil nemen, race ik door het appartement om kaarsvet weg te schrapen en kussens op te schudden, even mijn toilet te maken, een bezoekje te brengen aan Maggion en aan de zee, en ren dan praktisch de kleine kilometer naar de aanlegsteiger om de vaporetto van negen uur te halen. Ik ga naar de markt.

Sommige mensen zijn ervan overtuigd dat Rialto, letterlijk 'hoge rivier', de plek is waar de eerste Venetiaanse nederzetting ontstond. Al sinds mensenheugenis kwamen de kooplieden van de wereld op die plaats handel drijven, en nog steeds is het het groezelige handelscentrum van Venetië. Het oeroude symbool van Rialto is de spitse brug die zijn bekende zuilengalerij en bogen over het kanaal heen spant, het herkenningspunt voor elke pelgrim. En als je je er een weg naartoe baant op de voorsteven van een trage boot, in zondoorstoofd zomerlicht of door de koude rook van februarimist, de ogen half dichtgeknepen naar het verleden, kun je de oude Shylock zien, in een cape, met pluimen getooid, peinzend.

Op eerdere bezoeken aan Venetië had ik altijd tijd gehad om over de markten van Rialto te struinen en vond die heel aardig, maar niet zo fantastisch als andere Italiaanse *mercati*. Maar nu is het mijn eigen markt, en wil ik hem kennen als een goede vriend. Het eerste wat ik moet zien te ontdekken is hoe ik vanaf de achterafstraatjes op de markt uitkom, en niet vanaf de brug met zijn straat met zilverwinkeltjes en juweliers, kiosken vol goedkope maskers en nog goedkopere T-shirts en karretjes die toeristen verleiden met opgepoetste appels en Chileense aardbeien en gekraakte kokosnoten die baden in plastic fonteintjes. Verderop in de rij kondigen karren vol groente en fruit de ware verlokkingen van de markt aan. En daarachter verborgen ligt het fraaie gebouw van het zestiende-eeuwse tribunaal van Venetië.

Ik kan me herinneren dat ik de *pretori* heb gezien, de rechters, met fladderende toga's, bevrijd van hun rechtstoel voor een snelle kop koffie of een Campari, laverend tussen bergen aubergine en kool, strengen knoflook en rode pepertjes ontwijkend, om zich dan weer achter de massieve deuren van het tribunaal terug te trekken en de Venetiaanse rechtspraak te hervatten. Eén keer zag ik een priester en een rechter over een groentekar gebogen, elk met opbollende rokken, de Kerk en de staat in een tête-à-tête, neuzend tussen de snijbonen. Maar zelfs zulke folkloristische taferelen kunnen me niet verlokken tot het dagelijkse circus van de brug. Ik probeer één halte voor Rialto van de vaporetto te stappen, bij San Silvestro. Ik loop een tunnel door, de *ruga* in, rechtstreeks de hectiek van de markt op.

Ik hoor het, voel het, de sidderende aantrekkingskracht van de kasjba, alweer een roep uit de wildernis. Ik loop steeds sneller, hel links over naar een kaaswinkel en de pastadame, en blijf uiteindelijk stilstaan voor een tafeltje dat compleet is overladen, alsof Caravaggio wordt verwacht. Ik loop voorzichtig, raak iets aan als ik durf, probeer af en toe te glimlachen, en weet noch waar noch hoe ik moet beginnen. Ik loop naar de *pescheria*, de vismarkt, een lawaaierige hal die is vervuld van de prikkelende, duizelingwekkende geuren van zeezout en vissenbloed, waar elk soort sidderend, glibberend, zwemmend, konkelend, kronkelend, kruipend, gekieuwd, juweelogig wezen dat uit de Adriatische schittering kan worden opgevist op dikke marmeren platen ligt te glinsteren. Ik neem een kijkje bij de *macellerie*, de slagers, die bijna transparante biefstukken staan te snijden achter hun macabere gordijn van wilde en tamme konijnen, opgehangen aan hun achterpoten, met plukjes vacht aan hun lendenen om te bewijzen dat het geen katachtigen zijn.

Misschien is de meest Venetiaanse van alle *botteghe* van Rialto wel de Drogheria Mascari, een winkel die nog steeds handelt in specerijen. Een ons kruidnagelen, een handvol *pepe di Giamaica*, Jamaicaanse peper, muskaatnoten zo groot als abrikozen, dertig centimeter lange kaneelpijpen met een scherpzoete geur, zwarte kastanjehoning uit Friuli, thee, koffie, chocola, fruit, gekonfijt of gedrenkt in likeur. Ik wil niets liever dan biljetten en munten uit het kleine zwarte tasje halen dat ik schuin om heb en het geld in de harde ruwe handen van de koopman leggen. Erger dan toen ik geen geld had om deze spullen te kopen, is dat dit een ander soort honger is. Ik wil alles hebben, maar vooralsnog moet ik het doen met een barokke eetlust. Ik koop perziken, blozend van rijpheid, kleine plukjes witte sla met kastanjebruine aderen, een meloen waarvan de perfecte zwaarzoete geur bijna neigt naar verrotting.

De meeste kopers zijn vrouwen, huisvrouwen van alle leeftijden, alle lichamelijke proporties, en een vrij algemeen stemvolume dat net iets boven een schreeuw ligt. Ze hebben *carrelli*, marktwagentjes, met daarin allemaal grote plastic tassen, en het wordt al snel en grondig duidelijk dat je maar beter bij ze uit de buurt kunt blijven. Er zijn groepjes oude mannen bezig met – onder andere – de eenvoudige handel in rucola en het groen van paardebloemen en andere bosjes wilde grassoorten, bijeengebonden met katoenen touw. De boeren zijn uitmuntende verkopers, grof, charmant, honend. Het zijn aanstellers die schimpen in een glad dialect, en hun taal moet ik me nog helemaal eigen maken. '*Ciapa sti pomi, che xe così bei.*' Waar heeft hij het over? Biedt hij me een partje appel aan? '*Tasta, tasta bea mora; I costa solo che do schei.* Proef, proef maar, mooie dame met de zwarte haren; ze kosten maar zo weinig.'

Er gaan niet veel ochtenden voorbij of er worden glimlachjes uitgewisseld en ik kan de een of de ander vragen om de volgende dag wat munt of majoraan mee te brengen, een bak bramen achter te houden. Je hebt Michele met een wolk blonde krullen en een verhit gezicht waartegen zijn gouden kettingen afsteken en Luciano, de ontwerper van de Caravaggio-tafel, en de gemberdame met haar lange gebarsten nagels en de groene wollen muts die ik haar zomer en winter zag dragen. Ze horen allemaal tot een kring die tot de verbeelding spreekt, leden van een uitgelezen theatergezelschap. De een houdt je een zachtglanzende erwtenschil voor of een dikke paarse vijg met honingsappen die uit de van hitte gebarsten schil sijpelt, een ander breekt een kleine, ronde watermeloen open die een *anguira* wordt genoemd en biedt op een mespunt een part van het ijskoude roze vruchtvlees aan. Om de man van de watermeloenen af te troeven snijdt een ander de bleekgroene schil van een kanteloep door en biedt voorzichtig een zalmroze partje aan op een papieren zak. En weer een ander roept: 'Het pulp van deze perzik is zo blank als uw huid.'

~

Als ik op een ochtend bij de *macellaio* op twee kalfskoteletten sta te wachten hoor ik een vrouw vragen: '*Puoi darmi un orecchio?* Kunt u me een oor geven?' Wat leuk, denk ik. Ze wil even overleggen met haar slager. Misschien wil ze hem vragen om wat restjes vlees voor haar katten te bewaren, een vette kapoen kopen voor zaterdag. Sebastiano daalt af van zijn met zaagsel bedekte podium en zijn met citroenolie ingevet hakblok, verdwijnt in het heiligdom van zijn koelcel, en als hij terugkomt houdt hij een grote, rozige flap doorzichtig vlees omhoog. '*Questo puo andar bene, signora?* Is deze naar wens, mevrouw?' Ze knikt met getuite lippen en halfgesloten ogen. Verkocht. Eén varkensoor. '*Per insaporire I fagioli.* Om de bonen te kruiden,' verklaart ze aan niemand in het bijzonder.

Mijn favoriete marktbestemming is misschien wel het eiervrouwtje, dat haar tafeltje altijd op een andere manier opstelt; ik ontdek dat haar geschuif afhankelijk is van hoe de wind staat. Ze probeert haar kippen te beschermen. Het is een prachtig gezicht. Elke ochtend vervoert ze vanaf haar boerderij op het eiland Sant' Erasmo vijf of zes oude hennen in een katoenen meelzak. Eenmaal op de markt nestelt ze de zak fladderende kippen onder haar tafeltje, buigt zich ver voorover en begint in dialect te kwelen: '*Dai, dai me putei, faseme dei bei uovi.* Toe maar, liefjes, maak maar prachtige eieren voor me.' Om de zoveel tijd doet ze de zak open om even te voelen. Op haar tafel ligt een stapel oude kranten die keurig in vierkantjes zijn gescheurd naast een rieten mand met een hoog boogvormig hengsel waar ze elk nieuw ei inlegt met de behoedzaamheid die je zou verwachten van een madonna van Bellini. Op de dagen dat ze twee, zelfs drie zakken met hennen meebrengt is de mand bijna altijd vol. Op andere ochtenden zijn het er maar een paar. Als ze zijn verkocht wikkelt ze elk ei in een krant en draait beide uiteinden dicht, zodat de lekkernij een primitieve prijs voor een kinderfeestje lijkt. Als je zes eieren wilt, dan wacht je tot ze de zes prijsjes in elkaar heeft geflanst. Als de oude rieten mand leeg is en er een klant op haar afkomt, dan vraagt ze of hij even geduld heeft, even wil wachten, terwijl ze zich vrolijk fluisterend vooroverbuigt naar haar kippen. Verhit toont ze dan, met de triomf van een vroedvrouw, de warme schatten met hun crèmekleurige schaal.

Een stokoude vrouw genaamd Lidia heeft fruit te koop. Altijd gewikkeld in lagen sjaals en truien, een kostuum voor alle seizoenen dat haar schriele figuur in de zomer lijkt te doen stikken en in de winter doet rillen, heeft ze appels en peren in de herfst, perziken, pruimen, abrikozen, kersen en vijgen in de zomer en in de periode daartussen leurt Lidia met haar overvloedige zongedroogde waar. Ik vond het altijd heerlijk om naar haar toe te gaan als de Adriatische winter op zijn hoogtepunt was, als de markt in de onderdrukte stilte van de mist een piepklein koninkrijk in de lucht leek. Dan had ze altijd een klein vuurtje in een oude kolenkorf, dichtbij genoeg om haar benen en voeten warm te houden, en af en toe warmde ze haar handen om de bloedsomloop weer op gang te brengen. Diep in de hopen smeulende as begroef Lidia appels. En net als het hete vruchtvlees zijn troostende geur door de mist verspreidde, nam ze een lange vork en trok ze er een tevoorschijn, zwartgeblakerd, gebarsten, zo zacht als pudding. Dan pelde ze voorzichtig de sintelachtige schil af en at het bleke, naar wijn geurende vruchtvlees op met een kleine lepel met houten handvat. Op een dag vertel ik haar over een dame die ik ken van de markt in Palmanova in Friuli. Ik vertel haar dat ook zij appels roostert in haar voetenstoofje, elke rode schoonheid gewikkeld in een blad savooienkool. Als de appels zacht zijn gooit ze het verkoolde blad weg dat de vrucht beschermt tegen de as en eet ze op tussen beschaafde slokjes uit haar rumflacon door. Lidia vindt die verfraaiing met het koolblad bespottelijk. Over de rumflacon zegt ze dat alleen Friuliani zoiets liederlijks kunnen verzinnen. De plattelandsestheet in bevervest vraagt wie anders de stank van brandende kool kan verdragen. '*I Friuliani sono praticamente slavi, sai.* De Friuliani zijn praktisch Slaven, weet je,' vertrouwt ze me toe.

De uren die ik doorbreng onder de hoede van deze hechte groep blijven me glashelder bij, en dat zal altijd wel zo blijven. Ze hebben me iets bijgebracht over eten en koken en geduld. Ik heb geleerd over de maan en de zee, over oorlog en honger en feesten. Ze hebben hun liedjes voor me gezongen en hun verhalen verteld en na verloop van tijd zijn ze mijn zelfgekozen familie geworden en ik hun zelfgekozen kind. Ik voel de ruwe aanraking van hun knoestige handen en hun natte zoenen met de zurige adem; ik zie de nattige zeekleur van hun oude ogen die veranderde als de zee veranderde. Ze zijn de meiden en butlers van Venetië, degenen die tevreden zijn met het lot dat hun in dit leven ten deel is gevallen, afstammelingen van Venetiaanse vrouwen die nooit parelen in hun haar droegen, afstammelingen van Venetiaanse mannen die nooit satijnen kniebroeken droegen of Chinese thee dronken bij Florian. Dit zijn de andere Venetianen, de Venetianen die van hun boerderij op de eilanden over de lagune voeren om hun spullen te verkopen, elke dag weer, en hun werk alleen maar onderbraken om te vissen voor het avondeten of te bidden in een of andere dorpskerk, en niet één keer over het Piazza San Marco hebben gewandeld.

Toen ik op een dag langs Micheles tafeltje liep was hij verdiept in het vlechten van de gedroogde stengels van kleine zilveruitjes. Zonder naar me op te kijken maakte hij zijn handen vrij om een tak tomaten aan te reiken, elk zo klein dat het wel rozenknoppen leken. Ik trok er eentje af en liet hem door mijn mond rollen, kauwde er langzaam op. De geur en smaak leken het distillaat van een kilo zongewarmde tomaten, geconcentreerd in die ene kleine donkerrode vrucht. Nog steeds met gebogen hoofd vroeg Michele: '*Hai capito?* Snap je?' De afkorting voor: 'Snap je dat dit de mooiste tomaten op aarde zijn?' Hij wist donders goed dat ik dat snapte.

En alsof de markt nog niet genoeg was, lag de Cantina do Mori, vlakbij verstopt in een rustige ruga vlak bij het centrum van de markt. Ik vond het heerlijk om in die kleine door lantaarns verlichte ruimte te zitten en de zonderlinge optocht gade te slaan die 's ochtends veel vroeger begon dan ik ooit zou meemaken. Maar hij werd eindeloos herhaald: visboeren in een plastic schort, slagers met bebloede voorschoten, slaboeren en boomgaardwerkers, bijna elke man in het marktspektakel stapte ongeveer elk halfuur de deur binnen en schoof aan de vijftiende-eeuwse bar, zoals kooplui en hoge heren en bandieten meer dan vijf eeuwen vóór hen hadden gedaan. Dan vroegen ze elk met bepaalde subtiele bewegingen van hoofd, ogen, vingers, om hun glas. In één teug dronken ze de *spento*, de Prosecco, de Refosco, de Incrocio Manzoni op, misschien in twee teugen als ze tegelijkertijd praatten, mepten het lege glas en het juiste bedrag met een klap neer en liepen de deur uit om weer aan de slag te gaan. Afgezien van de toeristen of een zeldzaam bezoek van een kraamhoudster was ik daar vaak de enige vrouw, maar we werden allemaal bediend door een vriendelijke maar geslepen fantast, Roberto Biscotin. Al veertig jaar kookt en schenkt en lacht hij er zijn Jimmy Stewart-lach. En op zijn podium spelen zich de meest uiteenlopende taferelen af.

Japanse toeristen bestellen Sassacia voor dertigduizend lire per glas, Duitsers drinken bier, Amerikanen lezen hardop voor uit hun reisgids, de Engelsen zijn onthutst dat er geen stoelen en tafel zijn, de Fransen vinden de wijn nooit lekker en de Australiërs lijken wel altijd aangeschoten. En voor de plaatselijke bevolking zijn ze allemaal behang.

Rond het middaguur wordt het stil op de markt, gaan de klanten op weg naar huis en geven werklieden gehoor aan hun eetlust. Roberto staat klaar met getruffeerde *panini*, *tramezzini* van gebraden ham of gerookte forel, brokken stinkkaas, grote witte schalen *castraure*, artisjokken ter grootte van een duimnagel, kleine ingemaakte uitjes omwikkeld met ansjovis, en vaten en flessen lokale en minder lokale wijnen.

In mijn eerste winter, toen mijn trouw enkele maanden achtereen was opgemerkt, bood Roberto aan mijn jas en mijn gehaakte tas vol marktspullen aan te nemen en alles achter in de keuken te zetten, zodat ik me vrijer kon bewegen. Wat ik at en dronk stemde ik af op het weer en de toestand van mijn honger, en ik herinner me de geïmproviseerde maaltijden die ik daar heb genuttigd als de bevredigendste van mijn leven. Langzaamaan begon ik de andere stamgasten te leren kennen, deel te nemen aan de badinage die de ene dag aan de volgende reeg: wie de griep had gehad, wie galstenen had, hoe de reparaties van Roberto's Harley ervoor stonden, hoe je verse favabonen moet stoven in de open haard, waar je in de bossen van Treviso een geheime *porcini*-plek kon vinden, waarom ik in Italië was komen wonen, waarom het het lot van een Italiaanse man is om vreemd te gaan. De onbeholpenheid die ze aanvankelijk ten opzichte van mij voelden verdwijnt, maar mondjesmaat. Als de formele gesprekjes plaatsmaken voor drie wijnkussen en omhelzingen en '*Ci vediamo domani.* Tot morgen,' weet ik dat mijn huis er weer een kamer bij heeft.

In die eerste maanden spreken ze bijna uitsluitend in dialect, en ik bijna uitsluitend Italiaans, als ik tenminste niet verval in Engels of dat Esperantogedoe. Bij Do Mori bestaat mijn kennissenkring uit een slager en een visboer, en kaasboer, een artisjokkenboer, een plaatselijke landschapschilder, een portretfotograaf, een paar gepensioneerde spoorweglieden, twee schoenmakers en nog heel wat anderen met wie ik zowat een uur per dag in vriendschap verbonden ben. We komen daar bij elkaar omdat het de anderen zou opvallen, misschien zelfs zou spijten, als een van ons er niet was. De markt en zijn kleine kantine zijn mijn toevluchtsoord voor die malaise die nog steeds op de loer ligt, een balsem voor het stille verdriet dat zich van tijd tot tijd aandient, grote stukken onduidelijke tijd in een stad waarin ik me nog niet helemaal thuis voel.

Om halftwee 's middags gaat Do Mori een paar uur dicht, en meestal ben ik de laatste die vertrekt. Ik loop niet graag door die klapdeuren, de ademloze stilte van de ruga in. De tafels zijn kaal, het wortelloof is van de stoep geveegd, de vloer van de vismarkt is schoongeboend en glinstert en de stilte wordt alleen doorbroken door af en toe een knauw van de katten die er wonen en die vechten om wat een slager ze heeft gegeven en het geklik van mijn hakken als ik wegloop. Nu begint het tweede deel van mijn dag.

Alleen de trattoria's en restaurants zijn open, en iedereen die niet buiten de deur luncht is tot minstens vier uur thuis, aan tafel of in bed. Vaak is mijn honger gestild door Roberto-'s antipasti, en ga ik niet ergens naar binnen om echt te lunchen. Waar ik behoefte aan heb is ronddwalen door een afgelegen buurtje.

Misschien kun je je Venetië altijd beter herinneren, haar herkennen uit een of andere fantasie, dan dat je haar in werkelijkheid leert kennen. Venetië bestaat uitsluitend uit onze fantasie. Water, licht, kleur, geur, vlucht, masker, losbandigheid zijn gesponnen goud, genaaid op de mantel die ze overdag over haar stenen achter zich aantrekt en in het nooit-helemaal-zwart van haar nachten uitspreidt over haar lagune. Ik ging daar waar Venetië me leidde. Ik ontdekte welke kades altijd in de schaduw bleven, waar het pittigste espresso-ijs wachtte, wanneer bij welke panificio 's middags het brood klaar was, welke kerken altijd open waren en waar je aan de bel kon trekken om een schuifelende koster te wekken uit zijn *pisolino*, zijn dutje. Een van hen, zijn grote ijzeren sleutels aan een stuk groen lint geregen, neemt me met een kaars mee naar een Jacopo Bellini, die aan verschoten amberkleurige koorden in het *chiaroscuro* van een achterkamertje in zijn kerk hangt. De ogen van de oude man zijn ongepolijste saffieren, en in de nevel van duizend jaar gebrande wierook vertelt hij me verhalen over Canaletto, over Guardi en Titiaan en Tiepolo. Hij vertelt over ze alsof ze zijn vertrouwelingen zijn, kerels met wie hij altijd op donderdagavond eet. Hij zegt dat het leven een zoektocht naar schoonheid is en dat kunst eenzaamheid verdrijft. Die van hem en die van mij, denk ik. Ik ben niet alleen. Ik ben een doler met een blauwvilten cloche die naar Venetië is gekomen om haar vodden aan elkaar te naaien.

~

Maar ik ken mezelf, mijn vodden aan elkaar naaien is nooit genoeg om me overeind te houden. Ik moet met hart en ziel koken. En als ik niet voor onze eigen tafel kan koken, dan kook ik voor andermans tafel. Maar van wie? Ik denk aan de trol en haar handlanger. Nee. Ik opteer voor de vaste ploeg van de bank. Op een goede dag een witte-chocola-met-frambozentaart, op een andere dag een taart van kleine gele pruimpjes die *susine* heten. Ik riskeer brood, nog warm en vol hele hazelnoten, een eigen pot mascarpone met cognac om erop te smeren. Ik doe ze in een mand en laat die als vondelingen achter op de balie. Er zijn elf mensen die met Fernando samenwerken, van wie er altijd wel iemand is die één of meerdere schalen gebakjes en ijscoupes bestelt en flessen Prosecco die door Rosasalva worden bezorgd, dus ik denk dat de lekkernijen wel in de smaak zullen vallen. Maar voor hen zijn ze eerder verwarrend, opdringerig, en voordat Fernando het moet vragen staak ik de Roodkapje-bezoekjes en ga ik weer vodden naaien.

Op een avond eten Fernando en ik 's avonds bij een restaurant in de Ruga Rialto, een ruige osteria voor werklieden die net is overgenomen door een man die Ruggero heet. Dit zwerversachtige type, een nieuwkomer in Venetië, dacht weleens indruk te kunnen maken op het eenvoudige volk door ze wat van hun eigen culinaire geschiedenis voor te schotelen. Ruggero is een theatrale vent die van zijn huis een podium maakt. Als de kokkin een grote schaal waterige risotto of pasta in inktvissenvocht komt brengen en op de bar neerkwakt slaat hij altijd op een scheepsgong. Dan verdeelt Ruggero het onder zijn klanten voor een bescheiden vierduizend lire de man. Er zijn hele wielen romige bergkaas en ronde knapperige broden van de bakker om de hoek, een witte wolk platgeslagen gezouten kabeljauw en een vat vol gekookte bonen in olijfolie en zoete uitjes. Samen met de onmisbare sardientjes in rimpelige saus vormt dit alles het menu. Koude, witte wijn komt uit de tap je beker in spuiten en in het rumoer van honderd hongerige, dorstige Venetianen sta of zit je aan ruwe, met gifgroen papier gedekte tafels en eet je zoals in de *bacari*, de wijnbars van weleer. Fernando en ik zijn dol op het hele gebeuren.

'Volgens die lui van de markt ben je kok,' zegt Ruggero op een avond tegen me. 'Waarom kom je hier niet een avond koken, dan houden we een feestje. We nodigen wat mensen uit de buurt uit, kooplui en rechters en zo. Jij stelt het menu samen, ik koop in, jij kookt, ik bedien,' zegt hij, allemaal in één adem. Fernando geeft me een harde trap onder tafel, omdat hij blijkbaar niets moet hebben van die Ruggero en zijn besloten feestjes. Maar bijna elke keer dat ik naar het Rialto ga lijk ik Ruggero tegen het lijf te lopen. Telkens begint hij tegen me over het feest. Als hij mijn marktvrienden Michele en Roberto erbij betrekt zeg ik ja, zonder de goedkeuring van de Venetiaan af te wachten.

Ik wil Amerikaanse streekgerechten maken voor de Venetianen. Ik denk dat het heel leuk voor ze is, omdat ze denken dat alle Amerikanen, de *poverini*, uitsluitend leven van popcorn met barbecuesmaak uit de magnetron. Ik maak plannen voor een vijfgangenmenu voor vijftig gasten. Ik vraag of Ruggero me de keuken wil laten zien. Holen, kotten, fantastisch uitgerust, totaal niet uitgerust, ik heb in bijna allemaal gewerkt, en achter de klapdeuren kan niets me shockeren. Ruggero's keuken shockeert me. Hetzelfde oeroude vet dat de keukenlucht bevuilt, plaveit ook de vloer. De gasoven is roestig en de deur hangt open aan een kapot hengsel. De paar spullen en apparaten stammen uit het Stenen Tijdperk. Er is alleen maar koudstromend water. Ik denk terug aan alle maaltijden die ik heb verorberd en die in deze zwijnenstal zijn bereid, terwijl hij vertelt dat het meeste eten wordt bereid in een ander restaurant en elke dag bij hem wordt bezorgd, dat de enige gerechten die zijn kokkin in huis bereidt de *primi* zijn, risotto, *minestra*, pasta. Woedend probeer ik te bedenken of ik ooit zo'n gerecht heb gegeten, maar ik kan niet nadenken omdat ik zo misselijk ben.

Hebben de bevoegden van de Italiaanse staat deze keuken goedgekeurd? Ik zoek naar zijn vergunning, en daar hangt hij met stempels en zegels en al aan de vettige muur. Ik heb nog steeds geen woord gezegd als hij me begint te vertellen dat hij het volgende week allemaal *bello orinati*, piekfijn voor me in orde heeft. Hij laat me een doos schoonmaakmiddelen zien die hij te mijner ere heeft aangeschaft. Hij zegt dat een vriend naar de oven komt kijken, dat er toevallig morgen een loodgieter langskomt. Hij zegt dat we eigenlijk alleen nog maar enthousiasme, frisse ideeën en een goed humeur nodig hebben, en het wordt een knalfeest.

Ruggero's kokkin is een vrouw van in de vijftig met gitzwart haar en een rode panty, en nu, nu Ruggero een telefoontje aanneemt, vraagt ze of ik Donato ken, en ik zeg dat ik geloof van niet. Ze zegt dat hij de *capitano della guardia di finanza* is, het hoofd van de belastingdienst, die elke dag komt lunchen en vaak 's avonds komt eten en dat hij het is die Ruggero's vergunning heeft 'geritseld'. Ze doet een deur open en knikt in de richting van Donato en zijn lunch. Ik wil dolgraag Amerikaans koken voor Venetianen, maar ik zeg tegen Ruggero dat ik niets kan beloven als hij niet wat vooruitgang boekt in de keuken. Het is dinsdag, en hij zegt dat ik op donderdagavond moet komen eten om nog eens te kijken.

Fernando kan zich niet indenken waarom ik eerst bij La Vedova wil eten, terwijl we naar Ruggero gaan. Ik zeg hem dat hij me deze ene keer moet vertrouwen, en dat doet hij. We wandelen naar Ruggero en gaan linea recta naar achteren, naar de keuken. Ik heb bijna niets verteld om Fernando voor te bereiden en dat is maar goed ook, want dan had hij nog gezegd dat ik zat te overdrijven. De oude keuken blinkt, voorzover dat mogelijk is. Dennen- en ammoniakgeur hebben de lucht opgefrist, er zijn nieuwe rubberen matten op de schone vloer gelegd, boven ons hoofd hangen glanzende aluminium pannen en andere bescheiden *batterie*. De kokkin draagt een witte schort. Voordat Ruggero de kans heeft om bij ons te komen vertelt ze ons dat hij een groepje stamgasten een gratis lunch en onbeperkt wijn heeft aangeboden in ruil voor twee uur schoonmaken in de keuken. Volgens haar hebben er zes man gewerkt, die werden vervangen door een andere ploeg, toen door nog een, en dit is het resultaat. Ze zegt dat de oven hopeloos is en dat de loodgieter nooit is komen opdagen, maar ziet de rest er niet prachtig uit? Nog steeds achterdochtig buig ik me met Ruggero over het menu.

Er komt Mississippikaviaar (ook al moet ik de *borlotti*bonen vervangen door zwartoogbonen) en maïsbrood uit de pan, oesterstoofpot, krab met bruine boter, in de pan gebraden rundvlees met een peperkorstje in Kentucky-whiskysaus met aardappelpannenkoekjes en gefrituurde uien, en warme chocoladepudding met slagroom met bruine suiker toe. Ruggero verbaast zich over de boodschappenlijst, waar geen enkel 'Amerikaans' ingrediënt op lijkt voor te komen, en ik vertel hem dat wat we met de oesters en de krab en het rundvlees en de chocola doen er Amerikaanse gerechten van maakt. Ik vraag hem of hij de keuken alsjeblieft schoon wil houden en de boodschappen wil doen, dat ik een paar dagen naar Toscane ga. Ik heb het niet over de oven of de loodgieter.

Het nieuws over het feest verspreidt zich door Rialto, en als ik de ochtend ervoor naar de markt ga wil iedereen het erover hebben. Het doet me goed dat deze mensen, die hun leven met het gouden randje in hun koninkrijk te midden van water zo vanzelfsprekend vinden, zo nieuwsgierig kunnen zijn naar gefrituurde uiringen en hoe biefstuk met whisky smaakt. Fernando en Ruggero zijn mijn hulpkoks, en we hebben schijnbaar alleen maar problemen om de mensen die graag willen helpen op afstand te houden. Noch de oven noch het water wordt warm, maar we koken en bakken en sauteren en serveren en eten en drinken. Ik neem mijn anadamabroden mee naar de panificio aan het eind van de steeg om ze te laten bakken, en geef een paar broden als huur voor de oven. Ruggero, de theaterman, draagt een smoking. Ruggero, de impresario, heeft twee klassieke gitaarstudenten van het Benedetto Marcello-conservatorium ingehuurd, en ze spelen 'Fernando Sor' bij kaarslicht tussen de twee lange tafels in de vreemde kleine ruimte achter de bar, aan het straatje bij het marktplein aan de andere kant van de Rialtobrug in Venetië. Ik vind het allemaal even spannend.

Als alles klaar is neem ik een schaaltje pudding en ga tussen mijn visboer en Roberto in zitten en zie Donato, het hoofd van de belastingdienst met de gezonde eetlust, smoezen met de gitaristen en in mijn richting knikken. Ruggero vraagt de aandacht en de zaal wordt stil. Een langzame, tergende *gelosia*, jaloezie, pulseert uit de gitaren, en zonder zelfs maar iets te vragen kust Donato me de hand en leidt mij, nog helemaal verhit van de gaspitten en met een chocoladesmaak in mijn mond, tussen de tafels door om de tango te dansen. Ik dank de hemel voor de lessen die Misha me zoveel jaar geleden cadeau heeft gedaan. Al die dinsdagavonden met Señora Carmela en de computerhelden van IBM met hun klamme handen. Het lome glijden, de abrupte, explosieve halve draai. ('Inhouden, inhouden, schatten,' waarschuwde Señora Carmela. 'Rug helemaal uitrekken, nek lang, kin omhoog, hoger, hoger, directe blik, niet knipperen, smeulen,' zei ze in bijna dreigend gefluister.) Buiten de gymzaal van de middelbare school van Poughkeepsie had ik nog nooit ergens de tango gedanst. Nu glij ik en maak ik halve draaien in de armen van een schelmachtige ambtenaar die prachtige bewegingen maakt in een strakke, grijze uniformbroek. Ik zou iets glads en roods moeten dragen, mijn haar zou moeten ruiken naar rozen in plaats van naar gefrituurde uien, en ik denk dat ik maar nauwelijks smeul. Maar Donato smeult wel degelijk en de Venetianen zijn overeindgekomen en staan te joelen. Fernando voelt dat het tijd is om te gaan.

Terwijl de gasten steeds dieper in hun glaasje kijken wensen we Ruggero stilletjes goedenacht en gaan op weg naar het strand. We gaan door de bar naar buiten en zien een groep oude mannen, met hun rug naar ons toe, over de enorme schaal gebogen staan waar de warme chocoladepudding in zat, en de restjes met theelepeltjes uitschrapen, hun vingers als echte Amerikaanse jongetjes aflikkend. Dan horen we een van hen vragen: '*Ma l'ha fatto l'americana? Davvero? Ma come si chiama quest dolce?* Heeft die Amerikaanse dit echt gemaakt? Hoe heet dit toetje?'

10
Ik ken een vrouw, ik ken een man

Maar het kan niet iedere dag feest zijn. Op een ochtend lig ik op mijn buik op het mooie bed met de okerkleurige lakens onder de kanten baldacchino te huilen. Wat is er met me aan de hand? Volgens Fernando is het lage bloeddruk. Hij vindt het kleinzerig om naar de dokter te gaan, maar ik blader toch het telefoonboek door. Ik ontdek dat beroepsgroepen niet in speciale rubrieken zijn onderverdeeld. Je moet de naam van de dokter weten om zijn of haar nummer te vinden. Ik ben ten einde raad. Ik ga langs bij het toeristenbureau, en daar verzekeren ze me dat de enige Engelssprekende arts in Venetië een allergoloog is. Ze zeggen dat hij *simpatico* is. Ik geloof ze op hun woord en ga op weg naar zijn praktijk in San Maurizio. De kleine, vermoeide, kettingrokende man ondervraagt me vanuit de zachte antraciete diepten van een napoleontische chaise longue, die helemaal aan de andere kant van de duistere kamer tegenover mijn rechte houten stoel staat.

'Hebt u een normaal seksleven?' vraagt hij. Ik sta paf. Wil hij suggereren dat ik allergisch ben voor seks?

'Ik geloof dat het wel normaal is. Voor mij althans,' zeg ik tegen hem.

Na een intermezzo waarin hij met zijn huishoudster beraadslaagt over de samenstelling van zijn lunch, komt hij vlak naast me staan, drukt zijn vingers op mijn pols en zegt: 'Jij b-b-bent allien mar bank, *cara mia*.' Ik hoop dat hij bedoelt: Je bent alleen maar bang, meisje. Ik vraag naar zijn honorarium, en hij kijkt geschokt omdat ik het tête-à-tête verstoor door het over geld te hebben. Maanden later komt zijn rekening à 350 000 lire, ongeveer 175 dollar, een heel speciaal tarief, exclusief voor rijke Amerikaanse dames.

Als ik door de stad loop beginnen me Amerikaanse reizigers op te vallen. Ze lijken er beter uit te zien dan alle anderen, het nasale timbre van hun stem zorgt bijna voor een pavloveffect. Ik wil ze graag spreken, alsof het allemaal dierbare vrienden zijn van wie geen enkele me echt herkent in mijn Venetiaanse omgeving. Dan zit ik in een café of sta in de rij voor de ingang van een museum, en zoek naarstig naar een reden om ze aan te spreken. Uiteindelijk is er altijd wel een die vraagt hoe lang ik al in Venetië ben, of waar ik straks naartoe ga, er natuurlijk van uitgaand dat ook ik een reiziger ben. Als ik ze vertel dat ik hier woon, dat ik binnenkort ga trouwen met een Italiaan, komt er verandering in de uitwisseling van compatriottengenegenheid. Een rijke vriendin vertelde me eens dat zodra iemand ontdekt hoeveel ze waard is, zijn houding ten opzichte van haar verandert, dat hij haar allereerst categoriseert als 'portefeuille' en dan als 'vrouw'. Als ik mijn verhaal vertel verschuif ik van de categorie Amerikaanse naar die van zonderlinge dame, en ben ik absoluut niet langer een van hen. Ik ben overgelopen. Ik ben goed voor restauranttips, de naam van een *farmacista* waar zonder recept antibiotica te krijgen zijn, of misschien voor een logeerkamer voor een gast bij mij huis.

Ik overweeg om me aan te sluiten bij de British Women's Club of Venice. Misschien kunnen zij de malaise verzachten. Ik ontdek dat het tachtig zusters zijn die met elkaar zijn verbonden in een collectieve ontgoocheling over het leven in Italië, het leven met hun Italiaanse man. De meesten wonen op terraferma, het vasteland, tot in Udine en Pordenone toe, en moeten daarom van heinde en verre over het water komen voor deze maandelijkse onderdompeling in anglofilie. Veel van hen zijn als meisje naar Italië gekomen voor een zomer bij jongens met donkere ogen, misschien om een jaar te studeren aan de universiteit van Rome of Florence of Bologna, en elk was een jageres op het spoor van haar eigen prooi. Op het Lido vind ik er maar drie.

Altijd met een tulband op haar hoofd en rijen nepparels was daar een tweeëntachtigjarige genaamd Emma, ooit getrouwd met een Venetiaanse stadsgids die twaalf jaar jonger was dan zij en die haar al snel liet zitten voor een oude vlam. Hoewel haar verhaal dateert van een halve eeuw geleden, praat ze erover alsof de wond nog vers is. Caroline, een blondine van rond de vijftig met een prachtige spleet van één centimeter tussen haar voortanden, racete over haar stukje van het eiland, van de melkboer naar de schoenmaker naar de slager, alsof een stel boeven haar stond op te wachten voor haar appartement. Ik denk dat ze ten prooi was gevallen aan gevoelloosheid. Ik kan me de naam niet herinneren van de lange, grauwe vrouw met haar dat eerder geschoren dan geknipt was, die bij de kerk in San Nicolo in de buurt woonde. Ik stond een keer bij haar thuis in het halletje en zag haar trouwfoto, een vreemde, aandoenlijke pose van een slungelig meisje met sproeten en een jongen met een ronde kop wiens golvende pompadoerkapsel ternauwernood tot aan de kin van zijn bruid reikte. Telkens als ik ze over het Lido zag wandelden herinnerde ik me de foto en moest ik glimlachen. Ik geloof dat ze nog steeds verliefd waren.

De voorzitter van de groep is tevens de vrouw van de Britse consul. Ze is een *siciliana* die Engels krast met een hees Transsylvaans accent. Tegen de tijd dat ik kom is haar man, een saaie kleine vent, er al op gewezen dat er binnenkort een eind komt aan de financiering van het consulaat, royaal gevestigd op de *piano nobile*, de eerste verdieping van een zestiende-eeuws palazzo tegenover de calle van de Accademia. Maar voorlopig komt de zusterschap nog steeds bijeen boven aan de voorname marmeren trap in de mahoniehouten beschutting, om te pimpelen en te knabbelen en hun gemeenschappelijke Angelsaksische onvrede aan te zwengelen. Hoewel ik van sommigen van hen gecharmeerd ben zal het moeilijk zijn om door te dringen in hun onderlinge vertrouwelijkheid. Ik ben er trouwens niet zeker van of ik over twintig jaar nog tussen hen wil zitten, tobbend over de onvoorspelbare toevoer van gemberkoekjes in Italië.

~

Elke middag haal ik Fernando om halfzes op bij de bank. Ik vind die afspraakjes leuk, ook al is hij op dit tijdstip bijna altijd chagrijnig. Op een avond zegt hij dat hij nog vijf minuten nodig heeft om wat papierwerk te regelen en vraagt hij of ik in zijn kantoor wil wachten. Hij doet de deur achter zich dicht, dus zit ik daar in de grote, chique kamer waar hij zo'n hekel aan heeft omdat hij afgesloten is van alles wat er gebeurt. De muren met fresco's van kokette nimfen, de groenmarmeren schouw, een foto van ons tweeën in Saint Louis, de geur van oud leer en sigaretten en de aftershave van mijn man; ik vind het hier leuk. Terwijl ik een financieel dagblad doorblader bedenk ik dat ik het hier heel erg leuk vind, en ik stap uit mijn bruine tulen *collottes*. Leunend op een stoel drapeer in mijn mooie ondergoed over de tv-camera. Daar zit ik dan te wachten, op zijn bureau, met mijn benen zwaaiend uit mijn dunne zijden jurkje; het marmer van zijn bureau voelt koud aan onder mijn dijen.

Als Fernando klaar is lopen we naar het bootstation. Nu we thuis eten smeekt hij om onze wandelingetjes na zijn werk te staken, omdat hij verlangt naar de geborgenheid van de flat. Hij heeft zere voeten, zijn ogen prikken, hij vindt de hitte of de kou of de wind of wat de hemel op dat moment ook maar te bieden heeft verschrikkelijk, scheurt zijn derde pakje sigaretten open en ik word weer verliefd, blij dat hij opnieuw een dag vol strijd heeft doorstaan. Hij begint zich op te winden over de bank, of, erger nog, over zijn eigen nobele toewijding aan de bank. Veilig in de communistische omarming van de bank kunnen degenen die er afhankelijk van zijn werken of niet werken en aan het eind van de maand toch dezelfde buit opstrijken. Hij wil de hele dag wel tussen zijn naar *aperol* geurende consorten zitten maar zijn geweten knaagt. Op een enkele berooide *contessa* na van wie hij de rekening al een kwart eeuw lang beheert, zijn zijn meeste klanten kooplieden uit de buurt die van de hand in de tand leven. Hij tobt over ze, stelt betaaldata uit en werkt regelingen bij om wolven in gleufhoeden en kasjmieren jassen voor hen buiten de deur te houden. Deze mensen zijn belangrijk voor hem, maar de bank als instituut zelf niet zo. Hij zegt dat zijn werk hem koud laat sinds ons leven samen is begonnen. Hij zegt dat hij meubels wil restaureren en piano wil leren spelen, ergens op het platteland wil wonen, een tuin wil hebben. Hij zegt dat hij zich zijn dromen begint te herinneren. Hemel. Als een beer met bosbeskleurige ogen die nieuwe spieren voelt en in zijn ogen wrijft in het lentelicht ontwerpt Fernando zijn eigen *risorgimento.*

Op de *motonave* terug over het water is hij uitgeput, gesloten. Het lijkt wel alsof hij op de terugweg naar huis door een soort particuliere hel heen moet mokken. We zitten altijd op het bovendek, zonder ons iets aan te trekken van het weer of hoe leeg of vol het is op andere delen van de boot. Met een afwezige glimlach à la Chauncey Gardner kijkt hij vooral naar het water, en draait zich een of twee keer naar me toe om zichzelf ervan te overtuigen dat ik er nog steeds ben. Misschien denkt hij terug aan de zotternij die een collega heeft uitgehaald, of vaker, zijn directeuren. In een ontroerend gebaar tilt hij een lok van mijn haar op en kust die.

Vanavond groet hij op de boot een oude man, stelt hem aan me voor als Signore Massimiliano. De man heeft lachende zilverkleurige ogen, houdt mijn hand in zijn beide handen en kijkt me lange tijd aan voordat hij langzaam naar de uitgang loopt. Fernando vertelt me dat de man een vriend van zijn vader was en dat Massimiliano hem toen hij klein was altijd mee uit vissen nam aan de Riva Sette Marini voor *passar-*

ini, piepkleine visje die Venetianen graag frituren en opeten, met graat en al. Hij vertelt dat toen hij een jaar of tien, elf was en hij liever in Castello ging biljarten dan naar school te gaan, Massimiliano op een dag bij hem kwam zitten en vroeg of hij liever wilde trouwen met een meisje dat van jongens hield die biljartten of die Dante lazen. Fernando vertelde dat hij hem vroeg waarom hij niet met een meisje kon trouwen dat van jongens hield die biljartten en ook Dante lazen en de man zei dat dat onmogelijk was, dus zei hij natuurlijk dat hij liever het meisje had dat van jongens hield die Dante lazen. Massimiliano had hem aangekeken en gevraagd: 'Is het dan niet eens tijd om je op haar voor te bereiden?' Fernando zegt dat de woorden van de man als een bom bij hem insloegen, dat hij dag in dag uit Dante zat te lezen, wachtend tot dat meisje kwam opdagen. Hij zegt dat het soms zo vreemd is welk gesprek of welke gebeurtenis ons bijblijft, terwijl zoveel andere dingen smelten als sneeuw voor de zon. Ja, zeg ik tegen hem.

Ik vertel dat ik een vrouw ken die op Broadway naar de *Man van La Macha* was geweest en toen van het theater terugliep naar Chelsea, de stad in naar haar flat, en daar alles inpakte wat ze in haar leven nodig had, terwijl haar man lag te slapen. 'Ze vertelde dat ze in bed stapte en ook een paar uur sliep, en later vanaf het vliegveld haar baas belde om afscheid te nemen. Ze ging die ochtend naar Parijs om na te denken, en ze is nog steeds in Parijs om na te denken. Maar het gaat goed met haar, beter,' vertel ik hem.

Hij zegt: 'Ik ken een man die me vertelde dat hij zijn hele huwelijk lang was vreemdgegaan omdat de Heilige Maagd op de avond voor zijn bruiloft aan hem was verschenen en hem vergeving schonk voor al zijn toekomstige zonden. Veertig jaar lang ging hij in alle rust de avond in, op jacht. Hij zei dat zijn zoons dezelfde dispensatie kregen.' De beurt is aan mij.

Ik vertel hem: 'Ik ken een vrouw die kapot ging aan alle escapades van haar man, en toen de dokter zei dat ze dood zou gaan als ze niet bij hem wegging, vroeg ze: "Maar alles wat we hebben meegemaakt dan? We zijn al bijna dertig jaar bij elkaar." De dokter vroeg haar: "Dus u wilt de eenendertig halen? U zult woedend blijven, en de tijd gebruiken om uzelf tegen angst en indolentie te beschermen. Van de vele verdedigingsmechanismen is tijd wel het minst fantasievol," zei hij tegen haar.' Zijn beurt.

'Ik ken een man die zei: "Sommige mensen worden rijp, sommige rot. Soms groeien we, maar we veranderen nooit. Kunnen het niet. Niemand kan het. Wie we zijn staat vast. Er is geen ziel die aan een andere ziel kan morrelen, zelfs niet aan zijn eigen,"' zei hij.

Ik vertel hem: 'Ik ken een man die met zijn verse ex-vrouw voor de Saloon bij Lincoln Center zat en haar boven de gefrituurde courgette vroeg of ze van hem gehouden had, en zij zei: "Dat weet ik niet meer. Misschien wel, maar ik weet het gewoon niet meer."' Hij kijkt me doordringend aan en kaatst de bal terug.

'Ik ken een vrouw die zegt dat je de dingen alleen maar om drie uur 's nachts kunt beoordelen. Ze zegt dat als je om drie uur 's nachts van jezelf houdt, als er om drie uur 's nachts iemand bij je in bed ligt van wie je minstens zoveel houdt als van jezelf, als je hart zich stilhoudt in je borst en er twijfel noch schaduw in de kamer hangt, dat waarschijnlijk betekent dat het goed is. Ze zei tegen me dat het het moeilijkste moment is om tegen jezelf te liegen, om drie uur 's nachts.'

De meeste avonden waarop we met de boot thuiskomen doen we: 'Ik ken een vrouw, ik ken een man', en het spelletje lijkt de bankdirecteur in hem te verdrijven en de Fernando in hem op te roepen. Eenmaal thuis, verkwikt door ons bad, zijn Martini, zijn Prufrock-maaltijd, kan hij weer lachen.

~

Op een zaterdagochtend in de herfst spreekt Fernando zijn afkeuring uit over mijn gebruik van het familiaire *tu* als ik praat met een heer aan wie hij me voorstelt als we op het dek van een vaporetto staan. De man is een jaar of vijfenzestig, knap, hoffelijk in zijn foulard en zijden pak. Er hangt een lichte spanning, iets scherps tussen hen in. Heb ik zo'n erge blunder gemaakt? Als we door Venetië lopen wordt Fernando stil, zelfs knorrig. Ik vind het onvoorstelbaar dat *tu* in plaats van *Lei* hem zo kan kwetsen. Dat heilige bella figura-gedoe ook! Eindelijk gaan we binnen zitten bij Florian en begint hij te vertellen. Hij vertelt me het verhaal van de man op de vaporetto. Het is een arts die al zolang Fernando zich kan heugen zijn praktijk op het Lido heeft. Hij vertelt dat zijn moeder de maîtresse van de dokter is geweest. Het was een verbintenis die twaalf jaar van zijn jeugd besmeurde en verstikte. Hij zegt dat het leek alsof iemand anders, iemand die belangrijker was dan zijn vader of zijn broer Ugo of hijzelf, bij hen in huis woonde. Deze onbenoemde tirannie, waar nooit over werd gepraat, was hun ondergang. De Lidensi waren genadeloos. Wreed en kwaadaardig riepen ze het schandaal uit tot het grootste overspel van die tijd. Zijn vader trok zich terug in een deel van het huis, begon aan een slepende ziekte en had jaren en jaren nodig om te sterven aan hartproblemen, zowel fysiek als emotioneel.

'Je hebt nog steeds verdriet om hem,' zeg ik.

'Niet nog steeds,' zegt hij vlug. 'Ik heb verdriet om hem omdat ik het nu kán, ontdooid, bevrijd door de dame in de lange witte jas. Ik ben blij dat we Onofrio hebben gezien, en nog blijer dat jij hem aansprak met *tu*. Maar ik vind het erg voor mijn vader. Ik vind het erg dat hij als "echte man" zijn lange, donkere nacht is ingegaan, stilletjes, een slachtoffer van bella figura. Hij heeft de fakkel aan mij overgedragen. Het was mijn beurt om stil en verstikt en moedig te worden, zonder eigen behoeften. Ik moest de volgende generatie zijn, de volgende die heel braaf oud zeer verdroeg. Ik vertik het, ik word niet net zo'n man als mijn vader, die over de scheuren heenstapt, zich als een Venetiaan in de ruimten van zijn eigen leven terugtrekt, banger om te storen, te beledigen, te aanwezig te zijn dan hij bang was om te sterven.'

Zo lang als dat sterven duurde, zegt hij, zo acuut was de dood van zijn broer.

Ugo was lange tijd geleden het Lido en het zogenaamde gezin ontvlucht en was diplomaat geweest in dienst van het Europese Parlement in Luxemburg. Hij was veertig toen hij overleed aan een hartaanval. 'De herinneringen drukken als bakstenen op mijn borst,' zegt Fernando. 'Ugo en ik hebben het er maar één keer over gehad, op een avond toen hij vijftien was en ik twaalf. We waren alleen op onze kamer, lagen in het donker in ons bed te roken. Ik vroeg hem of het waar was, en het enige wat hij zei was ja. Tot nu toe heb ik het er met niemand anders over gehad.'

'Vertel eens wat over Ugo,' zeg ik. 'Wat was hij voor iemand?'

'Hij leek op jou. Ontembaar, betoverd door dingen, haalde hij altijd alles uit zijn leven. Hij kon een heel leven in een uur proppen. Alles wat hem overkwam was een avontuur. Als hij een paar dagen langs kwam ging ik altijd naar de veerboot om hem op te halen. Hij had een twoseater, een Morgan waarvan zelfs in de winter het dak open was, en hij droeg een lange witte sjaal. In de achterbak had hij champagne en een roodvilten koffertje met twee baccaratglazen. Toen jij op de dag dat we elkaar ontmoetten dat glaasje en je zilveren flacon cognac uit dat fluwelen zakje haalde, sloeg mijn hart een paar keer over.

Lange tijd zeiden we niets, totdat hij zijn hoofd optilde en me met een intense blik aankeek. Daarin was geen Venetiaan te zien. Alleen maar Fernando.

11
Ah, *cara mia*, in Italië kan alles in zes maanden veranderen

Als je met iemand samenleeft betekent dat nooit dat je ieder de helft krijgt. Je moet om beurten meer geven dan nemen. Het is niet hetzelfde als het aan de ander overlaten of je uit eten gaat of thuis eet, of wie van de twee die avond wordt gemasseerd met calendulaolie; als je je leven met iemand deelt, dan zijn er periodes die een beetje fungeren als nachtwake. De een houdt de wacht, vaak lange tijd, en zorgt voor de rust waarin de ander ergens aan kan werken. Meestal is datgene taai en heel netelig. De een gaat de donkere plek binnen, terwijl de ander buiten blijft om de maan op te houden. Ik weet dat ik nu niet op Fernando moet leunen. Rekeningen, honger, onregelmatige werkwoorden, ik moet ze in mijn eentje te lijf gaan terwijl hij zijn energie gebruikt om met zichzelf in het reine te komen, om zelf te *wieden, te schrobben, de aarde helemaal tot in China om te spitten.* Hij moet aan de slag, dus zorg ik voor de rust. Net zo graag als ik wil dat hij van mij houdt, wil ik dat Fernando van zichzelf houdt.

Ik denk dat hij ook van zichzelf wil houden. Niet alleen is hij aan het ontwaken, hij komt ook in actie. 'Om te kunnen ademen moet hij alle ramen ingooien,' zei Virginia Woolf over James Joyce. Ik probeer te bedenken wat ze over Fernando zou zeggen. Volgens mij is hij een mammeluk met teugels tussen zijn tanden, die zwaaiend met twee kromzwaarden, met fladderende gewaden en rinkelend goud als een bezetene over hete zandvlakten op de Franse slagorde inrijdt.

'Laten we de muren neerhalen,' zegt hij op een ochtend figuurlijk, 'allemaal, en als we dan toch bezig zijn, laten we dan ook de deuren intrappen.' Volgens mij wil hij zeggen dat hij wil ademhalen. 'Nieuwe badkamer, puh! Nieuwe meubels, puh! Alles wat hiervoor is gebeurd was onwerkelijk,' zegt hij. 'Ik heb een soort tweedehands leven gehad dat nooit bij me heeft gepast, dat nooit van mezelf was. Nu voel ik me een jood die op het punt staat om Egypte te ontvluchten,' zegt hij stilletjes.

Hemel! Waarom is hij altijd zo zwaar op de hand?

'Kun je me volgen?' wil hij weten, terwijl zijn ogen vonken schieten. 'Wist je bijvoorbeeld dat we gaan trouwen op 22 oktober?' Het is nu begin september.

'In welk jaar?' wil ik weten.

Zes weken eerder waren we de onzekere dans met het Ufficio Stato Civile op het Lido begonnen. De lendenen omgord, het hart vastberaden zouden we de gulzigheid van de staat naar verklaringen en overleggingen en onthullingen stillen; we zouden de autoriteiten overstelpen met handtekeningen en bewijsstukken en stempels en zegels. We moesten en zouden toestemming krijgen om te trouwen. Op het eerste zaterdagochtendbezoek, als we de stenen trappen naar het piepkleine stadhuis naast de barakken van de *carabinieri* beklimmen, heb ik het gevoel dat ik een pelgrim ben die klaar is om door de dichte wildernis van de Italiaanse bureaucratie te trekken. Gewapend met geduld en kalmte, beschermd door mijn map vol paperassen die door de palermitana in Saint Louis zijn gestempeld, herhaaldelijk, nijdig, met het grote geïnkte stempel van de Italiaanse staat, ben ik bijna bij de finish. Het zijn alleen nog maar details, het wordt een makkie, denk ik als we in de rij staan om de secretaresse te spreken. Fernando zegt dat ik moet glimlachen en maar liever niet moet proberen te praten. Hij zegt dat de bureaucratie altijd toegeeflijker is tegenover de hulpelozen, en dus ben ik gedwee als de Kleine Theresia van Lisieux. De secretaresse zegt dat de *direttrice* uiteraard bezig is en vraagt waarom we geen afspraak hebben gemaakt. Fernando verzekert haar dat hij heeft gebeld, boodschappen heeft achtergelaten en persoonlijk twee dringende verzoeken aan *la direttrice* heeft afgeleverd.

'*Ah, certo, siete voi. Lei è l'Americana.* Ach ja, bent u het. U bent de Amerikaanse,' zegt de secretaresse terwijl ze me van top tot teen bekijkt. Ze draagt een witte spijkerbroek, een T-shirt van U2 en veertig rinkelende armbanden, en heeft een pakje Dunhill en lucifers bij zich voor het geval ze er een moet opsteken tijdens de twaalf meter lange tocht die ze moet afleggen van haar kantoor naar dat van *la direttrice*. We gaan zitten wachten, en grinniken naar elkaar. 'Daar zijn we dan,' zeggen we, 'nu gaat het gebeuren.'

Van halftien tot bijna twaalf uur zitten de Kleine Theresia en de Venetiaan te wachten; hij onderbreekt de wake elk halfuur voor een espresso bij de bar beneden op de Via Sandro Gallo. Eenmaal brengt hij een espresso voor me mee in een porseleinen kop en schotel, en een theelepeltje, een amandelcroissant, allemaal op een blaadje. '*Simpatico*,' zegt de secretaresse over Fernando, alvorens ons mee te delen dat we volgende week zaterdag moeten terugkomen.

De volgende zaterdag en de zaterdag daarop verlopen min of meer hetzelfde, behalve in die zin dat we nu om beurten naar de bar gaan. Er gaan vier zaterdagen voorbij zonder dat we *la direttrice* te zien krijgen. Dit is een eiland met zeventienduizend inwoners, van wie er in de zomer elke zaterdag zestienduizend op het strand liggen, terwijl de rest thuis naar herhalingen van Dallas zit te kijken. Wie zit daar in vredesnaam bij haar? Op de vijfde zaterdag worden de Kleine Theresia en de Venetiaan direct haar kantoor binnengelaten. *La direttrice* is grijs. Ze is helemaal grijs. Haar huid, haar lippen, haar haar, haar wijde linnen jurk hebben allemaal de kleur van as. Ze blaast een grijze wolk uit, dooft haar sigaret en steekt haar grote grijze hand uit, naar ik denk om me welkom te heten, maar in werkelijkheid om mijn map in ontvangst te nemen. Ze slaat elke bladzijde om alsof mijn documenten haar met afkeer vervullen, alsof het in hellevocht gedrenkte blauwdrukken zijn. Zij rookt. Fernando rookt. De secretaresse komt binnen om een stapel papieren op te bergen, en zij rookt. Ik probeer afleiding te zoeken door naar een plaatje van het Heilig Hart van Jezus te kijken. 'Jezus,' zeg ik, en vraag me af hoe lang het nog duurt voordat ik, een vrouw met roze longen die tien jaar lang vol toewijding antioxidanten heeft geslikt en vrije radicalen heeft achternagezeten en gevangen, zal sterven aan tweedehands rook. De bril van de *direttrice* valt herhaaldelijk van het puntje van haar neus, dus pakt ze die van Fernando die nonchalant op haar bureau heeft gelegen, maar dat lijkt niet te helpen.

Ze doet de map dicht en zegt: 'Deze papieren zijn oud en hebben geen waarde. De wetten zijn veranderd.' Kleine Theresia slaakt een kreetje.

'Oud? Deze zijn in maart opgesteld, en het is augustus,' zeg ik tegen haar.

'*Ah, cara mia*, in Italië kan alles in zes maanden tijd veranderen. We zijn een land in beweging. De regering verandert, de voetbaltrainers veranderen, alles verandert en niets verandert, en dat moet u leren, *cara mia*. U moet terug naar Amerika, een woning betrekken, een jaar wachten en uw documenten opnieuw indienen,' zegt ze zonder medeleven. Kleine Theresia verslapt, doet haar best om niet in zwijm te vallen.

Van voorbij mijn flauwtes hoor ik Fernando zeggen: '*Ma è un vero peccato perchè lei è giornalista.* Dat is zonde, want ze is journaliste.' Hij vertelt haar dat ik schrijf voor een aantal zeer belangrijke kranten in Amerika, dat ze me opdracht hebben gegeven om mijn nieuwe leven in Italië vast te leggen en een reeks artikelen te schrijven over mijn ervaringen, over de markante types die me helpen mijn weg te vinden. De uitgevers, vertelt hij haar, zijn vooral ge-interesseerd in het verhaal van haar huwelijk. Ze heeft deadlines, *signora*, deadlines. Deze artikelen zullen worden gelezen door miljoenen

Amerikanen en de mensen over wie ze schrijft worden geheid beroemd in de Verenigde Staten. *La direttrice* verwijdert Fernando's bril en zet haar eigen weer op. Ze doet dit diverse malen terwijl ik Fernando bekijk met een mengeling van ontzag en walging. Hij staat te liegen alsof het gedrukt staat.

'U weet dat ik niets liever doe dan u helpen,' zegt ze terwijl ze ons voor het eerst echt aankijkt. Dat weet ik níet, denk ik. Nu zegt ze, met haar handen tegen haar slapen gedrukt: 'Ik moet naar de burgemeester, naar de regionale bevoegden. Kunt u hier de namen van die zeer belangrijke kranten opschrijven?'

'Ik zal alles voor u opschrijven, *signora*, en het maandagochtend bij u bezorgen,' belooft hij. Ze zegt dat we volgende week zaterdag terug moeten komen, dan zien we wel weer verder. Ik begin door te krijgen dat er met de Italiaanse bureaucratie zelf niet veel aan de hand is, maar dat het gaat om degenen die haar naar hun hand zetten, die haar versieren en verdraaien, met hun eigen vormen van corruptie, zo persoonlijk als vingerafdrukken. Italiaanse bureaucratie bestaat eigenlijk niet, alleen maar Italiaanse bureaucraten. Fernando besluit *la direttrice* aan de neus te hangen dat niemand minder dan de *Associated Press* me opdracht heeft gegeven voor deze reeks artikelen, en zo kan het dat honderden, duizenden kranten in heel Amerika de verhalen zullen opnemen. Hij schrijft dit alles in een telegram. Ik vind het duivels. Ik hoop dat het werkt. *La direttrice* antwoordt met een telegram. De trol bezorgt het, de makkelijk te openen en hersluiten envelop nog warm van haar gerommel.

'*Tutto fattibile entro tre settimane. Venite Sabato mattina.* Alles mogelijk binnen drie weken. Kom zaterdagochtend.'

'Wat doen we als ze de artikelen wil zien?' vraag ik.

'Dan zeggen we dat Amerika een land in beweging is, dat opdrachten veranderen, dat alles en ook niets verandert, en dat ze dat moet begrijpen, *cara mia*.'

Het voelt goed dat we de staat binnen hebben, maar de

welwillendheid van de Heilige Moeder de Kerk laat nog op zich wachten. Tijdens één korte audiëntie aan de curie in Venetië hadden we te horen gekregen dat de goedkeuring van de Kerk alleen maar kan worden verkregen, als die überhaupt al te verkrijgen is, door middel van een mysterieus onderzoek 'dat de bisschop ervan overtuigt dat geen van beide partijen het sacrament van het huwelijk van de Kerk eerder heeft ontvangen, en van de openlijk betuigde voornemens van het paar om volgens de kerkelijke wetten te leven.' Het onderzoeken van Fernando's spirituele verleden zou eenvoudig zijn, maar wat was er nodig om de inquisitie op mij los te laten? Wilden ze de namen en adressen van mijn kerken en priesters in New York en Sacramento en Saint Louis? Hadden ze soms een soort groot pauselijk internet waar ze alleen maar mijn naam hoefden in te voeren om al mijn geestelijke *peccadillo's* na te trekken? En ik hoopte dat die 'openlijk betuigde voornemens van het paar om volgens de kerkelijke wetten te leven' geen instructies over geboortebeperking behelsde. Ook al was ik nog maar een paar uur vruchtbaar, ik wilde me door niemand laten vertellen wat ik ermee moest doen. Ik heb al te vaak te maken gehad met wetten, oude wetten, nieuwe wetten.

'We hebben toestemming van de staat, het stadhuis is prachtig, laten we gewoon alleen maar daar trouwen,' zeg ik.

De Venetiaan weigert. Ook al heeft hij zijn hele volwassen leven op zijn tenen door de zijbeuken van de kerk geslopen, nu wil hij rituelen, wierook, kaarsen, zegeningen, acolieten, witte lopers en oranjebloesem. Hij wil een hoogmis in de kerk van rode baksteen die uitkijkt over de lagune.

Op een smoorhete avond in juli zitten we in de sacristie te wachten op Don Silvano, de pastoor van de Santa Maria Elisabetta. Zodra we de sociale plichtplegingen en koetjes en kalfjes hebben gehad zegt de priester iets over hoe leuk het zal zijn om ons 'jongelui' als communicanten te hebben. Ik kan alleen maar gissen naar de gemiddelde leeftijd van zijn parochianen. We moeten elke dinsdagavond lessen bijwonen, samen met andere aanstaande bruidsparen, om te worden geïnstrueerd over de 'morele vereisten die een door de rooms-katholieke Kerk goedgekeurd huwelijk met zich meebrengt'. Mijn hemel! En onze eigen morele vereisten dan? Waarom doet hij alsof wij er geen hebben als hij ons niet zegt dat dat nodig is? Hij heeft het lieve ronde gezicht van een dorpspastoor en doorspekt elke zin met *benone*, fantastisch, maar toch praat hij in preektaal.

We waren eind juli met onze instructielessen begonnen. Als we op een dinsdag aankomen neemt de priester ons ter zijde, zegt dat onze papieren niet toereikend zijn, dat de curie weigert ons toestemming te geven om in de kerk te trouwen. Wat mankeert eraan, willen we weten. 'Nou, om te beginnen,' zegt hij tegen mij, 'we hebben nog steeds geen vormselcertificaat van u.'

'Ik kan me niet eens herinneren dat ik zelf ooit mijn vormselcertificaat heb gezien. Ik weet niet eens of ik wel ben gevormd tot soldaat van Christus,' zeg ik tegen de priester. We gaan langs de zee wandelen en Fernando zegt dat het een grove fout was om te zeggen dat ik niet zeker wist of ik wel gevormd was. Ik moet alleen informatie verschaffen die noodzakelijk is voor hun onderzoek, en hen eraan laten doorwerken. 'Maar het is vast onbegonnen werk. Is het niet gewoon beter om nu het vormsel te krijgen?' We gaan met het plan terug naar Don Silvano, en na twee of drie *benones* zegt hij dat ik deel moet nemen aan de volgende vormselklas waarvan de lessen eind september beginnen, en als alles goed gaat kan ik in april met een groepje tienjarigen naar het altaar lopen om het sacrament te ontvangen. In april? Op weg naar huis vraag ik nog eens waarom een burgerlijk huwelijk niet genoeg voor ons is. Fernando glimlacht alleen maar.

~

Dus als de Venetiaan op deze ochtend in september aankondigt dat we in oktober gaan trouwen, kan ik geen woord uitbrengen. Is hij soms vergeten dat het alleen al zes weken duurde om door de papiermolen van de staat heen te komen? De Kerk kan maanden duren. Jaren.

Als ik mijn stem terugvind, wil ik weten: 'Ga je het verhaal van de *Associated Press* loslaten op Don Silvano?'

'Helemaal niet. Ik heb een idee dat hem veel meer zal aanspreken,' zegt hij.

Fernando zegt tegen Don Silvano dat hij op 22 oktober wil trouwen omdat La Serenissima op die dag in 1630 het decreet uitvaardigde dat er een grote basiliek moest worden gebouwd aan het Canal Grande, gewijd aan de Maagd Maria als dank dat ze Venetië van de pest had bevrijd. Santa Maria della Salute moest hij gaan heten. Heilige Maria van de Gezondheid. Hij weet het hart van de oude priester te raken. '*Che bell'idea*,' zegt hij. 'Zoiets kom je niet vaak tegen. Dat een man zijn kerkelijk huwelijk wenst te combineren met de kerkgeschiedenis van Venetië is iets wat de curie in overweging moet nemen. En trouwens, het vormselcertificaat komt vroeg of laat toch wel boven water. Ik zal mijn persoonlijke bevindingen aan de bisschop voorleggen. Weet u zeker dat u de ceremonie niet wilt houden op 21 november, op het festival van la Salute?' vraagt hij.

'Nee. Ik wil 22 oktober omdat het hele idee toen in gang werd gezet. Dat was het begin. Het gaat hier om het begin van iets, meneer pastoor,' zegt de Venetiaan.

'Dan wordt het 22 oktober,' zegt de priester.

'Je hebt zojuist tegen een priester gelogen,' zeg ik tegen de Venetiaan terwijl hij me van de boulevard de vaporetto in trekt. Hij slaakt een lange luide kreet, en ik realiseer me dat dit de eerst keer is dat ik de Venetiaan ooit heb horen schreeuwen.

'Ik heb niet gelogen! Ik wil echt dat we op die dag trouwen, ook omdat het de dag was waarop de regering-Longhena het groene licht gaf om met de bouw van la Salute te beginnen. Het is allemaal waar, en dat zal ik je later op een Lorenzetti zwart op wit laten zien. En trouwens, Don Silvano wachtte tot ik erop aan zou dringen, hij wachtte tot ik hem iets gaf waarmee hij namens ons het gevecht met de bisschop aan kon gaan. Ik moet een dag uitzoeken en daarop staan, anders zou er in geen jaren iets gebeuren. Ik weet hoe de dingen hier wel of niet werken. *Furbizia innocente*, onschuldig gekonkel, is alles wat je nodig hebt om in Italië te wonen,' vertelt hij me. 'De Kerk, de staat en iedereen daartussenin kan worden gestuurd met het kleinste prikje in het ego of gevoel. Uiteindelijk zijn wij Venetianen eerder Candide dan Machiavelli. Ook al hebben we van oudsher de reputatie dat we babbelaars en losbollen zijn, zijn we eerder lichtgevoelige emotionele stumpers die er altijd op uit zijn om te worden bewonderd. We blijven hopen dat we de wereld en zelfs elkaar voor de gek kunnen houden, maar wij weten wie we zijn. En laten we er nu maar over ophouden en vieren dat we een trouwdatum hebben,' zegt de Venetiaan.

Hij neemt me mee uit eten bij La Vedova achter Cà d'Oro, en Ada, die ik al sinds mijn eerst reis naar Venetië ken, maakt handgerolde volkorenpasta in eendensaus en lever met uien *alle veneziana*. We drinken Amarone uit Le Ragosa, en kunnen onze glimlach maar niet van ons gezicht krijgen. Als Ada rondbazuint dat we in oktober gaan trouwen, wil elke winkelier en Venetiaan die binnenkomt een *brindisi*, een toost uitbrengen. Niemand snapt er iets van als wij drinken op *la grigia* en *il prete*, de grijze en de priester.

Op een avond pakken we onze picknickmand in en rijden naar de *murazzi*, de grote stenen wal die in de zestiende eeuw door de Lidensi is opgetrokken om het eilandje te beschermen tegen de stormen van de zee. Ik bind de wijde rok van mijn oude ballerinajurk op en we wandelen hoog boven het water over de keien, op zoek naar eentje die glad en plat genoeg is om als tafel te dienen. We stallen alles uit, en bij het licht van een kaars in een geperforeerde tinnen lantaarn en de Adriatische Zee die overal om ons heen buldert en brult, eten we met vijgen gevulde kwartel gewikkeld in een plak pancetta en geroosterd op takjes salie; we houden de vogels in onze hand en verslinden het karige, zoete vlees tot op het bot. We eten een salade van verse erwten en botersla en muntblaadjes, allemaal in het braadvocht van de kwartels, wat lekker brood en een koel glas Sauvignon uit Friuli. Zit daar naast mij werkelijk Prufrock voorzichtig de kwartelsappen van zijn vingers te likken?

Hij zingt *Nessuno al Mondo*, en twee vissers die een heel eind lager op het strand jakobsschelpen zitten te roosteren en een pijp zitten te roken, roepen bravo naar de rotsen. We hebben het over de bruiloft, en dan vertelt Fernando me het verhaal over de Festa della Sensa, de bruiloft van Venetië met de zee. Op Hemelvaart, de dag waarop wordt herdacht dat de Heilige Maagd naar de hemel zou zijn opgestegen, ging de doge, gekleed als bruidegom, aan boord van de grote verguldde koninklijke galei die door tweehonderd bootslieden werd geroeid, en vertrok uit de haven van het Lido. Een processie van met bloemen versierde galeien en bootjes en gondels roeiden achter hem aan totdat ze San Nicoló bereikten, het punt waar de lagune uitmondt in de Adriatische Zee. Dan ging de patriarch op de voorsteven staan en zegende de zee met wijwater, terwijl de doge zijn ring in de golven gooide en zei: 'Als teken van eeuwige heerschappij trouw ik, Venetië, met u, o zee.'

De symboliek bevalt me, ook al grenst het aan hoogmoed dat de doge 'die Venetië is' denkt dat hij de zee in toom kan houden door met haar te trouwen, zeg ik tegen Fernando. En is er ooit iemand in gedoken om die ring op te duiken, of gaf de paus hem elk jaar een nieuwe? vraag ik. 'Dat van die ring weet ik niet, maar ik weet wel dat ik slimmer ben dan de doges,' zegt hij, 'en het zou nooit in me opkomen om jou te temmen.' Hmm, ik vraag het me af. Ik trek mijn trui aan en nip van de wijn. Ik ben blij dat ik op dit moment in mijn leven met de Venetiaan trouw.

12
Een witwollen jurk, afgezet met dertig centimeter Mongools lamsbont

Of we nu spreken van 'beheersen' of 'de ruimte geven' of het poëtischer 'temmen', in een huwelijk tussen twee oudere mensen loopt machtsstrijd minder hoog op omdat ervarener zielen begrijpen dat dat soort manoeuvres rampzalig zijn. Oudere mensen trouwen om andere redenen dan jonge mensen. Misschien is het zo dat bij een jongere verbintenis de man aan zijn kant van het huwelijk leeft en de vrouw aan de hare. Als hoffelijke opponenten in de strijd om carrière, sociale en economische status, veelheid en intensiteit van goedkeuring, zien ze elkaar aan tafel of in bed, elk uitgeput van hun eenzame race. In een later huwelijk werken ze nog steeds samen, ook al zijn ze met verschillende dingen bezig, en weten ze dat ze juist zijn getrouwd omdat ze bij elkaar willen zijn. Ik kijk toe terwijl Fernando met de lantaarn zit te klungelen en kan me niet voorstellen dat ik dat ooit niet wist.

En ik kan me ook niet voorstellen dat ik ooit niet wist dat Italianen dol zijn op moeilijkdoenerij. Een kleine *farrago*, een korte, felle pijn, dat hebben ze elke dag nodig. Minder vaak, maar vaak genoeg is het regelrechte borstklopperij waar ze naar hunkeren. Iets waar je niet moeilijk over hoeft te doen is niet de moeite waard. Een brief op de bus doen en een tomaat uitzoeken zijn dramatische aangelegenheden. Moet je nagaan wat een bruiloft allemaal met zich meebrengt. En niet zomaar een bruiloft, maar een bruiloft die in zes weken tijd moet zijn vormgegeven en voltrokken, de bruiloft van een ooit gewone Italiaanse man 'van zekere leeftijd' met een buitenlandse vrouw, ook 'van zekere leeftijd', die erover denkt om tijdens de hoogmis een witwollen jurk, afgezet met dertig centimeter Mongools lamsbont te dragen. Onze bruiloft biedt volop gelegenheid tot moeilijkdoenerij. Gelegenheid nummer één: ik wil een naaister vinden en deze mythische jurk realiseren.

De geschiedenis van Venetië heeft altijd zijn weerslag gevonden in stof. Kijk maar eens naar de schilderijen van de Venetiaanse portretschilders uit de Renaissance. Licht en stof eisen alle aandacht op; het onderwerp komt altijd op de tweede plaats. Kijk maar eens naar Veronese en Longhi en Tintoretto en alle drie de schilders van de familie Bellini. Kijk maar naar Titiaan. Je hoort het geruis van een gewaad van geel moiré, en je voelt de diepe plooien in het fluweel van een met sabelbont afgezette mantel met de kleur van granaatappels. Venetianen vertelden hun verhaal in brokaat en kant en satijn, in de lengte van een manchet of een kraag die van gesponnen goud was geweven. De winkel, het pakhuis en woonhuis van een koopman waren allemaal gevestigd in het rijk geornamenteerde palazzo, zodat hij alle activiteiten van zijn dagen en nachten kon drenken in spektakel. Edelen, berooide edelen en vaak zelfs bedelaars staken zich in zijde. 'Waarom zou je je kleden op ellende?' zou een in hermelijn geklede vrouw hebben gevraagd die elke dag op het Piazzetta zat te bedelen. De Venetiaanse draai aan: 'Laat ze maar in hun sop gaar koken' was: 'Maar dan wel in zijde gekleed.'

Venetiaanse schilders staken heiligen in satijn en beeldden ze zelden af op blote voeten. Hun madonna's droegen roodbruine zijde, of goud of koningsblauw; hun kapsel, juwelen en slanke taille deden geen enkele afbreuk aan hun heiligheid. Venetianen, altijd wars van ontzag voor het intellect, lieten en laten zich nog steeds niet hinderen door contradictie of dualiteit. Hoe kan de moeder van Christus nou gekleed gaan in tafzijde en een robijnen ketting dragen aan de voet van het kruis waaraan haar zoon hangt? Venetianen zien het allemaal als coëxistentie. Uiteindelijk gaat het alleen maar om pracht en praal, uitsluitend pracht en praal, het ene allegorische, gekunstelde tafereel na de andere.

Venetianen stonden van zichzelf te kijken, en sommigen doen dat nog steeds. Dat een naar kruidnagel geurende prinses in een zijden jurk kon ontspruiten aan een moeras was een krankzinnig idee. Het feit dat ze tot bloei kwam tilde haar boven elke mythe uit en doordrong Venetianen van het idee dat de tijd razendsnel voorbijgaat. Alleen het hier en nu bestaan, dus laat alles binnen die vrolijkheid en achter het masker maar schilderachtig zijn.

Zelfs al waren er sindsdien wat jaren verstreken, ik hoopte dat het niet onwaarschijnlijk zou zijn dat ik tegen zachte, net-niet-witte wol zou aanlopen, niet zwaar en niet dun, met een soort fijn maaswerk, waaruit een oud besje met zilvergrijze haren een lange, smalle witte jurk kon fabriceren. Het lijkt me het beste om eerst het besje te vinden en dan het materiaal.

~

Hoewel er in het telefoonboek tientallen namen staan onder *sartoria*, kleermaker, wordt bijna elk telefoontje door iemand beantwoord met: 'O, dat was mijn grootmoeder, *poveretta*, het arme mens, die is in '81 overleden.' Of: 'Mijn tante, *poveretta*, die is blind geworden door vijftig jaar lang lakens en ondergoed te naaien voor de Borghesi.'

Als ik er een vind, een man, die nog leeft en niet blind is, blaft hij: 'Ik maak geen bruidsjurken.'

'Ik wil geen bruidsjurk maar een jurk die ik draag op mijn bruiloft,' probeer ik uit te leggen. Een gedachte die in het Engels heel begrijpelijk is komt vaak jammerlijk over als hij letterlijk in het Italiaans wordt vertaald, en de nukkige stem wenst me definitief goedemiddag.

Uiteindelijk vind ik mijn *sarta*, een vrouw met een tinkelende stem die zegt dat ze al sinds haar vijftiende voor de prachtigste Venetiaanse bruiden jurken maakt. Ze zegt dat er twee van op tv zijn geweest en dat er nog twee zijn gefotografeerd voor Japanse bladen. In een poging haar verwachtingen af te zwakken probeer ik nog iets in de geest van: 'Ik wil geen bruidsjurk maar een jurk die ik op mijn bruiloft aan kan,' maar net als de vorige keer gaat het mis. We maken een afspraak voor een *dialogo*.

Haar atelier, een flat op de vijfde verdieping aan de Bacino Orséolo achter de San Marco, kijkt uit over de haven waar wachtende gondeliers bij elkaar komen om te roken en met mortadella belegd brood te eten en wat zaken te doen. Na drama's met de bel en drama's met haar assistente, die me niet tien minuten te vroeg wil binnenlaten, beklim ik Rapunsels toren. *La sarta* maakt vast nog niet zo lang bruidsjurken, want ze ziet er niet veel ouder uit dan vijftien en haar assistente lijkt wel twaalf. Ze verzoeken me plaats te nemen en een map met ontwerpen door te nemen, terwijl ik ze probeer duidelijk te maken dat ik een gewone wollen jurk wil, mooie stof, klassiek ontwerp. Als ik het over het Mongools lamsbont heb krijg ik hun aandacht. *La sarta* begint met een potloodstompje op patroonpapier te schetsen en binnen een paar seconden komt daar de jurk tevoorschijn, een soort mantel, zelfs een hoed, een toqueachtig geval dat een filmdiva uit de jaren twintig niet zou misstaan. 'Nee,' zeg ik. 'Eenvoudiger dan dit en zonder mantel, zonder hoed. Alleen maar een jurk.'

'*Come vuole, signora.* Zoals u wenst,' zegt ze terwijl ze haar neus wat omhoog steekt. Ze neemt mijn maten op, honderden maten. Van de knie tot de enkel, gestrekt, van de knie tot de enkel, gebogen. Schouders, staand, schouders, zittend. De omtrek van mijn taille, onderarm, elleboog, bovenarm. Het voelt alsof ik word opgemeten voor een balseming. Ze laat me eindeloos veel rollen en stalen van de meest fantastische stoffen zien, en als ik zeg dat ik iets mooi vind, zegt ze dat ze net niet genoeg heeft voor de jurk of dat het huis dat die specifieke stof maakt nog met vakantie is, zodat ze die nog niet kan bestellen, en als ze hen al te pakken kan krijgen, dan nog weet ze dat ze die stof al jaren niet meer maken en dat het onwaarschijnlijk is dat ze nog iets in huis hebben. Waarom laat ze me dingen zien die ik niet kan krijgen? Nou, wat zou er leuk aan zijn als ze vijftig meter had van de stof die ik het liefst wilde? Wat zou daar de lol van zijn? Geen irritatie, geen centje pijn. Dan zou het alleen maar een jurk worden en geen trouwjurk. 'Een beetje pijn maakt het leven mooier,' zegt ze tegen me.

Ik zit haar aan te staren, denk dat ik haar begin door te krijgen, iets wat me zowel beangstigt als verheugt. We komen uit op een lap kasjmier dat aanvoelt als zware zijde. Het is prachtig en precies groot genoeg. Bombastes vraagt naar de prijs en beledigt daarmee natuurlijk Rapunsel. Ze zegt dat ik over een week terug moet komen om het met de twaalfjarige assistente te hebben over de *preventivo*, de offerte. Kan ik volgende week niet gewoon bellen? 'Signora, het is zoveel sympathieker als u hier kunt komen. De telefoon is wat onpersoonlijk, vindt u niet?' corrigeert ze me opnieuw.

Als ik terugkom klim ik naar boven naar het atelier, ga zitten en kijk naar de gegaufreerde envelop met mijn naam erop die op een klein schaaltje op de tafel voor me ligt. Pak ik hem en maak ik hem open? Leest de assistente hem aan me voor? Neem ik hem mee naar huis en lees hem en ga terug naar de toren om te zeggen dat het goed is? *La sarta* overhandigt me de envelop en ik ben zo vrij om de enige regel op het papier dat erin zit te lezen. *Un abito di sposa* – zeven miljoen lire, zo'n 3500 dollar tegen de huidige koers. Voor zeven miljoen lire kan ik twee jurken van Romeo Gigli en schoenen van Gucci krijgen en elke week bij Harry's Bar gaan lunchen. Ze ziet mijn ontzetting. Ik zeg dat de prijs veel hoger is dan ik kan betalen, bedank haar voor haar tijd en maak aanstalten om te gaan. Ook al was de offerte te hoog om te zien hoe ver ik zou gaan, een staaltje *furbizia innocente*, toch ben ik ontzet. Ik kan alleen maar bedenken dat ik een kostbare week heb verloren. Als ik het plein op loop spijt het me voor de vijftienjarige en de twaalfjarige dat ze iemand anders zullen moeten zoeken om de komende drie maanden de huur te betalen.

Ik besluit het Mongoolse lamsbont uit mijn hoofd te zetten en gewoon een jurk te zoeken, kant-en-klaar. Ik probeer Versace en Armani en Thierry Mugler. Ik probeer Biagiotti en Krizia. Niets. Op een dag ga ik naar Kenzo op de Frezzeria, en als ik de winkel uit kom, loop ik langs een andere, Olga Asta. Hier belooft een bordje zowel confectiekleding als kleding op maat. Ik zeg tegen de dame dat ik op zoek ben naar een jurk die ik op een bruiloft kan dragen. Ik zeg niet op wiens bruiloft. Ze laat me een aantal *tailleurs* zien, mooie pakjes, een in marineblauw met een fraai wit shantung biesje en een in donkerbruin met bijpassende zijden blouse. Allemaal verkeerd en het lijkt me alleen al vreselijk om ze te passen. Ik ben al halverwege mijn afscheidspraatje als ze zegt dat ze iets voor me kan maken, ze ontwerpt en naait alles. Huiverend vraag ik: 'Wat denkt u van een eenvoudige witwollen jurk, afgezet met Mongools lamsbont?'

'*Sarebbe molto bello, molto elegante, signora.* Dat is vast heel mooi, heel elegant, mevrouw,' zegt ze rustig. 'Misschien kunnen we zelfs een aangerimpeld rokje maken, om uw taille te accentueren.' Ze laat me rollen stof zien die ook echt voldoende zijn om een jurk van te maken. We kiezen er eentje uit, en dan vraagt ze of ik wil blijven wachten terwijl zij naar boven gaat, naar haar atelier. Het ziet ernaar uit dat Olga Asta ook bontwerkster is, want ze komt terug met een streng lang wit Mongools lamsbont om haar hals. Ze beduidt me met haar naar het daglicht te lopen en laat zien dat het bont en de witte wol dezelfde crèmekleurige tint hebben. '*Destino, signora, è proprio destino.* Het is het lot, signora, waarlijk het lot.' Ik wil weten wat het lot kost. Omdat ik nog steeds bang ben voor inflatie verzwijg ik nog steeds dat ik de bruid ben. Ze gaat aan haar bureau zitten en schrijft en zoekt prijzen op en belt naar boven naar het atelier. Geheel volgens het protocol noemt ze de prijs niet hardop, maar schrijft twee miljoen lire achterop haar visitekaartje en geeft dat aan mij.

'*Benone*,' zeg ik, net als Don Silvano, en spreek een aantal data af om te passen. Ik zeg haar op welke datum ik de jurk nodig heb en ze geeft geen krimp.

Ik geef haar een hand en zeg dat ik heel blij ben dat ik haar gevonden heb, en zij zegt: '*Ma figurati.* Doe niet zo gek, een aanstaande bruid moet precies krijgen wat ze wil.' Ik heb haar nooit gevraagd hoe ze wist dat ik de bruid was, maar was blij dát ze het wist. Na de derde of de vierde pasronde vraag ik haar om de jurk gewoon af te maken. Ik ben ervan overtuigd dat hij perfect wordt en zal hem komen halen op de middag voor de bruiloft. Ze gaat akkoord en ik vraag me af waarom niet alles zo gemakkelijk en direct kan gaan, en dan herinner ik me wat Rapunsel zei en ben blij met de pijn die de dingen mooier maakt.

~

Fernando besluit dat Hotel Bauer Grünwald de locatie is voor onze bruidslunch. Zijn oude vriend en cliënt Giovanni Gorgoni is er conciërge, en al in het begin zei deze tegen Fernando: '*Ci penso io.* Laat maar aan mij over.' Dus volgens de Venetiaan is onze receptie in kannen en kruiken, een voldongen feit.

'Wat staat er op het menu?' lijkt een redelijke vraag van een bruid die kok is, over haar bruidslunch.

'Een fantastisch menu met hors d'oeuvres en champagne op het terras en vijf of zes gangen aan tafel,' zegt hij tegen me, alsof dat duidelijke informatie is.

'Wat voor vijf of zes gangen?' smeek ik.

'Dat doet er niet toe, het is het Bauer Grünwald en alles is vast fantastisch,' zegt hij. Ik kan niet bepalen of ik hier te maken heb met *bella figura* of *furbizia innocente*, maar ik wil echt heel graag de mensen ontmoeten die ons op onze trouwdag te eten geven. Hij zegt dat ik me veel te veel opwind, maar als ik het menu graag wil zien zal hij Gorgoni erom vragen. Ik wil hem vertellen dat ik feesten heb georganiseerd voor Ted Kennedy en Tina Turner, maar dat doe ik niet. Hij zou zeggen dat dit anders is. Ik wéét dat het anders is, maar ik wil er gewoon iets over te zeggen hebben.

Op een ochtend komen we elkaar toevallig tegen in de Calle Larga XXII Marzo. Hij heeft net het menu gehaald bij Hotel Bauer, en hij laat het me met veel animo zien. Het is een stoffig prachtexemplaar uit het fin de siècle, vol odes aan Rossini en Brillat-Savarin, en ik zie dat hij een visgerecht heeft goedgekeurd dat de prijs van de lunch met vijftig procent verhoogt, evenals drie gebakken pastagerechten met dezelfde saus, 'huiswijnen' zonder te weten van welke huizen ze komen en een bruidstaart die wordt ontsierd door een plastic gondel. Ik voel mijn sabel rammelen. Ik kijk een beetje naar links als ik zeg dat ik onze bruiloft wil cateren. Wil hij mijn menu eens zien? Hij rolt met zijn ogen tot ik denk dat hij een toeval krijgt, en ik verfrommel het menu en stop het in mijn tas. Ik heb nog één kogel.

'Zou het niet leuk zijn om iets minder formeels te doen? We kunnen met zijn allen naar Torcello en bij Diavolo onder de bomen zitten.' Ik denk aan mijn lieve ober met de zalmkleurige cravate en het gepommadeerde haar met de middenscheiding, dezelfde ober met de zalmkleurige cravate en het gepommadeerde haar met de middenscheiding die ons aan het eind van onze eerste lunch op Torcello kersen in ijswater bracht. De Venetiaan kust me lang en vurig op de lippen, laat me midden in de calle staan en gaat terug naar het hoofdkantoor van de bank voor een vergadering. Ik weet dat de zoen betekent dat hij met heel zijn hart van me houdt, en ik weet ook dat de zoen betekent dat we niet met de priester en de bruidsjonkers en Armeense monniken en een delegatie van de Britse Vrouwenclub naar Torcello zullen gaan om onder de bomen te zitten en te worden bediend door de ober met de zalmkleurige cravate. Het duidelijkst van allemaal betekent de zoen dat ik niet ga koken voor mijn eigen bruiloft.

Waarom laat ik me zo gemakkelijk door hem afpoeieren? Zonder rancune ga ik naar binnen bij Venezia Studium en koop een klein witzijden tasje met kralen en een kwast aan een lang satijnen koord. Ik kan tenminste nog wel bepalen wat voor tasje ik draag op mijn bruidslunch. Ik voel me beter nu mijn perspectief weer duidelijk is. Het huwelijk is belangrijker voor me dan de bruiloft, en ik weet dat ik de Venetiaan daarom heb laten begaan. En bovendien vindt hij het allemaal zo leuk. Hoe dan ook, als de propaganda van Hotel Bauer ook maar enigszins op waarheid berust, hebben zelfs de Aga Khan en Hemingway hetzelfde rotmaal moeten wegwerken.

~

Fernando vraagt of we op een ochtend kunnen afspreken bij een reisbureau, waar hij al een nachttrein naar Parijs voor ons heeft geboekt. 'Waarom moeten we op huwelijksreis naar Parijs als we in Venetië wonen?' vraag ik hem.

'We gaan juist naar Parijs omdát we in Venetië wonen,' zegt hij.

Aan mij de zware taak om het hotel uit te kiezen. Als hij zegt dat we naar de drukker gaan om te kijken naar papier en het lettertype voor de uitnodigingen, kan ik mijn oren niet geloven. We nodigen maar negentien mensen uit!

'Ik koop wel heel mooi papier en gebruik mijn kalligrafeerpennen. We kunnen was en een zegel gebruiken als je wilt. Dan zijn ze persoonlijk en heel mooi,' zeg ik.

'*Troppo artigianale.* Te prutserig,' zegt hij.

De werkplaats van de drukker is een met inkt besmeurde droom waar het ruikt naar heet metaal en nieuw papier, en ik zou er wel altijd kunnen blijven. De drukker legt stapels albums voor ons neer en zegt: '*Andate tranquili*. Neem rustig de tijd.' We kijken alle boeken door, en kijken dan nog eens alle boeken door, en de Venetiaan legt zijn vinger op een pagina vol gravures van Venetiaanse boten. Hij vindt er eentje mooi waarop een paar door het Canal Grande wordt geroeid. Ik vind het ook mooi, dus bestellen we het in donker Venetiaans rood op geweven zijdeachtig, bleekgroen papier. Terwijl de drukker de offerte opstelt gaan wij een espresso halen bij Olandese Volante. Als we terugkomen is de drukker weer aan het werk en ligt er een aan ons gericht opgevouwen papiertje op zijn bureau. De kosten zijn zeshonderdduizend lire. Dat is driehonderd dollar voor negentien uitnodigingen. Als de drukker terugkomt verontschuldigt hij zich voor de kosten en legt uit dat de minimale hoeveelheid papier die hij kan bestellen voor honderdvijftig uitnodigingen is. Ook al hebben we er maar negentien nodig, we moeten betalen voor honderdvijftig.

'Laten we ander papier uitzoeken,' zeg ik.

'Maar het minimum aantal is altijd honderdvijftig,' zegt de drukker.

'Dat begrijp ik. Maar ander papier is misschien minder kostbaar,' probeer ik. De Venetiaan geeft geen duimbreed toe. Hij wil de donkerrode boot op de bleekgroene zee voor zeshonderdduizend.

'Goed, dan nemen we alle honderdvijftig,' stel ik voor.

'En wat moeten we met honderdvijftig uitnodigingen?' pareert Fernando. Ik kijk naar de drukker voor een oplossing, maar die schudt wanhopig zijn hoofd.

'Kunt u er niet gewoon negentien of een stuk of vijfentwintig drukken en de rest blanco laten zodat we ze als briefkaart kunnen gebruiken?' vraag ik voorzichtig. Hij begrijpt mijn vraag niet. Ik neem mijn toevlucht tot handen en voeten. Fernando steekt een sigaret op onder het bordje Verboden te roken.

Uiteindelijk zegt de drukker: '*Certo, certo, signora, possiamo fare così.*' Ik ben stomverbaasd dat hij ja zegt. Fernando is bijna kwaad dat ik zoiets krankzinnigs heb gevraagd. Hij zegt dat ik *incorrigibile* ben. Hij zegt dat ik lijk op Garibaldi die zich altijd verzet.

Het enige waar we nog over na moeten denken zijn de ringen en de bloemen en de muziek.

Op een avond varen we het water over om langs te gaan bij een organist die bij de Sottoportego de le Acque woont, een kattensprong bij Il Gazzettino vandaan. Ik vind het leuk dat de cirkel weer rond is. Il Gazzettino was mijn eerste hotel in Venetië en nu sta ik op het punt om naar boven te klimmen bij de buurman die Bach zal spelen op mijn bruiloft. Als ik dat tegen de Venetiaan zeg, is het enige wat hij zegt: 'Bach?' We bellen aan en maken kennis met de vader van Giovanni Ferrari, die zijn hoofd uit het raam op eenhoog steekt en zegt dat we naar boven moeten komen, dat zijn zoon nog bezig is met een leerling. Papà Ferrari ziet eruit als een oude doge, met witte lokken die onder zijn strakke wollen muts vandaan springen, zijn nek en schouders weggemoffeld in een grote, bonte wollen sjaal. Het is eind september en bijna zacht buiten.

Er branden twee kaarsen op de marmeren schoorsteenmantel. Ik vind het prachtig dat dit de enige verlichting is in de grote salon. Als mijn ogen aan het donker gewend zijn zie ik dat overal verspreid bladmuziek ligt. Het ligt in wankele stapels op stoelen en banken, zit in de dozen die langs de muren en midden in gangpaden staan. Zonder nog iets te zeggen zweeft de oude doge naar een andere kamer, dus staan we daar in het kaarslicht tussen Frescobaldi en Froberger, en passen op dat we niet struikelen over Bach. Mijn adem stokt als Giovanni uit zijn muziekkamer komt.

Hij is een jonge versie van de doge. Of is het dezelfde man in iets andere kleren? Hij heeft hetzelfde lange smalle gezicht, dezelfde kromme neus, wollen muts, sjaal, en zegt dat het hem verheugt voor ons te zullen spelen, dat we alleen maar de stukken hoeven uit te zoeken. Inmiddels weet ik dat hij bedoelt dat er niet echt keus is. De Venetiaan en hij zijn klaar om om elkaar heen te gaan draaien, en ik zit alleen maar te kijken en te luisteren. Giovanni vraagt ons wat we willen en de Venetiaan zegt dat we blind vertrouwen op zijn smaak; hij zegt dat het traditie is om dit en dat te spelen en de Venetiaan besluit met: 'Natuurlijk, daar hoopten we al op.' Snel, glad, conventioneel. Elk heeft zowel zijn eigen gezicht als dat van de ander gered. Niemand heeft het over geld gehad. Dit is een wereld ver van alle andere werelden, denk ik als we door de stilte van de Sottoportego teruglopen.

Ik kan me deze stilte en het vreselijke hotel en Fiorella's glimlach en het geren over honderden bruggen op mijn dunne slangenleren sandalen nog herinneren. In die tijd in Venetië was het alsof Fiorella over me probeerde te moederen. '*Sei sposata?* Ben je getrouwd?' wilde ze weten.

Ik vertelde haar dat ik gescheiden was, en ze klakte met haar tong. 'Je moet niet alleen zijn,' zei ze.

'Ik ben niet alleen, ik ben gewoon niet getrouwd,' zei ik tegen haar.

'Maar je moet niet alleen reizen,' drong ze aan.

'Ik reis al sinds mijn vijftiende alleen.'

Ze klakte weer met haar tong en toen ik me omdraaide om te vertrekken zei ze: '*In fondo, sei triste.* Diep in je hart ben je verdrietig.'

Ik beheerste de taal niet goed genoeg om haar te vertellen dat het geen verdriet was dat ze bij me bespeurde. Alleen maar mijn onafhankelijk-zijn. Zelfs in het Engels is het moeilijk om 'onafhankelijk-zijn' te omschrijven. Ik verbreedde mijn grijns, maar zij keek er nog steeds voorbij. Ik ging er snel vandoor en zij riep tegen mijn rug: '*Allora, sei almeno misteriosa.* Nou, je bent tenminste wel mysterieus.'

Ik kijk op naar het raam waar ik op die eerste middag zo

lang geleden op de vensterbank had gezeten. Ik vraag de Venetiaan of hij daar met me onder het raam komt staan en me vast wil houden.

13
Daar komt de bruid

We kiezen heel brede trouwringen uit, matgoud, zwaar, prachtig. En de bloemiste is zo blij dat we liever manden dan vazen met bloemen willen, dat ze me meeneemt naar een groothandel in de buurt van het station, waar we zes witgeverfde Siciliaanse prachtexemplaren vinden, hoog, met een boogvormig hengsel. Ze zegt dat ze die zal vullen met wat er op de ochtend van de bruiloft het mooiste uitziet op de markt. Ze zegt dat de madonna ervoor zal zorgen dat we prachtige bloemen hebben. Best leuk dat zij en de madonna zo dik met elkaar zijn. Ik vraag haar of ze denkt dat de madonna op 22 oktober een paar goudgele irissen zal sturen. Ze geeft me drie zoenen. Ik begin me af te vragen of deze transactie niet al te gemakkelijk is gegaan en of ik niet te weinig aan het lijden ben. Maar een dag voor de bruiloft zorgt de Venetiaan daar wel voor.

Het is bijna tijd om hem op te halen bij de bank, en ik heb mijn jurk en de kanten kousen die ik bij Fogal had besteld al opgehaald. Ik had ook besloten om de witte tulen bustier te nemen die ik bij Cima had zien liggen. De club van de markt en Do Mori had vanochtend een feestje voor me georganiseerd, dus mijn tas zit vol rozen en chocolatjes en lavendelzeepjes en zes in kranten gewikkelde eieren van het eiervrouwtje, die ook precieze instructies heeft gegeven dat Fernando en ik elk drie eieren moeten opdrinken, rauw en geklopt met grappa, om er helemaal klaar voor te zijn. Ik was even bij Florian gaan zitten, en de barman daar, Francesco, die zijn nieuwste cocktail introduceerde, liet iedereen in de kleine bar een slokje proeven. Wodka en crème de cassis met wittedruivensap. Ze zeiden zo vaak *auguri* dat ik me opgelaten voelde, en toen ze zeiden: 'We zien je morgen wel,' dacht ik dat ze ons morgen hier op het piazza zouden zien als de Venetiaan en ik met het bruidsgezelschap de traditionele wandeling door Venetië zouden maken.

Als ik op weg ga naar Fernando merk ik dat er iets ontbreekt, en ik kan me nauwelijks de laatste keer herinneren dat ik het gewicht van een zekere onrust op mijn gemoed heb gevoeld. Ergens in de afgelopen maand heb ik die achter me gelaten, voorgoed uitgebannen, denk ik. Of heb ik hem alleen maar overgedragen op Fernando?

Als we elkaar zien is de Venetiaan bleek, hebben zijn ogen die o zo bekende dode-vogelblik. Ik moet mezelf eraan herinneren dat hij alleen maar Italiaans zit te doen. Op deze dag voor zijn bruiloft krijgt hij vast te maken met allerlei angsten. Hij vraagt niet naar mijn jurk of mijn dag of mijn tas vol rozen. Hij kijkt me niet eens aan. Ik denk dat het zenuwen zijn, en dus vraag ik: 'Wil je even alleen zijn?'

'Alsjeblieft niet,' antwoordt hij bijna fluisterend, alsof ik hem heb voorgesteld om over gloeiende kolen te gaan lopen.

'Wil je naar huis voor een lang bad, en dat ik een *camomilla* voor je maak?' probeer ik weer. Hij schudt alleen maar zijn hoofd. 'Ben je verdrietig dat we gaan trouwen?' vraag ik hem.

'Hoe kun je nou zoiets zeggen?' zegt hij, terwijl zijn ogen weer flitsend tot leven komen. Op de motonave is hij stil, en hij doorbreekt zijn zwijgen niet eens als we lopen. Als we op de hoek van de Gran Viale en de Via Lepanto zijn, zegt hij: 'Ik kan nu niet met je mee naar huis. Er zijn een paar dingen die ik nog moet doen. Cesana is vergeten ons te noteren en nu kan hij morgen niet, omdat hij een andere bruiloft heeft. Ik moet met iemand anders gaan praten.' Cesana zou onze fotograaf zijn, ook al een oude vriend en cliënt die had gezegd: '*Ci penso io.* Laat maar aan mij over.'

'Ben je daarom zo wanhopig?' vraag ik.

Hij haalt zijn schouders op maar geeft geen antwoord. Ik zeg tegen hem dat we altijd nog iemand kunnen vinden die wat foto's kan maken, maar hij laat zich niet geruststellen. 'En ik ben nog niet gaan biechten,' zegt hij. Hij begint zichzelf krampachtig te verdedigen. 'Ik wil al weken gaan maar het was gewoon nooit het juiste moment. Ik geloof toch al niet in biechten en absolutie,' zegt hij. Hij is terecht ongerust, denk ik, want er zijn dertig jaar verstreken sinds hij het vreselijke schuiven van het biechtluikje heeft gehoord, maar hij is het die dit alles wilde, die de waarheid verdraaide om het allemaal mogelijk te maken, en nu, zeventien uur voor de plechtigheid, wil hij het over dogma hebben? Ik zeg niets omdat hij genoeg praat voor ons allebei. Als hij eindelijk zijn mond houdt, zeg ik dat ik alvast naar de datsja ga en daar op hem zal wachten.

'Ik zal zorgen dat de thee en het bad klaar zijn,' bied ik weer aan.

'Ik heb al gezegd dat ik geen thee of een bad wil,' zegt hij, iets te hard, en laat me achter met mijn trouwjurk en de rozen tegen me aangeklemd. Ik kleed me om en ren naar het strand, probeer te begrijpen wat het was dat hij niet kon zeggen. Na een poosje komt hij aanslenteren en gaan we tegenover elkaar op het zand zitten, onze benen verstrengeld.

'Spoken uit het verleden?' wil ik weten.

'Uit een heel grijs verleden,' zegt hij, 'van wie ik geen enkele op mijn bruiloft heb uitgenodigd.'

'Zijn ze weer terug naar waar ze vandaan komen?' vraag ik.

'*Si. Si, sono tutti andati via.* Ja. Ja, ze zijn allemaal vertrokken,' zegt hij tegen me, alsof het waar is. '*Perdonami.* Vergeef me.'

'Was jij het niet die zei dat er in de wereld geen hartzeer is dat krachtiger is dan tederheid?' vraag ik.

'Ja, en ik weet dat het waar is,' zegt hij terwijl hij me overeind trekt.

'Wie het eerst bij het Excelsior is. Dan drinken we het laatste glas wijn als zondaars. Wacht even. Ik ben zojuist wezen biechten. Betekent dat dat we vanavond niet bij elkaar mogen slapen?' vraagt hij.

'Laten we Don Silvano bellen, dan kan hij beslissen,' zeg ik over mijn schouder terwijl ik een voorsprong neem.

Hij komt toch als eerste aan bij het hotel en strekt zijn armen uit om me op te vangen, en kust me zo vaak dat ik nauwelijks op adem kan komen.

'Kun jij je het eerste moment nog herinneren waarop je wist dat je van me hield?' vraagt hij.

'Niet precies het *eerste* moment. Maar misschien was het wel toen je na je bad de woonkamer kwam binnenlopen op de avond dat je aankwam in Saint Louis. Ik denk dat het de kniekousen en het achterovergekamde haar waren,' vertel ik hem.

'Ik weet nog wanneer het bij mij gebeurde. Het was op de eerste dag dat ik je bij Vino Vino zag. Toen ik van het restaurant terugliep naar mijn kantoor probeerde ik me jouw gezicht voor de geest te halen, maar dat lukte me niet. Nadat ik al die maanden bijna elke keer dat ik mijn ogen dichtdeed alleen maar jouw profiel had gezien, kon ik je niet meer vinden. Ik draaide dat nummer en vroeg of ik je kon spreken, maar ik had geen idee wat ik tegen je wilde zeggen. Het enige wat ik wist was dat als ik naar je keek, ik het niet meer koud had. Dan had ik het niet meer koud.'

~

We hadden besloten dat het het meest romantisch zou zijn om op onze trouwdag bij zonsopgang op te staan, samen langs de zee te lopen, koffie te drinken, op te splitsen en elkaar in de kerk weer te zien. Dagen van tevoren regelen we alles met de conciërge van Alberto Quattro Fontane naast onze flat, en zeggen dat Fernando een halve dag een kamer moet huren. De conciërge stelt geen vragen. De Venetiaan pakt zijn kleren en een weekendtas en begint aan de tien meter langs de trol naar het hotel. Het voelt allemaal dwaas en raar en spannend. Ik ga naar Giulio, de kapper op de Gran Viale, en vraag hem om op mijn hele hoofd met een krultang pijpenkrulletjes te zetten. '*Sei pazza?* Bent u gek geworden? Dit is prachtig haar. Laat ik iets klassieks doen, een wrong, of opgestoken met deze antieke kammen,' zegt hij terwijl hij met twee enorme pennen met nepstenen zwaait die nog minder antiek zijn dan hij. 'Nee, ik wil alleen maar krullen, en ik doe de rest,' zeg ik tegen hem. Het duurt meer dan twee uur, en hij betreurt elke kneep met het hete, stomende apparaat. Als hij klaar is zie ik eruit als Harpo Marx, maar ik zeg: 'Prima,' en hij zegt: '*Che disperazione*. Hopeloos.' Hij geeft me een oude blauwe sjaal om mijn hoofd op weg naar huis mee te bedekken.

Ik wou dat Erich en Lisa bij me waren. Erich was in augustus bij ons geweest, en we waren de eilanden af geraced, hadden elke lunch kalfskoteletten gegeten en ijskoude wijn gedronken, urenlang in het Palazzo Grassi rondgedoold en gedaan alsof we samen op vakantie waren, net als toen hij en Lisa nog jong waren. Lisa is lief geweest en heeft me gesteund, maar ze houdt zich afzijdig. Nadat ik die laatste maanden in Amerika alleen maar heb rondgerend zijn allebei mijn kinderen uitgeput, vooral Lisa. Op dit moment in hun leven horen moeders hun draai te hebben gevonden, gezapig te zijn, hun leven te hebben geaccepteerd. Maar ik, ik ging de andere kant op, haalde alles overhoop, pakte het in en begon weer helemaal opnieuw. Ik ben altijd een vrijgevochten moeder geweest. En nu ben ik een vrijgevochten moeder in een gondel. Ik denk dat het ook komt doordat het allemaal zo snel is gegaan. Het is één ding om een Venetiaan achterna te reizen, maar vier maanden later met hem trouwen is iets heel anders.

'Kun je niet op zijn minst wachten tot Kerstmis?' vroeg Lisa.

'Dat kan niet, liefje. Fernando heeft alles zo snel geregeld dat er niet echt gelegenheid was om rekening te houden met jullie plannen. Hier gaan de dingen gewoon anders. En omdat ik de taal nog niet zo goed spreek en door al die bureaucratische toestanden hier had ik gewoon niet veel te zeggen over waar en wanneer,' zei ik.

Ik weet hoe zwak deze samenvatting is, hoe ongewoon machteloos ik klink. Slappe vrijgevochten moeder in een gondel. Als ik de trap naar de flat op loop en mijn bad laat vollopen en me begin aan te kleden, komt het verlangen naar hen, de wens ze te zien, ze aan te raken, in grote zware golven boven. Eigenlijk hoor ik met hen naar het altaar te lopen, horen we samen met de Venetiaan te trouwen.

Van onderaan mijn nek steek ik mijn haar op en zet het hoog boven op mijn hoofd vast met kammetjes waaraan de bloemiste rode rozen en gipskruid heeft bevestigd, die allemaal tussen de zachte zwarte krullen tuimelen en dwarrelen. Aan de zijkant laat ik de pijpenkrullen gewoon springen, en vind het op en top Franse empirestijl. De oude barokke parels gaan in mijn oren en ik ben klaar om mijn jurk aan te doen. Ik stap erin en trek hem over mijn heupen – mooi. Ik begin mijn armen erin te steken, maar ze komen maar tot halverwege de mouwen. Er moet iets vastzitten, er moet een draadje worden doorgeknipt. Ik onderzoek de mouwen maar er is niets mis mee, behalve dat ze twee centimeter te strak zijn om mijn armen te omvatten. Heb ik dikke armen? Ik heb geen dikke armen. Als ze al iets zijn, dan neigen ze eerder naar dun. La signora Asta had zeker een wensdroom toen ze de mouwen afmaakte. Wat nu? In gedachten begin ik de klerenkast door te lopen. Wat heb ik waarvan ik net kan doen alsof ik het op mijn bruiloft had willen dragen? Ik heb een witsatijnen onderjurk maar geen jasje, en dat zou een schandaal zijn tijdens de hoogmis, en bovendien is het daarbuiten oktober. Dan is er de lavendelblauwe tafzijden jurk met de queue en de pofmouwen die ik in 1989 op de vijfde verdieping van de Galeries Lafayette had gekocht in de uitverkoopsalon van ontwerpers, voor als ik ooit werd uitgenodigd op een bal. Dit is geen bal. Als een kip zonder kop loop ik te zoeken naar huidolie om op mijn armen te smeren en ze glibberig te maken, maar ik kan de huidolie niet vinden, dus gebruik ik olijfolie, extra vierge, maar het helpt niet veel. Ik moet lachen en huilen en trillen, en vraag me nog steeds af waarom ik alleen ben. Mooie prinses ben ik, met niemand in de buurt om me bij te staan. Moge God me bijstaan. Het is mijn trouwdag.

Er zijn Houdini-achtige toeren voor nodig, maar eindelijk is de jurk dichtgeritst en al kan ik mijn armen niet hoger krijgen dan mijn middel, ik vind hem prachtig. Ik spuit Opium op mijn armen om de geur van olijfolie te verdoezelen, en ik ben klaar. Eén detail blijken we over het hoofd te hebben gezien. Hoe kom ik bij de kerk? Deze vraag is zo elementair dat we hem helemaal zijn vergeten. Er is geen met bloemen versierde triomfwagen om me naar de bruiloft te brengen en ik wil wel gaan lopen, maar ik weet dat Fernando dat vreselijk zou vinden. Ik bel de taxi en ga de trap af, langs de trol naar de galerij bij de vergelende olmen. Ik zing: 'Daar komt de bruid', maar hoef niet te huilen.

Ik heb altijd begrepen dat de bruid pas de kerk in mag als alle gasten binnen zijn. In Italië is het uiteraard precies andersom. De bruidegom en het bruidsgezelschap wachten binnen, de gasten wachten buiten om de bruid te begroeten en achter haar aan de kerk in te lopen. Ik werk de tassista, de vrouwelijke taxichauffeur, op de zenuwen omdat ik een bruid ben, en ze voelt zich net zo verantwoordelijk als voor een moeder in barensnood, ook al omdat ik weiger uit te stappen voordat alle gasten voor de kerk zijn verdwenen. Ze zegt niets waaruit ik kan afleiden wat de Italiaanse gewoonte is. Ze rijdt alleen maar. Ze is een heel kleine vrouw en als ze aan het stuur zit, valt haar hoofd weg tegen de rugleuning. Telkens als ik tegen haar zeg dat ik nog niet voor de kerk kan stoppen, dat ze nog een blokje om moet rijden totdat alle gasten binnen zijn, glijdt ze iets verder naar beneden, totdat haar armen bijna loodrecht omhoogsteken en haar hoofd helemaal niet meer te zien is. Nóg een *giro*. Nóg een giro. Eindelijk staat er niemand meer voor de kerk. De tassista, die eindelijk spraakzaam wordt, zegt dat ze vast allemaal naar huis zijn gegaan. Maar ik ben tevreden. Ik stap uit de taxi en loop naar de kerkdeuren. Ik krijg ze niet open, die achterlijke dingen. Ze lijken muurvast te zitten en mijn mouwen zitten zo strak dat ik mijn armen niet hoog genoeg kan krijgen om een goede grip te hebben. Ik leg mijn bloemen op de trap, ruk de deuren open, raap mijn bloemen op en loop door de kleine vestibule naar mijn huwelijksinzegening.

'*Lei è arrivata.* Ze is er,' hoor ik overal fluisteren. Boven ontlokt Giovanni Ferrari Bach aan het orgel. De witgeverfde manden staan vol roze hydrangea en rode rozen en goudgele irissen, en ik weet dat die rechtstreeks van de madonna komen. De lucht is vervuld van een opale schemering door de vlammen van honderd witte kaarsen en één straal zonlicht door het lapis lazuli-raam. Twee Armeense monniken met zwarte baarden in zilverzijden kazuifels staan te prevelen en met vaten wierook te zwaaien waaruit dikke muskusachtige kringels boven het altaar opstijgen, en ik bedenk dat deze kerk weer een kamer in mijn huis is.

Alles is wazig door tranen die maar niet willen vallen, en de enige die ik duidelijk kan zien is Emma van de Britse Vrouwenclub, met een tulband op en parels om. Twee ingehuurde bruidsjonkers met witte kniebroeken en stijve roze jasjes strooien rozenblaadjes voor me uit, en langzaam, heel langzaam loop ik naar de Venetiaan met de bosbeskleurige ogen die daar in jacquet in een waas van wierook staat.

Don Silvano strekt zijn beide handen naar me uit. Hij buigt zich voorover en zegt: '*Ce l'abbiamo fatta.* Het is ons gelukt.' Dit is een gebaar ter verwelkoming, van affectie, een cadeautje voor me, denk ik, en misschien is het een stille boodschap aan de nieuwsgierige Lidensi die het kerkje tot de nok toe vullen, die zijn komen kijken naar *l'americana* die met een van hen gaat trouwen. De tranen komen nu vrij, en huilend ga ik op een roodfluwelen bankje naast de Venetiaan zitten, die ook moet huilen. We kunnen geen van beiden naar de ander kijken omdat we bang zijn dat we nog harder gaan huilen, maar als we ja zeggen kijken we toch, huilen we toch. Giovanni speelt *Ave Maria* en nu staat Don Silvano ook al te huilen. Ik vraag me af of hij moet denken aan de Santa Maria della Salute.

'*Una storia di vero amore*,' zegt hij als hij ons aan de parochianen voorstelt. Giovanni moet huilen en speelt alsof hij Lohengrin in eigen persoon is, en alle gezichten waar we door het gangpad langslopen zijn nat en glimmen en roepen: '*Ecco gli sposini, viva gli sposi.* Daar is het bruidspaar, leve het bruidspaar.' Ik had ze niet gezien in de kerk, maar daar voor de deur staat een delegatie Venetianen die over het water zijn gekomen om ons te zien trouwen. Mensen van de winkels, personeel van Florian, vrienden van Do Mori en de markt, de bibliothecaris van La Marciana, een van de berooide contessa's die cliënte is bij de bank, de sarta die de wensdroom toen ze de mouwen afmaakte. Zelfs Cesana is er, erop los knippend, en iedereen moet huilen en gooit pasta en rijst en mijn man, die ooit de Venetiaan was, klopt op de zakken van zijn grijsfluwelen vest op zoek naar een sigaret. Misschien moet de wereld zo eindigen, denk ik.

Tijdens de rit met de watertaxi zitten we buiten, net als op die dag dat we elkaar ontmoetten en Fernando in een net zo koele bries met me meeging naar het vliegveld. Ik haal hetzelfde glaasje uit het fluwelen zakje, schenk cognac in uit dezelfde zilveren flacon. We nemen een slokje en de boot slingert en komt met klappen neer in de lagune, zodat het water onze gezichten natspettert waarop de tranen nog maar net zijn opgedroogd. Cesana laat de *motoscafista* op San Giorgio stoppen om foto's te maken, en Fernando glijdt met één been tot aan zijn knie in de lagune. Cesana legt het tafereel vast en die foto, die in een lijstje op mijn bureau staat nu ik zit te schrijven, is me dierbaar. Op het Canal Bauer gaan we van boord, stappen direct in de trouwgondel en worden weer het Canal Grande opgeroeid. In een gondel achter ons leunt en wankelt en fotografeert de met grof geschut uitgeruste Cesana. Onze gondelier roept naar hem: 'Waar moet ik heen?' Cesana geeft hem opdracht de zon achterna te varen.

Gasten op de terrassen van Hotel Europa e Regina en Hotel Monaco en onze eigen gasten bij Hotel Bauer wuiven en schreeuwen, en even zweef ik boven het tafereeltje, en geloof echt en kan tegelijkertijd niet geloven dat dit mijn tafereeltje is. Dit overkomt ons allemaal, denk ik. Deze bruiloft, deze brokjes zonlicht, dit glijden door blauw water, de oude lieve gezichten van de *palazzi* die op ons neerzien, deze in roze getooide rust is voor ons allemaal. Dit is voor ieder van ons die ooit eenzaam is geweest. Wat zou ik graag stukjes van deze dag weggeven, als warm brood.

In dat stukje van het kanaal zijn alle gondels opgeroepen om zich te verzamelen voor Hotel Bauer, en al snel vormen achttien, twintig boten een cirkel om ons heen. De gondeliers brengen ons een serenade en hun passagiers, die dachten alleen maar een tochtje door het kanaal te maken, maken opeens deel uit van een koortje van een bruiloftsfeest.

Het is fantastisch op het terras van het hotel, maar we worden naar binnen geloodst, naar een kale witte ruimte zonder ramen, zonder bloemen, zonder muziek, voor een lunch die niemand echt opeet, behalve dan Cesana en de monniken in hun zilveren kazuifels. Ik denk aan Hemingway en de Aga Khan.

Het is een oud Venetiaans gebruik dat het bruidspaar, de priester en soms het bruidsgezelschap van de kerk naar de receptie lopen, en dan terug naar het huis van de bruid, langs de mensen en plekken die altijd deel hebben uitgemaakt van hun leven en dat zullen blijven doen, waarbij de priester ze officieel als man en vrouw voorstelt aan hun stad. Omdat wij aan het strand wonen en niet in de stad, kiezen wij ervoor om van Hotel Bauer via de Salizzada San Moisè naar het Piazza San Marco te lopen, en dan naar de Riva Schiavoni en de boot terug naar huis.

Voor Hotel Bauer begin ik afscheid te nemen van mensen, maar ik krijg al snel door dat ze ons niet alleen laten. Onze gasten, de twee bruidsjonkers, Emma, arm in arm met de twee monniken, Don Silvano, Cesana en nu Gorgoni, de conciërge van Hotel Bauer, zullen in optocht met ons meelopen op onze trouwdag. Ik vind het een prachtige processie. Als we door de Ala Napoleonica komen, houdt het orkest van het Florian midden in een stuk op en begint *Lili Marlene* te spelen, en tegen de tijd dat we allemaal voor het café staan is het orkest begonnen met de *Walzer del imperatore*. Het is vijf uur 's middags en elk tafeltje op het terras is bezet. Mensen staan foto's te maken, schreeuwen: 'Dansen, jullie moeten dansen.' Dus dansen we. Heel Venetië moet hier staan, in die grote kring om ons heen, en ik wou dat we allemaal samen konden dansen. Mijn man houdt me vast, en ik denk: nee, zó moet de wereld eindigen.

Als we weglopen stapt een vrouw op ons pad. In Italiaans met een zwaar Frans accent zegt ze: 'Bedankt dat u me het Venetië hebt gegeven dat ik hoopte te vinden.' Ze is verdwenen voordat ik antwoord kan geven.

Omdat we te lang op onze eigen bruiloft zijn gebleven hebben we thuis maar een paar minuten om ons klaar te maken voor de rit naar Santa Lucia, om de trein van tien over halfnegen naar Parijs te halen. Ik trek de rozenkammen uit mijn haar en stop de bloempjes in de *Larousse*, waar ze nog steeds in zitten. Een spijkerbroek, een korte zwarte kasjmieren trui, een zwartleren jack voor mij. Fernando houdt zijn smokinghemd aan, trekt een spijkerbroek en zijn oude vliegeniersjas aan. Ik grijp mijn boeket, en we zitten weer op het water. Francesco staat op het perron om ons uit te wuiven, en om me ons huwelijkscadeau te geven. In een wirwar van regen en rook stappen we in, en ik zie dezelfde Franse dame voorbijrennen die ons op het piazza aansprak. Ze wuift en grinnikt. Fernando zegt dat hij hoopt dat de bruidsjonkers en Emma en de monniken niet hebben besloten ons naar Parijs te volgen. We vinden onze coupé, zeulen onze tassen naar binnen en doen de deur achter ons dicht als de trein naar Frankrijk begint te puffen. 'We zijn getrouwd!' gillen we.

We zijn ook doodop. Ik kleed me uit tot op mijn witte kanten beha en klim in bed, terwijl Fernando een kaars aansteekt. Twee minuten nadat hij boven bij mij in bed is gekropen, zegt hij: 'Ik heb honger. Ik heb zo'n honger dat ik vast niet kan slapen. Ik moet me aankleden en naar de restauratiewagen.'

'Ik heb een beter idee,' zeg ik. 'Kijk eens in de handbagage.' Francesco had vierentwintig piepkleine sandwiches ingepakt, dunne krullen gerookte ham op zachte ovale broodjes met zoete boter, en een grote zak krinkelchips en een halve sachertaart. Hij heeft een fles Piper Heidsick in een vacuümtas met vier ijscompartimenten gestopt. Glazen, servetten. Toen hij me vroeg wat ik als huwelijkscadeau wilde hebben, had ik gezegd dat het precies dit avondmaal was en dat als hij het naar het station zou brengen als hij ons kwam uitzwaaien, dát het ideale huwelijkscadeau zou zijn. Fernando ritst de tas open en zegt: 'Ik hou van je.'

We stallen alles uit op het onderste bed en we eten en drinken en klimmen weer naar boven. Eindelijk weet ik hoe de wereld écht moet eindigen.

14
Ik wilde je alleen maar verrassen

We zijn nog maar nauwelijks wakker als de trein het Gare de Lyon binnenrijdt. Ik doe mijn spijkerbroek aan, trek een hoed over de krullen van gisteren, grijp mijn boeket en loop achter Fernando aan het station op. We nemen een kom *café au lait* en croissants, warm, elk goed voor wel duizend boterkruimels in mijn mond. Ik weet niet hoe veel ik er eet, omdat ik na de derde besluit om te stoppen met tellen. We rennen naar buiten, het licht van de Parijse zondag in, en we horen: '*Les fleurs, les fleurs, madame.*' Ik had mijn boeket op de bar laten liggen, en wie anders dan diezelfde Franse dame zou het vinden en me ermee achterna komen.

Diezelfde Franse dame moet ook in het Quartier Latin wonen waar wij in Hotel des Deux Mondes logeren, want we komen haar op elke straathoek tegen. 's Ochtends zit ze bij Café de Flore stukjes *jambon beurre* te voeren aan haar aangelijnde pluizige puppy, en ze glimlacht en knikt, maar nooit meer dan dat. Om vijf uur zit ze al buiten voor Les Deux Magots met een glas rode wijn en een klein schaaltje *picholine*-olijven, warmgehouden door de elektrische kacheltjes die in de luifels zijn verstopt. Wij zitten ook buiten en drinken Ricard, begroeten de avond. Het lijkt wel alsof alles wat ze ons duidelijk wil maken in die glimlach en knikjes besloten ligt, en alsof ze niets meer over ons hoeft te weten dan ze al weet. We vinden het prettig om haar in de buurt te hebben, en zij lijkt het prettig te vinden om ons in de buurt te hebben, en zo is het goed.

Onze dagindeling staat niet vast. We lopen rond tot we iets zien wat we van dichterbij willen bekijken, en dan lopen we verder totdat we willen zitten of weer naar bed willen of vroeg willen lunchen bij Toutone zodat we laat kunnen lunchen bij Bofinger, of gaan helemaal niet lunchen zodat we om acht uur naar Balzar kunnen voor oesters en dan om middernacht naar Le Petit Zinc voor mosselen. We lopen telkens zigzaggend door het onoverzichtelijke Parijs, alsof het een klein kerkdorpje is. Als we onze Franse dame tegenkomen bij het Musée d'Orsay lijkt dat al vreemd, maar als we bij de expositie over Egypte in het Louvre opeens naast elkaar staan, begin ik onze ontmoetingen een beetje eng te vinden. Als zij bij Ladurée in de rue Royale al thee zit te drinken als wij binnenkomen voor de onze, kan ik niet besluiten wie wie volgt. Is ze een Parijse hoedster van pasgetrouwden, aan ons toegewezen voor onze huwelijksreis? Was ze daarom op het piazza toen we walsten op onze trouwdag? Ik wou dat een van ons iets zei over deze opeenstapeling van toeval en mazzel, maar geen van ons doet het. Als er een dag voorbijgaat zonder dat we haar zien, begin ik haar te missen. 'Hoe kun je nou iemand missen die je niet eens kent?' vraagt Fernando. Als er twee of drie dagen verstrijken zonder dat we haar zien weet ik dat we haar voor altijd kwijt zijn, of dat ze misschien alleen maar een druïdeachtig hersenspinsel was, dol op bruiden van middelbare leeftijd en walsen en kleine groen olijfjes.

We zijn lang in Parijs gebleven, een maand vol dagen en nachten zonder de betovering te verbreken. Omdat het bijna tijd is om terug te gaan naar Venetië, begin ik me af te vragen hoe dat zal voelen. 'Fernando, wat denk je dat er gebeurt als we thuiskomen?'

'Niets bijzonders,' zegt hij tegen me. 'Wij zijn ons eigen geluk. Wij zijn het festival, en waar we ook naartoe gaan, ons leven zal niet veel veranderen. Een andere achtergrond, andere mensen, altijd wij tweeën,' zegt hij terwijl zijn ogen recht vooruit kijken maar vlug opzij schieten om te zien hoe ik op zijn grove schets van onze toekomst reageer. Probeert hij me iets te zeggen zonder het nog eens te zeggen? Wat heeft hij nog voor me in petto, achter die vlotte babbel? We besluiten om niet per trein maar per vliegtuig naar Venetië terug te gaan, en op het vliegveld zien we diezelfde Franse dame in de rij staan voor een vlucht naar Londen. Met mijn ogen bedank ik haar dat ze me met zo zachte hand door deze eerste huwelijksdagen heeft begeleid, en zij zegt met de hare dat het haar een genoegen was. Ondanks mezelf vraag ik me af wat haar volgende opdracht zal zijn, wie de geluksvogels zijn aan wie ze de milde geruststelling van die godinnenglimlach zal schenken. En ik vraag me ook af of ze in Londen echte *picholine* zal kunnen vinden.

~

Het is 21 november, en we worden net wakker op de eerste ochtend na onze terugkeer uit Parijs. Het schiet me te binnen dat vandaag het Festa di Santa Maria della Salute is, het feest waarop de dag in 1631 wordt herdacht dat de doge aan de Venetianen bekendmaakte dat de zwarte dood na twaalf jaar de stad te hebben geteisterd door een wonder van de madonna was bedwongen. Ik wil missen bijwonen, als nieuwe Venetiaanse mijn dank betuigen aan de madonna en aan anderen, niet alleen voor wonderen in het verleden, maar ook voor de onbewuste rol die ze hebben gespeeld bij het overhalen van Don Silvano om ons afgelopen maand te trouwen. Ik vraag aan Fernando of hij mee wil, maar hij zegt dat zijn terugkeer bij de bank al genoeg rituele verplichtingen belooft. Ik zeg hem dat ik dan alleen ga, dat ik hem thuis zie voor het avondeten.

Elk jaar dienen zes of acht gondels op deze dag als *traghetti*, pontjes, om de kerkgangers van de Santa Maria del Giglio over het kanaal naar de Salute te varen. Ik kom aan om vier uur en ga voor de traghetto in de rij staan tussen stille, bijna ordelijke drommen mensen die de steiger overladen. Het zijn bijna allemaal vrouwen, en ze blijven staan op de traghetto, twaalf, vijftien tegelijk; ze wankelen, leunen tegen elkaar aan en geven elkaar zonder iets te zeggen nonchalant een arm om hun evenwicht te bewaren. Als ik aan de beurt ben zie ik dat de gondelier die mensen op de boot zet mijn eigen gondelier blijkt te zijn, die van mijn trouwdag, en hij tilt me met een grote boog van de steiger in de boot en zegt: '*Auguri e bentornata.* Gefeliciteerd en welkom thuis.' Venetië is tenslotte een kleine stad. En nu is het mijn kleine stad. De oudere dames in de traghetto staan door deze uiting van *allegria* te stralen en zodra ik op de boot ben geïnstalleerd haak ook ik mijn armen in, alsof ik dat altijd doe. Er heerst genegenheid daar op het golvende zwarte water, in de deinende zwarte boot.

Voor de basiliek gaan we van boord, en ik sta een poosje naar de kerk te kijken, verlicht als ze is door de sporen verstrooid geel licht die de zon zojuist heeft achtergelaten. Opgericht op het hoogtepunt van de halve cirkel die zich vormt tussen de San Marco en de Redentore op Giudecca, rust Longhena's grote kerk op een miljoen houten peilers die in de modderbodem van de lagune zijn verzonken. Rond en enorm en nukkig, te groot voor haar troon, lijkt ze een grote, stoere koningin die in een lieflijke tuin zit. Hoe heeft iemand ooit deze tempel kunnen verzinnen, kunnen denken dat hij die kon bouwen en het toen ook nog gedaan? Ik loop naar de smalle pontonbrug die elk jaar alleen op deze dag over het kanaal wordt gespannen. Behoedzaam lopen Venetianen over de schommelende, schuivende vlonders met cadeaus om deze madonna te bedanken die hun voorouders bijna vierhonderd jaar geleden bevrijdde van de pest. Ooit waren de offers broden of met vruchten gevulde taarten, jam of gezouten vis, misschien een zak dikke, rode bonen. Nu nemen de pelgrims kaarsen mee, houdt elk er eentje vast als een gebed, en verlichten de vlammen van de gelovigen de kille stenen van het oude huis van de Heilige Maagd. Bij de trappen van de basiliek koop ik een kaars, een dikke witte die zo breed is dat mijn hand hem nauwelijks kan omvatten. Zonder dat ik het vraag steekt een vrouw mijn kaars aan met de vlam van de hare. Ze glimlacht en gaat op in de menigte.

Generaties vrouwen lopen samen, soms drie of vier loten van met elkaar verbonden levens, hun band duidelijk in hun vlees geëtst door dezelfde kunstenaar. Een oude vrouw loopt daar samen met haar dochter, haar kleindochter, haar achterkleindochter, en ik zie het gezichtje van de baby terug in dat van de overgrootmoeder. De benen van de oude vrouw, twee staken in witte kousen, zijn broos, onvast onder een mooie roodwollen jas. Wat is haar verhaal? Ze draagt een baret die laag over haar steile zilvergrijze haar is getrokken. De vrouw die haar dochter is heeft ook steil zilvergrijs haar, en de vrouw die háár dochter is heeft steil blond haar. Een van hen heeft de baret van het kleine meisje diep over háár blonde hoofdje getrokken, en alle vier zijn ze prachtig. Dit heb ik nou altijd gewild, denk ik. Ik heb altijd ergens bij willen horen, ertoe willen doen, willen koesteren en gekoesterd worden. Ik wilde altijd dat het leven zo romantisch was, zo simpel en veilig. Gaat het ooit zo? Kun je er ooit gerust op zijn? Ik wou dat mijn dochter nu over deze brug kwam aanlopen. Ik wou dat ik op haar stond te wachten. Ik zou haar stem graag willen horen, onze stemmen samen willen horen in het zwartblauw van deze schemering, op weg naar een bezoek aan de madonna. Ik wil tegen mijn dochter zeggen dat ze gerust kan zijn.

Vanbinnen is de basiliek een grote ijsgrot, gedrapeerd in rood fluweel. De lucht is blauw van de bittere kou, kou als de oudste kou, vier eeuwen kou, opgesloten in wit marmer. Er is geen plaats om te bewegen, we raken elkaar allemaal aan, onze adem komt in rookwolkjes naar buiten. Bij elk altaar staan bisschoppen en priesters de gelovigen te zegenen, hun wijwaterkwast hoog boven hun hoofd geheven. Ik probeer dichter bij een klein zijaltaar te komen waar een heel jonge priester vol enthousiasme de gemeenschap staat te besprenkelen. Misschien is dit wel zijn eerste festival van la Salute, net als voor mij, en ik vind een zegening van hem wel bijzonder toepasselijk. Met voeten gewikkeld in wollen sokken, benen in dikke suède knielaarzen, lange sjaal over lange jas over lange jurk, Fernando's kozakkenmuts uit de Tweede Wereldoorlog met de flappen naar beneden ben ik Moedertje Rusland, en toch heb ik het nog koud. Ik vraag me af hoe het voelt om Venetiaanse te zijn, om deel uit te maken van deze rite, te weten dat jouw vlees en bloed voortkomen uit het vlees en bloed van mensen die hier zo lang hebben geleefd en zijn gestorven. Wat weet ik weinig over mezelf, denk ik als ik de trap weer afloop naar de traghetto.

Dan zie ik hem, met de bevermuts, een lange groene loden mantel om zijn schouders geslagen, als Caesar op de Rubicon. Snel herinner ik me iets dat ik wel over mezelf weet. Ik weet dat ik met heel mijn hart hou van deze man. Mijn man stapt van de boot. 'Daar ben je dan,' zegt hij. 'Ik wilde je verrassen.' Alsof het idee om mij te verrassen zojuist aan hem is geopenbaard.

~

Fernando heeft gelijk dat er niet veel is veranderd aan ons leven van na-de-bruiloft-na-de-Parijse-huwelijksreis-en-weer-terug-in-Venetië, niet echt veel, behalve dan dat hij nauwelijks bereid is om nog rustig verder te leven. Hij zegt dat het nu tijd is om het appartement eens echt aan te pakken. Ik bespeur een Parijsachtig gevoel en merk dat ik me steeds lekkerder ga voelen in het ritme van mijn Venetiaanse leven. Ik ben zelfs vertederd door de opgedirkte puinhopen en weet niet zo zeker of we de muren wel naar beneden moeten halen, voorlopig althans. Hij zegt dat de winter de juiste tijd is om het te doen, dat wachten weer een jaar wachten betekent, en dat is te lang. Ik wacht liever. Ik wil nadenken over

Kerstmis en daarna over de lente. Ik zeg tegen hem dat ik gewoon een rustig leven wil hebben, zonder groot project.

Hij zegt dat het allemaal prima is, zolang ik maar begrijp dat een verbouwing onvermijdelijk is. 'We kunnen niet doen alsof het structurele werk er niet meer toe doet, omdat het er hierbinnen nu mooi uitziet.' Hij heeft gelijk. En ik weet dat hij op de een of andere manier voelt dat het opknappen van het appartement verband houdt met zijn eigen wieden en schrobben, en dat hij daarom niet wil wachten. Gegrepen door de vaart van de afgelopen maanden wil Fernando er nog meer uithalen. 'Maar het is jouw project,' zegt hij op een avond tegen me, alsof hij Oostenrijk aanbiedt. 'Dus jij moet bepalen wanneer we beginnen.'

'Laten we in elk geval alles op papier zetten,' zeg ik, en dus maken we een lijst, kamer voor kamer, meter voor meter, van elke fase van alles wat moet worden gedaan. Ik zie de hele uitdaging ineens zwart op wit voor me liggen en binnen de minuut voel ik de eerste prikkel van de majordomus al. Al van het begin van de eeuwigheid heb ik ervoor gezorgd dat de provisiekast vol was en de tafel gedekt. Maar een majordomus is ook verantwoordelijk voor het opknappen van het huis. Of in mijn geval, voor het toezicht op degenen die het opknappen. En het volgende huis, en dat daarna. Zelfs zonder solliciteren heb ik mijn oude baan weer terug, en ik zeg tegen Fernando dat ik er klaar voor ben.

Elke middag ga ik sanitair en apparaten en tegels en dat soort dingen bekijken, krijg offertes voor allerlei onderdelen van de klus. 's Avonds gaan Fernando en ik samen naar de leveranciers, maken definitieve keuzes en besteden het werk uit. Ik doe mijn best om niet te denken aan de klaagzangen en wanhopige verhalen van buitenlanders die in Italië ooit over meer dan het stomen van een regenjas hebben onderhandeld. Die overdreven verhalen over het dagelijkse geknoei van Italiaanse werklieden horen thuis in een slapstick. Heb ik niet allerlei hindernissen overwonnen, helemaal tot mijn bruiloft? Toch ben ik niet helemaal gerust op de weg die ons nog wacht naar het kapotboren van de resten van de badkamervloer. Ik moet me blijven realiseren dat ik niet alleen in Italië ben, maar dat ik in Venetië ben, en de prinses zal vast een pikanterie ten beste geven die haar geheel eigen is.

Het eerste wat ik aan den lijve moet ondervinden is dat de firma Venetië afhankelijk is van water. Venetië is opgetrokken als toevluchtsoord, haar ontoegankelijkheid is ook meteen haar reden van bestaan. In vijftien eeuwen is er niet veel veranderd, in die zin dat niets dat ouwe mens kan verrassen. Alles en iedereen reist per boot over haar glinsterende domein. Zelfs die mensen en goederen die haar per lucht bereiken moeten dan over het water worden gependeld. Daardoor geldt er voor elke aardappel, elke spijker en zak meel, elk lichtpeertje en bak petunia's een toeslag, om de kosten van hun reis over de lagune en de kanalen te dekken. Voor zowel reizigers als inwoners is Venetië de duurste stad van Italië, gerechtvaardigd door haar waterrijke ligging, dezelfde ligging die elk oponthoud kan rechtpraten. Wie gaat er nou moeilijk doen over: '*La barca è in ritardo*. De boot is te laat', of: '*C'era nebbia*. Er was mist'? Zelfs huisgemaakte spullen moeten een of twee kanalen, een *rio*, een *riello* over. Water is de weg, water is de barrière, en Venetianen gebruiken beide in hun voordeel. De houtwerker die een vloerdeel komt vervangen of de met cement bestoven ploeg die je muren opnieuw komt stuken, ze gooien het allemaal op het water, en dat heeft invloed op hoe de dingen worden gedaan.

De eerste twee weken van januari gaan verloren aan 'mist', de derde aan 'hoog water', de vierde aan 'vochtigheid'. Op de laatste dag van de maand begint het werk. Dat wil zeggen, het gereedschap voor de voorbereidende sloopwerkzaamheden wordt afgeleverd, en de werklieden stampen van kamer naar kamer, kloppen op de muren, meten, schudden hun hoofd, rollen met hun ogen. Het is niet zo dat ze de klus niet hebben bekeken, de situatie hebben bestudeerd, de plannen hebben goedgekeurd, maar toch lopen ze als bevelhebbers door oorlogsgebied. Hun favoriete manier van roken is een opgestoken peuk in hun mondhoek hangen en daar zijn gang laten gaan. Ze praten, sneren, gaan gewoon verder terwijl de sigaret opbrandt tot een lange slang van onaangeroerde as. Dan verwijderen ze het peukje en vertrappen hem onder hun hak. De vloer wordt toch immers vervangen?

Maar ondanks dit haperende begin schiet het werk aardig op, dreigt zelfs vlot te gaan, met zingende en fluitende mannen, hun smeulende sigaretten stevig tussen de lippen geklemd. Als deze mannen werken, dan werken ze hard en goed, maar het zijn sprinters die niet in de wieg zijn gelegd voor de lange afstand. Elke dag zijn ze na drie uur bij de finish. Op de een of andere manier gaat de sloopfase over in de verbouwingsfase, en ik heb het gevoel dat het best aardig gaat, totdat ik Fernando op een avond door de rommel naar de slaapkamer zie schuifelen. Ik begrijp al dat ontwikkeling hem beangstigt. Hij is niet tevreden voordat de klus geklaard is, en minstens twaalf mensen hebben tegen hem gezegd dat het er prachtig uitziet. Maar daar ligt hij dan, met gespreide armen languit op bed, de dode-vogelogen ten hemel geslagen, en zegt dat hij het een klote-appartement vindt en dat niets wat we doen om het mooier te maken hem iets kan schelen.

'Het is klein en benauwd en er is geen licht en we geven al dat geld voor niets uit,' zegt hij tegen me.

'Het is klein en benauwd en er is geen licht en we geven al dat geld uit, maar het is niet voor niets. Jij bent degene die erop stond dat we dit huis helemaal zouden ontmantelen. Ik begrijp je niet,' zeg ik tegen hem, en wilde dat ik alleen kon zijn in een kamer zonder moker, zonder emmers. Geen enkele zak cement. Geen Venetiaan. 'Waarom verkopen we de flat niet gewoon?' Ik overval hem. 'Is er een *sestiere* in Venetië waar je zou willen wonen? Als we ons best doen vinden we vast een appartement, met een *mansarda*, helemaal bovenin, die we kunnen opknappen en allebei mooi kunnen gaan vinden,' zegt de vrijgevochten vrouw in me. Mijn voorstel verwart hem.

'Weet je wel hoe duur huizen in Venetië zijn?' vraagt hij.

'Ongeveer net zo duur als huizen op het Lido, waarschijnlijk. Waarom gaan we niet naar een makelaar om ons wat te verdiepen in de markt?' vraag ik.

Hij herhaalt 'makelaar' op dezelfde toon als waarop hij 'de antichrist' zou zeggen. Waarom vinden Italianen het zo eng om vragen te stellen? 'Als we dit appartement verkopen, dan wil ik niet iets anders kopen in Venetië,' zegt hij. 'Dan wil ik echt verhuizen, naar een totaal andere plek, weg van hier. Naar Venetië verhuizen is niet de oplossing,' zegt hij.

Omdat ik niet precies weet wat het probleem is, weet ik ook niet zeker of Venetië de oplossing is. Hij wil het er niet meer over hebben omdat hij weet dat als ik begrijp wat hij echt wil doen, ik het misschien met hem eens ben, en wat zou er dan met hem gebeuren?

Eén ding is duidelijk. We kunnen niet meer in deze bouwput wonen, en eind februari verhuizen we naar de buren, naar Quattro Fontane. Officieel is het hotel tussen Kerstmis en Pasen gesloten, maar omdat er twee personeelsleden blijven om de boel in de gaten te houden vinden de eigenaars het goed ons een slaapkamer met badkamer te verhuren. We kunnen gebruikmaken van een mooie zitkamer met Franse boerenmeubels en een oude tegelkachel voor hout en een kleine eetkamer met een zwartmarmeren schouw. Onze kamer wordt verwarmd, maar de gangen en de zit- en eetkamer niet. Op gezag van de verzekeringen mogen we de keuken niet gebruiken, niet zelf koken; de twee bewakers wel. Een hotelkeuken, volledig uitgerust, ruim, blinkend, aan het eind van de gang, en ik mag hem niet gebruiken! Of vinden ze het prima als ik hem gebruik, maar moeten ze tegen me zeggen dat het niet mag?

We brengen maar twee koffers kleren mee, een paar boeken en de antieke kandelaar die ik sinds mijn vijftiende overal mee naartoe neem. Als we iets nodig hebben gaan we gewoon naar hiernaast. Onze slaapkamer is klein en vierkant met een heel hoog plafond; Vlaamse tapijten bedekken twee muren, roze muurlampen van Murano flankeren een grote spiegel en roze moiré ligt op het bed en hangt voor het hoge raam. Er zijn fraaie tapijten, een zware klerenkast van donker hout, een *lit à bateau*, mooie bijzettafeltjes. Een bordeauxrode fluwelen sofa kijkt uit op de tuin.

De oplossing voor het keukenprobleem wordt geboden door de bewakers. Zij mogen hem wel gebruiken, dus als ik hem tegelijkertijd gebruik, dan beduimel ik de regels alleen maar een beetje. Ik begin te denken als een Italiaan. De eerste avond neem ik uit Rialto spullen mee om te koken en vraag aan Marco, een van de bewakers, of hij en zijn collega rond negen uur bij ons voor de kleine zwarte haard komen zitten. Ik vertel hem dat ik porcini ga smoren in salieroom en Moscato, dat ik kastanjepolenta ga grillen met Fontina, dat er peren en walnoten en nog meer Moscato zijn voor toe. Grinnikend vraagt hij hoe ik de porcini boven het houtvuur wil smoren, terwijl hij weet dat ik al op weg ben naar de keuken. Ik vraag of hij me wil helpen voorbereiden en Fernando komt erbij en dan komt Gilberto binnen, klaar met het schilderen van de receptieruimtes, en al snel staan we allemaal te hakken en kloppen en Prosecco te drinken. Die avond, en diverse avonden in de weken erna, hebben Marco, Gilberto, Fernando en ik het heel gezellig om de kleine zwarte schouw van het hotelletje, totdat de eigenaars thuiskomen.

Gilberto is een uitmuntende kok, en als het zijn beurt is om achter het fornuis te staan braadt hij eend en fazant en parelhoenders, brouwt dikke winterse kost van linzen en aardappelen en kool. Op een avond kondigt hij aan dat we alleen maar een dessert krijgen. Hij maakt *Kaiserschmarren*, geraffineerde crêpeachtige creaties, in reepjes gesneden en overladen met bosbessenjam. Hij geeft een kom dikke room door en een fles gekoelde pruimen-eau de vie, ontvreemd uit de particuliere voorraad van het hotel, en als we ieder een stukje op hebben ben ik blij dat ik niet dertien bruggen over hoef en het water moet oversteken om in bed te kunnen kruipen. Als er niemand kookt poffen we hele bollen knoflook, besprenkelen die met lekkere balsamicoazijn en gaan ons eraan te buiten met witte kaas, sneden knapperig brood en lekkere rode wijn. We wonen bijna negen maanden in het hotel, aanvankelijk als brassende verstekelingen, dan als gewone gasten, samen met anderen aan tafel, en af en toe wisselen we een mysterieuze glimlach met Gilberto en Marco.

~

Elke dag loop ik even naar ons appartement, maar de werklieden zijn er bijna nooit. Ik ontdek nog iets anders dat de Italiaanse werkethiek aantast. De werkende Italiaan, de gemiddelde kleine zakenman, wil minder uit zijn leven halen, uit zijn verdienende leven, dan veel andere Europeanen in een vergelijkbare situatie. Wat voor een werkende Italiaan onmisbaar is, dat heeft hij meestal al. Hij wil een leuk huis om in te wonen, of het huren of kopen is maakt hem niet veel uit. Hij wil een auto of een bestelwagen of allebei, maar ze zijn altijd bescheiden. Hij wil zijn gezin op zondag mee uit lunchen nemen, in februari een week met ze naar de bergen en in augustus twee weken naar zee. Op vrijdagmiddag wil hij zijn collega's een lekkere *grappina* uit Friuli aanbieden als het zijn beurt is. Hij heeft liever geld op de bank dan in zijn portemonnee, omdat hij het toch niet uit zou geven. Wat hij nodig heeft kost relatief weinig, dus waarom zou hij langer of harder werken om meer te krijgen als hij zelf vindt dat hij het al goed genoeg heeft?

De Italiaan weet dat snelheid, bijvoorbeeld door ergens een andere afspraak tussen te proppen of dóór te werken om iets af te maken dat hij ook morgen kan afmaken, hem niet meer voldoening zal geven, maar juist minder, omdat zulke belachelijke toeren zijn rituelen doorbreken. Een espresso en een praatje met vrienden komt altijd vóór het installeren van jouw plinten. En omdat jij zo'n fantastisch iemand bent weet hij dat je zijn normen en waarden zou toejuichen. Als hij liever naar een voetbalwedstrijd kijkt dan aan jouw offerte te werken, dan weet hij dat je al had verwacht dat hij dat ook zou doen. Als hij jouw aanbetaling gebruikt om een schuld af te lossen in plaats van materiaal te kopen voor jouw project, dan is dat alleen maar een kwestie van prioriteiten, dan pakt hij eerst aan wat het dringendst is. Uiteindelijk heb jij er profijt van, net als zijn eerdere klanten en later de klanten na jou. Italianen hebben inmiddels meer verstand van geduld dan wie ook. Ze weten dat een paar maanden, een paar jaar uiteindelijk op de een of andere manier geen schaduw zullen werpen op jouw welzijn, en dat evenmin zullen vergroten. De Italiaan begrijpt rimpels in de tijd.

En dan is er het concept service, dat in Italië nooit echt is aangeslagen. Hier is een klantenbestand vaak generaties oud, en in voor- en tegenspoed zullen de aantallen alleen maar stijgen en dalen met het geboorte- en sterftecijfer. In Italië verwijst het woord 'speerpunt' naar de vorm in de atletiek. Met alle vernieuwingen uit de Renaissance konden ze pakweg de komende duizend jaar vooruit. Voorouderlijke inventiviteit is hier voldoende, en maar weinig mensen voelen de behoefte om die te overtreffen. Wie zou het ook maar in zijn hoofd halen om het wiel of een bezem te verbeteren, of het schietlood waarmee wordt gecontroleerd of een muur recht is? Trouwens, als er iets mis gaat kan de Italiaan naar boven kijken en zijn hele stamboom uitschelden dat ze hem hebben zitten tegenwerken. Je kunt het altijd nog gooien op het lot als een snode boekhouder met rood in je jaarrapport gaat zitten strepen. Je *nonna*, oma, en alle anderen hebben trouwens toch meer sympathie voor een kleine misstap dan voor de geur van nieuw geld. Behalve bij sport is de meeste sympathie voorbehouden aan verliezers. Lange tijd is de beroemdheid Fantozzi de onmisbare, onweerstaanbare, goeiige kluns in de Italiaanse film geweest. Zijn identiteit geniet de voorkeur van de werkende Italiaanse man, zelfs van een enkele bankier.

Ambitie is een ziekte in Italië, en niemand wil ermee besmet raken. Tenminste, niemand wil aan anderen laten weten dat ze die hebben. Hij zal je vertellen dat als de engelen en heiligen hadden gewild dat hij rijk was, hij het nu wel was geweest. In Italië zijn werklieden niet minder betrouwbaar, minder efficiënt of geslepener dan werklieden waar dan ook. Het zijn gewoon *Italiaanse* werklieden, die werken volgens een *Italiaans* ritme en houding die volledig acceptabel zijn. Het zijn wij buitenstaanders die dat weigeren te accepteren. Als een Italiaan zogenaamd vol afschuw met zijn ogen rolt over de nonchalante kijk die een andere Italiaan op zijn werkdag heeft, dan schuilt er in die blik ook een soort trots die zegt: 'Goddank zullen sommige dingen nooit veranderen.'

Fernando is dol op de verhalen waarmee ik elke avond thuiskom, mijn gloednieuwe tirades over zijn landgenoten, en hij vertelt zijn eigen standaardverhalen over de gang van zaken in het Italiaanse bankwezen en de briljant geacteerde schijnvertoningen. Hij lacht, maar er blijft een spoortje rancune hangen als hij stil is. Ik vraag hem er niet naar, aangezien hij maar schoorvoetend vrede lijkt te hebben met zijn werk-in-uitvoeringscrises.

Voor de muren en de vloer hebben we grote zwarte en witte marmeren tegels uitgezocht. Fernando wil dat ze recht worden gelegd, terwijl het mij interessant lijkt om er een paar diagonaal te leggen. Ik maak een schets en hij verfrommelt mijn papier en zegt dat het er dan te modern uit komt te zien. Ik sleep hem naar de Accademia en het Correr Museum om hem te laten zien hoe afgezaagd en klassiek diagonaal zwartwit is, en hij stemt toe. Maar hij geeft geen duimbreed toe op de nieuwe wasmachine, die hij op precies dezelfde plek wil hebben als waar de oude stond, en zo de traditie wil voortzetten om er elke keer tegenaan te lopen als je de deur opendoet. Ik wil een van die wonderen van Italiaans design, een wasmachine zo smal als een koffer, opgeborgen in een mooi meubel. Hij zegt dat je in zo'n ding maar twee paar sokken tegelijk kunt wassen, dat een wasbeurt drie uur duurt, dat het totaal onpraktisch is. Ik wil het hebben over vorm in plaats van functie, maar hij zegt dat ik de grote wasmachine net zo mag opdirken als ik al het andere opdirk, dus bestellen we de grote wasmachine.

Ik ben een biografie aan het lezen over Aldo Moro, de Italiaanse premier die in de jaren zestig en ver in de jaren zeventig onder andere een 'historisch compromis' tussen de Kerk en de communisten predikte. Hij riep op tot een *coincidenza* van de deugden autoriteit en hervorming, wat hij noemde 'samenvallende parallellen'. Op en top Italiaans, beschaafd en tegelijkertijd in sociaal en wiskundig opzicht onmogelijk. Elke groepering gaat gewoon rechtdoor naast de andere groepering, en over de kloof tussen beide heen praten ze over de ophanden zijnde coëxistentie, terwijl ze al die tijd weten dat die er nooit zal komen. Net als in een huwelijk.

In heel Venetië bekijk en betast ik liefdevol rollen stof, maar net als alle brave Lidensi moet ik mezelf tevreden stellen met een keuze uit de koopwaar die in de garage naast het laboratorium van de Tappezzeria Giuseppe Mattesco op de Via Dandolo ligt opgehoopt. Het hele assortiment lijkt te bestaan uit pure of glanzende katoen in wit, gebroken wit, roomwit, zachtgeel, of mintgroene pure katoen of geverfde katoen, hoewel er ook wat gebloemde chintz tussen zit, in lila en rood en roze, en een enkele verdwaalde rol meubelstof. Omdat we maar een paar ramen hebben om aan te kleden, en drie meubels waar een hoes overheen moet, wil ik een weelderig satijn-met-fluwelen streepje in kaneel- en bronskleur. Ik wil weten waarom ik niet ergens anders stof kan kopen waarvan Signor Mattesco dan onze gordijnen en hoezen kan maken, en Fernando zegt dat dat komt doordat Mattesco jaren geleden in Treviso een uitpuilende stoffenfabriek had opgekocht, honderden en honderden rollen van dezelfde stoffen, en sindsdien meet en knipt en naait hij voor iedereen op het eiland dezelfde spotgoedkope gordijnen en hoezen. Hij zegt dat zakendoen met Mattesco op Mattesco's voorwaarden een soort plaatselijke verordening is.

Ik vind het een prachtig verhaal maar het blijkt helaas bijna helemaal waar te zijn, dus vind ik het een stuk minder vervelend dat ik nooit door een van mijn buren binnen ben gevraagd. Nu weet ik dat in al die huizen dezelfde witte batisten gordijnen met een rand van wijnrode stippeltjes wapperen. Die probeert Mattesco mij tenminste aan te smeren. Dagenlang keer ik zijn garage ondersteboven, totdat ik een verborgen voorraad ivoorkleurig brokaat vind. Het is zwaar en overdadig en ruikt door en door naar schimmel. Hij is zo blij om van het vergeten spul af te zijn dat hij zegt dat het er na twee dagen zon weer uit is, en dat is ook zo, bijna, tenminste voldoende om het te kunnen gebruiken.

Signora Mattesco is de naaister. Ze heeft een witte huid en wit haar en draagt een smetteloze witte schort, gezeten aan haar naaimachine in de zee van witte stof. Ze ziet eruit als een engel en lijkt beduusd, zelfs verdrietig dat ik geen rand van kleine wijnrode stippeltjes wil.

Er is een bottega aan de San Lio, een werkplaats waar een vader en zoon kloppen en graveren, dunne bladen metaal omtoveren tot kroonluchters, lampen en kandelaars, en de prachtexemplaren oppoetsen met een wollen doek die gedrenkt is in goudverf. We staan door het raam te kijken hoe ze aan het werk zijn en gaan al maandenlang een- of tweemaal in de week voor een praatje naar binnen, voordat we ook maar beginnen te bedenken wat we graag door hen willen laten maken. Zij en wij zijn blij met elkaars gezelschap, en we weten allemaal dat het geen haast heeft om een beslissing te nemen. Venetianen vinden het leuk om bepaalde ontmoetingen zo dun als een wespenvleugel uit te rekken, ze *pian, piano* af te wikkelen. Waarom zou je je haasten, tot iets besluiten voordat ertoe besloten moet worden? Als er maar genoeg tijd voorbijgaat tussen het besluiten en het afmaken kom je er misschien wel achter dat je datgene wat je hebt uitgezocht en dat iemand anders eindelijk af heeft, helemaal niet meer nodig hebt. En wat is er nou leuk aan klaar zijn? Ik begin die Venetianen warempel door te krijgen. Ik blijf denken aan mijn Rapunsel en de Italiaanse waarheid dat niets het waard is om te hebben of te doen als het niet gepaard gaat met pijn en drama. Zonder de rommel en een schreeuwende Fernando met dode-vogelogen zou ik gewoon een badkamer hebben, en geen kamer met muren en vloeren van zwart-wit marmer waar ik met mijn man ga baden bij kaarslicht.

De Biblioteca Marciana, de Nationale Bibliotheek van Venetië, is ook een kamer in mijn huis. Een kamer die goddank niet wordt verbouwd. De bibliotheek is gevestigd in een zestiende-eeuws palazzo dat door Jacopo Sansovino is ontworpen om de Griekse en Latijnse collecties onder te brengen die door kardinaal Bessariono van Trebisond aan Venetië zijn geschonken. Hij staat pal op de hoek van het van stenen vlaggetjes voorziene Molo en het Piazzetta, en kijkt uit op het Dogenpaleis en de San Marco. De dubbele, strenge Ionische en Dorische zuilen van de bibliotheek zijn de buren van de roze en witte gotische arcades en de omfloerste glans van Byzantium aan de andere kant van het Piazzetta, en ze kunnen allemaal goed met elkaar overweg in een soort architectonische affiniteit aan de ingang van het mooiste piazza ter wereld.

Ik heb meer uren doorgebracht in die donkere, plechtige ruimte dan waar ook in Venetië, behalve dan in mijn eigen bed in het appartement of mijn gehuurde bed in Hotel Quattro Fontane. Ik heb er mijn zinnen op gezet om steeds beter Italiaans te leren lezen. Ik heb de magazijnen en archieven leren kennen waar bepaalde manuscripten en collecties zijn opgeslagen, en weet zelfs wat er achter een paar van de gekke deurtjes zit. Omdat ik naar hartelust mag ronddolen tussen de driekwart miljoen boeken heb ik de karakteristieke en genadeloze kou leren kennen die in de herfst en de winter in de zalen hangt, en ik ben gaan houden van de geur van vochtig papier, stof en oude verhalen. Ik weet welke bank minder uitgezakt is dan andere, in welke lampen ook echt een peertje zit, welke schrijftafel binnen het bereik ligt van de warmte van een straalkachel en wie van mijn metgezellen hardop leest, wie slaapt, wie snurkt. Met vallen en opstaan lees ik geschiedenis en apocriefen, kronieken en biografieën en memoires in mijn nieuwe taal, vaak in een archaïsche vorm van mijn nieuwe taal. Bibliothecarissen, Fernando, woordenboeken, mijn eigen nieuwsgierigheid, de wil om me in te beelden dat ik iets kan begrijpen van het oude bewustzijn van Venetië en de Venetianen zijn mijn stimulans.

Op vrijdag ga ik helemaal niet naar de Marciana. Ik schrijf of lees geen woord. Ik ga niet eens naar de markt of naar Do Mori. Ik loop alleen maar rond. Nu ik tot rust ben gekomen geniet ik van de zegen van lange, goudkleurige ochtenden, zonder dat iemand anders ze opeist. Ik kan me de dagen nog herinneren dat als ik een heel uur voor mezelf had, ik het naar me toegraaide en wegrende, en de momenten opschrokte als een schort vol warme vijgen. Nu heb ik de luxe van uur na uur, dus kies ik een buurt uit en verken die zo grondig alsof ik hem net met een potje eenentwintigen heb gewonnen. Ik wandel door het Ghetto en in Canareggio, of ik blijf op het water en ga op een ongebruikelijke plek van boord.

Op een dag koop ik op de Campo Santa Maria Formosa ergens een zak kersen en ga op de trap van de kerk zitten. Het verhaal gaat dat een bisschop uit Oderzo deze kerk stichtte nadat een schitterende vrouw met enorme borsten, *una formosa*, aan hem was verschenen en zei dat hij een kerk moest neerzetten op die plek en waar hij een witte wolk de aarde zag raken. De brave bisschop bouwde acht kerken in Venetië, maar alleen deze is naar de voluptueuze dame genoemd. Ik vind het een mooi verhaal en wil meer weten over de andere zeven kerken. Aan de voet van de barokke klokkentoren van de Santa Maria bevindt zich een groteske, een middeleeuwse *scacciadiavoli*, een duivelsjager. De oude klokkentoren en de nog oudere groteske voelen zich bij elkaar op hun gemak, de heilige en de profane in de zon.

Als het te koud is om de hele dag buiten te blijven vaar ik naar de eilanden, naar Mazzorbo en Burano, of naar San Lazzaro om in de Armeense bibliotheek te zitten, maar ik lees er niet. Ik zit daar voldaan tussen oude manuscripten van Mechitar en het zachte geschuifel van de monniken en denk na. Soms voelt het alsof ik hier altijd al heb gewoond. Ik denk na over wat ik gelezen heb, heb geprobeerd te lezen, heb begrepen, niet helemaal heb begrepen. Ik denk aan de droefenis die Venetië omhult, die vage halfrouw die haar siert. En soms zie ik haar naakt, haar verdrietige masker even losgemaakt, en kijk dan recht in een gezicht dat helemaal niet verdrietig is. En ik begin te begrijpen dat ze datzelfde voor mij heeft gedaan, dat ze *mijn* verdrietige masker heeft losgemaakt, dat zo oud was dat het aanvoelde als een tweede huid.

In mijn boeken kom ik vaak een kleine stroomversnelling van lust tegen, een hele lichte maar; lust is immers een oeroude Venetiaanse drijfveer. Seksuele, sensuele en economische behoeften waren krachten waar la Serenissima op dreef. Toen Venetië net was ontstaan, was ze net zozeer een plek van aankomen, korte verblijven, aan wal gaan als nu. Als ongeëvenaarde korte-verblijfplaats had Venetië een ongrijpbaarheid die ervoor zorgde dat ze een betoverd heiligdom van vermaak bleef. In de vijftiende eeuw waren er bij de stadsbestuurders meer dan veertienduizend vrouwen ingeschreven als erkende en belastingplichtige courtisanes. Elk jaar werd er een boek uitgegeven dat diende als gids voor de gastvrijheid van deze dames. Er stonden korte biografieën in, de familiebanden en sociale betrekkingen, opleiding en scholing in de kunsten en letteren van elke courtisane. Het boek kende aan elk een nummer toe, zodat als de koning van Frankrijk of een Engelse edelman, een soldaat die wachtte op zijn inkwartieringsbiljet voor de volgende kruistocht, een spiegelmaker uit Murano, een Carthager die handelde in nootmuskaat en peper, naar de stad kwam en zijn toevlucht wilde nemen tot vrouwelijk gezelschap, hij een bode kon sturen naar het vaak vorstelijke adres van een dame, en verzoeken om een audiëntie met nummer 203, of 11 884, of 574.

Gingen de zaken van een courtisane wat minder, dan ging ze een middagje wandelen. In een wijde, wapperende crinoline, haar roodblonde haar met edelstenen doorvlochten, haar blanke ongebruinde huid veilig onder een parasol, wandelde ze over het piazza en de *campi*, lonkend naar de een met een diepe buiging, naar de ander door snel met haar waaier te wapperen of vluchtig haar borst te ontbloten. Een Venetiaanse courtisane droeg *zoccoli*, sandalen die op twintig centimeter hoge sokkels of eerder stelten waren bevestigd, en die dienden om haar rokken droog en schoon te houden en haar tegelijkertijd boven het volk te laten uitsteken, haar van anderen te onderscheiden.

De Venetiaanse aristocratie, de handelaren en de geestelijkheid deelden in deze geraffineerde sociale bijstand van deze goddelijke spionnes, die altijd staatsgeheimen bewaarden, zij het maar voor even, en waarheden verkondigden, zij het niet allemaal. Deze vrouwen waren net zo vaak vrouwen en dochters van adel als van een politieagent of steenhouwer. Soms waren het jonge vrouwen die naar een klooster waren gestuurd door hun vader uit de middenstand die een bruidsschat vreesde. Deze onwillige postulantes braken vaak hun geloften met geheime en niet zo geheime strooptochten in die andere, minder kuise zusterschap. Het klooster van San Zaccaria kreeg bekendheid door haar losbandige nonnen, door de samenzweringen en intriges die ze net zo vaak in de wereld hielpen als de schare onwettige kinderen. Ondervraagd door een bisschoppelijk visiteur zou één non ter verdediging hebben aangevoerd dat ze de Kerk eerder een dienst had bewezen dan dat ze ertegen had gezondigd, omdat ze priesters ervoor zou hebben behoed om af te glijden naar de homoseksualiteit, zoveel ze maar kon.

Welke verleidingen de Byzantijnse ziel van de Venetiaan nu ook prikkelen, hij zal ze bewaren voor reizigers en niet voor zijn buren. Er is een *locandiere*, een herbergier van een eenvoudig *pensione* en een osteria met vier tafeltjes, die zijn menu al in geen dertig jaar heeft veranderd. Elke ochtend maakt hij dezelfde vijf of zes authentieke, typisch Venetiaanse gerechten. Eten dat hij op een goede dag niet kwijtraakt zet hij keurig opzij en bewaart het. De volgende dag kookt hij weer, en zet zijn dagelijkse gasten de versgemaakte gerechten voor en serveert de oudere rijst met erwten of pasta met bonen of visstoofpot aan de passanten. Zo krijgt het stel uit Nieuw-Zeeland hetzelfde soort eten als de twee Venetiaanse matrones die naast hen zitten. Alleen heeft het eten van de Nieuw-Zeelanders dat twee of drie dagen oude smaakje waarvoor de locandiere altijd dertig procent meer vraagt dan aan de dames van Sant'Angelo die hij de volgende dag weer ziet. Hij weet dat hij die Nieuw-Zeelanders toch nooit meer ziet, en is Venetië Zelve niet genoeg om hen tevreden te stellen? En wat weten ze nou helemaal van pasta met bonen? Een koopman uit Venetië ziet zichzelf vaak los van zijn product, of het nou vis of glas of hotelkamers zijn. Hij wordt niet groter of kleiner door zijn gladheid, door ordinaire handenvol lires te vragen voor de vis van gisteren, omdat gladheid een andere vorm van vals vertoon is, en vals vertoon is zijn geboorterecht. De prostituerende non, de bedelares met de hermelijnen mantel, de doge die op de dag van zijn kroning een verdrag ondertekende waardoor hij vrijwel machteloos werd, die typisch Venetiaanse vormen van harmonie in mineur hebben plaatsgemaakt voor roekeloze uitingen van coëxistentie, soms in de vorm van 'pan A en pan B' met pasta én bonen.

15
Meneer Kwikzilver is terug

Vroeg op een zaterdagochtend in juli proberen we op de rotsen langs de dam in Alberoni het juiste plekje te vinden voor het ontbijt. Terwijl we palen en emmers en lantaarns en legers straatkatten die de vissers belagen ontwijken, begint Fernando voorzichtig: 'Weet je nog dat ik het erover had om het appartement te verkopen? Ik denk dat we dat moeten doen. Het is vast prachtig als het af is, en Gambara zegt dat onze investering in de renovatie ons aardig wat kan opleveren.' Gambara is de makelaar in Rialto bij wie we eindelijk zijn langsgegaan en die een paar keer is komen kijken naar de vorderingen. We waren het erover eens dat onze bijeenkomst met Gambara een oefening in het vergaren van informatie was, van indrukken en cijfers die we voor later konden opslaan. Is het nu dan al later? Fernando mag mij dan revolutionair vinden, híj is hier de anarchist.

'Wanneer kom jij tot dat soort besluiten? Zit ik altijd aan de andere kant van het water als je die goddelijke invallen hebt?' vraag ik. Ik wilde alleen maar op een rots in de zon zitten, deze kop cappuccino drinken en dit abrikozengebakje eten. 'Hoe *zeker* ben je ervan dat je dit wilt?' vraag ik hem.

'*Sicurissimo*. Honderd procent zeker,' zegt hij, alsof het iets absoluuts is.

'Heb je al bedacht waar je naar een ander huis wilt gaan zoeken?' probeer ik.

'Niet echt,' zegt hij.

'Ik denk dat we moeten kijken naar de buurten die we ons kunnen permitteren en hopen dat we iets vinden wat ons leuk lijkt. Waarschijnlijk Cannaregio of Castello, denk je niet?' vraag ik hem, alsof het voor mij ook al absoluut is.

'Weet je nog dat ik tegen je zei dat ik naar een totaal andere plek zou willen verhuizen als we ons huis zouden verkopen?'

'Natuurlijk. Venetië ís ook totaal anders dan het Lido, en we vinden vast een huis met een tuintje zodat jij rozen kunt kweken, en dan hebben we grote ramen met veel licht en een prachtig uitzicht in plaats van tegen Albani's schotel en de aftandse Fiat van de trol aan te moeten kijken, en kunnen we alles lopend doen in plaats van de helft van ons leven op het water te zitten. Geloof me, Venetië is vast totaal anders.' Ik zeg dit alles heel vlug, alsof ik hem met mijn gepraat de mond snoer, omdat ik niet wil horen wat ik denk dat hij nu gaat zeggen.

'Ik ga weg bij de bank.'

Het is nog erger dan wat ik dacht dat hij ging zeggen. Of is het beter? Nee, het is erger.

'Ik weet niet hoe veel tijd we nog hebben voordat een van ons doodgaat of vreselijk ziek wordt of zoiets, maar al die tijd wil ik samen met jou doorbrengen. Ik wil zijn waar jij bent. Ik kan het gewoon niet meer opbrengen om nog eens tien of twaalf of vijftien jaar in deze baan te stoppen.' Hij is nu heel stil.

'Wat wil je doen?' vraag ik.

'Iets samen. Totnogtoe is dat het enige wat ik weet,' zegt hij.

'Wil je dan niet naar een andere bank worden overgeplaatst?' vraag ik.

'Naar een andere bank? Waarom? Ik ben niet uit op een andere versie van dit bestaan. Wat heb ik eraan om bij een andere bank te gaan werken? Bij elke bank is het hetzelfde. Ik wil bij jou zijn. Ik zal niet meteen morgen opstappen. Ik wacht wel tot we de boel geregeld hebben, zodat we geen schade ondervinden van mijn vertrek. Maar begrijp me alsjeblieft als ik tegen je zeg dat ik er écht wegga,' zegt hij.

'Maar is het huis verkopen niet het laatste wat we moeten

doen in plaats van het eerste? Ik bedoel, als we het huis verkopen, waar moeten we dan naartoe?' wil ik weten.

'Het duurt jaren voor we het appartement hebben verkocht. Gambara zegt dat het heel stil is op de huizenmarkt. Je weet dat alles hier *piano, piano* gaat,' zegt hij zalvend. Alles behalve jij, denk ik. Alles wordt vaag en mijn hart gaat als een razende tekeer, klopt in mijn keel. In een flits denk ik terug aan het appartement in Saint Louis. Ik denk zelfs terug aan Californië. Ik ben hier toch nog maar net aangekomen? Venetië is toch mijn thuis?

'Waarom wil je weg uit Venetië?' fluister ik tegen hem.

'Het is niet zozeer dat ik weg wil uit Venetië, maar meer dat ik ergens anders heen wil. Venetië zal altijd deel van ons uitmaken. Maar ons leven is niet afhankelijk van één plaats. Of van één huis of één baan. Dat heb ik allemaal van jou geleerd. Dat idee van "altijd een beginneling zijn" bevalt me, en nu wil ik er een zijn,' zegt hij. Fernando is nooit echt verhuisd en ik weet niet of hij wel beseft wat daar allemaal bij komt kijken. Het geestelijke aspect, bedoel ik. Heb ik het allemaal te eenvoudig afgeschilderd? Dat doe ik altijd. Tijdens noodweer ben ik altijd blijven glimlachen en koken en mijn haar blijven krullen. In grotten spreek ik mezelf moed in, in duistere tijden zie ik lichtpuntjes, ik weet zelfs iets te maken van gewone bokking. Ziet hij ons door toedoen van mij, de eeuwige optimist, als een stel ondernemende kinderen met appels en koekjes en kaas in een knapzak, op weg om in een goederenwagon te gaan wonen, lintjes door te knippen op de openingsdag van een frisdrankkar?

Mijn rust is niet verankerd in onze nieuwe, gladde muren die binnenkort oker worden geschilderd, net zomin als hij is verankerd in andere muren. Ik weet dat we allemaal watervogels zijn, tijdelijk gehuisvest in paalwoningen op slechts een ademtocht boven een kolkende zee. En die gedachte heb ik altijd even opwindend als beangstigend gevonden. Maar op dit moment voel ik alleen maar die angst. Ik vraag me af in hoeverre mijn rust, als die niet in deze muren is verankerd, dan toch rondwaart in deze zee en deze lagune, en hoeveel er al van is doorgesijpeld in dit ijle, zachtroze licht, hoeveel ervan in deze oriëntaalse nevels hangt. Ik weet het op dit moment gewoon niet. Of wel? Kan ik het ook ditmaal weer allemaal meenemen? Zal heel Venetië een nieuwe kamer van mijn huis worden?

En er is nog een ander aspect van mijn angst, de gedachte aan het vormgeven van die nieuwe periode, een andere manier van leven, iets anders om te doen. De kleine motor die altijd maar doorging. Ben ik de kleine motor die dat nog steeds kan? En als ik het kan, kan hij het dan ook?

Hij krijgt een grote vlakke steen voor ons in het vizier, maakt van zijn trui een kussen voor me en we gaan samen zitten. Ik zit te rillen in de julizon. De warmte ervan is eigenaardig zwak, voelt aan als frisse aprilwarmte, en de zee en de lucht en zijn ogen hebben allemaal dezelfde kleur blauw. Ik voel me ook zwak. Ik denk aan al die taaiheid en neteligheid, aan al zijn gewied en gespit om dit punt te bereiken. 'Hartstikke goed,' zeg ik door mijn rillingen heen. Net zoals je het jonge gezicht kunt zien in iemand die oud is, zo kan ik Fernando's oude in zijn nog jonge gezicht zien. Ik bedenk hoeveel meer ik dan nog van hem zal houden. Ik moet denken aan de vier generaties vrouwen die over de brug liepen op het festival van la Salute. Jonge gezichten in oude gezichten. Oude gezichten in jonge gezichten. Als we echt durven te kijken, dan kunnen we zoveel meer zien.

'De komende twaalf jaar zit er nog geen pensioen in,' zegt hij, alsof ik dat nog niet wist. 'Het is maar een idee,' zegt hij, en ik weet dat hij bedoelt: 'Dat wil ik het allerliefste doen. Vandaag nog.'

We zitten daar op de rots zonder te praten. We zijn zo moe van het niet praten dat we in slaap vallen, en het is al bijna twaalf uur als we wakker worden. We brengen de middag en de avond door met vijftig keer heen en weer lopen van het hotel naar de bouwplek, alsof we niet kunnen beslissen wat de beste omgeving is om na te denken. Soms praten we, maar we zijn vooral stil. Zijn aandeel in het zwijgen maakt duidelijk dat hij er heilig van overtuigd is dat we uit Venetië weg moeten. Ik begrijp alleen nog niets van die dwanggedachte van hem. Kon ik er maar zeker van zijn dat *hij* zijn dwanggedachte begreep. Elkaar vinden heeft ons bijna tegenovergesteld beïnvloed. Het is niet zo dat we helemaal niet dichter naar elkaar toe zijn gegroeid. We zijn alleen maar allebei over de rivier gesprongen en in het bos van de ander beland. Puur O.Henry. Ik, de doler, vol tranen en maïsmeelkruimels, ben een huismus geworden, terwijl hij, de slaper, een zwerver is geworden. Hij zegt van niet. Hij zegt dat we niet van oever zijn verwisseld, we zijn gewoon allebei in de rivier gesprongen. En hij zegt dat ik het alleen maar zat ben om de maan voor hem op te houden. 'Nu heb ik eerder het gevoel dat we gelijken zijn. Als je maar geduld hebt zullen spanningen verdwijnen, scherpe kantjes afvlakken, je zult het zien,' zegt hij zachtjes.

'Goed,' zeg ik tegen hem. Ik zeg dat we doelbewust te werk zullen gaan, de zaken zorgvuldig zullen vormgeven, het lot zullen laten rusten terwijl wij onze eigen boontjes doppen.

'Geduld,' beloven we elkaar.

~

In de laatste dagen van september beginnen de *operai* hun gereedschap en apparaten weg te halen, en laten ons negen maanden puin en een prachtig nieuw appartement na. We scheppen en vegen en boenen, en al snel staat het kleine huis te blinken. Mattesco komt de gordijnen ophangen, en stukje bij beetje brengen we de boel op orde.

Hoewel het nog niet officieel te koop staat is het een springplank geworden, net als mijn huis in Saint Louis, een plek waar we wachten tot we kunnen vertrekken.

We kammen weekbladen en makelaarskrantjes uit waarin nieuwe bedrijven staan aangeboden, en na het eten spreiden we ze uit, lezen ze aan elkaar voor, scheuren, nieten, sorteren, archiveren, gooien weg en lezen dan nog eens de advertenties die we hebben bewaard. Fernando is ervan overtuigd dat we een klein hotelletje moeten zoeken, een landhuis met eindeloos veel kamers, een plek waar we zowel kunnen wonen als werken. 'Maar zie je ons echt als hotelhouders?' vraag ik hem, en liefkoos de krant waarin uitsluitend restaurants staan.

'Ja. Absoluut. Een van ons spreekt Engels, een spreekt Italiaans, en dat is al een pre. Als jij het appartement totaal kunt omtoveren, stel je dan eens voor wat we samen kunnen doen met wat voor bouwval ook, er een gezellig, uitnodigend, romantisch oord van maken, een plek waar reizigers echt het gevoel hebben dat ze thuiskomen. Ik weet dat het in het begin moeilijk zal zijn omdat we alles zelf moeten doen, maar we zijn tenminste met z'n tweeën,' zegt hij tegen me.

Ik wil hem een advertentie laten zien die ik in het restaurantkrantje heb gevonden. Ik begin een aarzelende maar pas gewekte interesse in eten bij hem te bespeuren. Hij heeft al meer zelfvertrouwen als hij iets bestelt in een restaurant en loopt soms 's ochtends van de bank naar Rialto, zodat we samen inkopen kunnen doen voor het avondeten, en zit dan in ons keukentje te kijken wat ik doe met de witte aubergine die hij heeft uitgekozen. Dan haakt hij zijn hoofd over mijn schouder als ik handenvol kleine goudkleurige paddestoeltjes in een pan gooi, ze dichtschroei in zoete boter en kruid met wilde uien die een van de marktkooplieden langs de oever van de rivier de Brenta heeft opgegraven. Fernando zegt dat de paddestoelen ruiken naar het bos waar hij altijd met zijn grootvader ging wandelen. Hij koopt een rozemarijnplant en koestert die als een pasgeboren baby. Toch ben ik bang dat het nog te vroeg is om een gesprek te beginnen over de mogelijkheid dat we in de toekomst zeulen met bouillonketels en onze Wüsthofmessen op geoliede carborundumstenen moeten slijpen. Ik loop wat minder hard van stapel. 'Het is misschien best leuk om gasten de mogelijkheid te bieden om te blijven eten, vind je niet?' vraag ik, een voorzichtig begin.

Maar de Venetiaan hoort me niet. Verdiept in zijn dromen zit hij afstanden te meten op zijn kaarten. Van de eerste naar de tweede knokkel is het honderd kilometer. 'Ik ga elke vrijdag vrij nemen, dan kunnen we vier keer per maand een lang weekend reizen.'

'Hoe kun je dat nou doen?' wil ik weten.

'Wat kunnen ze me maken, me ontslaan? In minder dan tien uur kunnen we bijna elke bestemming in het noorden bereiken,' zegt hij tegen me terwijl hij zijn kromme vinger over Italië laat hollen en springen, alsof het een schaakstuk is.

We lezen over een klein hotel dat te koop staat in Comeglians, aan de van zon verstoken randen van Friuli bij de Oostenrijkse grens, dus gaan we daarnaar op zoek. We hebben afgesproken dat ons werkterrein alles ten noorden van Rome is, dus rijden we duizend meter naar boven, de eenzame rotsvlaktes van Carnia op, waar het op een vrijdag in augustus om twaalf uur niet meer dan 3 graden Celsius is. Het eerste wat me langs de woeste, kronkelende wegen opvalt zijn alle borden waarop *legan de ardere* staat, brandhout. Ik probeer me voor te stellen hoe het hier in februari moet zijn. We zijn verdwaald, dus stoppen we om de weg te vragen bij een sigarettenverkoper die ook meteen de kruidenier, de kaasmaker en de grappastoker is, en die op dit moment een stuk uit een groot wiel harde stinkkaas uit Carnia aan het hakken is. Terwijl hij zijn spiesachtige mes tussen onze hoofden omhoogzwaait zegt hij: '*Sempre dritto*, gewoon rechtdoor.' Een van de weinige dingen die Italianen in elke streek met elkaar gemeen hebben is de manier waarop ze de weg wijzen. Ze zijn het allemaal met elkaar eens dat iedere bestemming te bereiken is via een rechte lijn. Ik begin de zee al te missen.

Er zijn twintig slaapkamers en acht badkamers in het chaletachtige hotel van steen en hout, met aan één kant een bar en aan de andere kant een enorme open haard, rond en laag, met een niet afgeschermde stookplaats – een *fogolar* in het Friuliaanse dialect. Het vuur is uit, maar de rooklucht van het houtvuur van gisteravond komt ons tegemoet.

De signora wil het verkopen, want sinds eind jaren zeventig komt er van de regio en de staat geen steun meer voor wegenbouw, en daarom zijn er geen wegwerkers uit Tolmezzo en Udine en Pordenine meer die in haar twintig bedden slapen, met hun bekerglas grappa rond de *fogolar* komen zitten en tien kilo worst eten, en 's avonds nog eens tien kilo biefstuk en een hele ketel vol polenta die de signora van wit maïsmeel heeft gemaakt en op een dikke houten plank heeft gegoten die vlak bij het vuur staat. Ze zegt dat ze me het recept wel zal geven voor de saus van schapendarmen en rode wijn die zo lekker is bij polenta. Fernando vraagt hoe het met het toerisme staat, en ze zegt dat de mensen meestal in Tolmezzo zelf of daar in de buurt blijven, of in San Daniele del Friuli, dat ze niet veel te zoeken hebben in Comeglians, maar dat de werklieden met een beetje geduld vast terugkomen. '*Vedrai.* Je zult het zien,' zegt ze als we haar gedag zwaaien.

We zijn Verona een beetje aan het verkennen omdat we iets hebben gehoord over een *locanda* met acht kamers die te koop staat in de Via xx Settembre, en als we bij de Bottega del Vino aan een glas Recioto zitten komt een man in whiskykleurig suède, die ons Esperanto heeft zitten afluisteren, zich aan ons voorstellen. Hij zegt dat hij met een paar Amerikaanse vrienden uit eten gaat en nodigt ons ook uit. Hoewel dat in New York heel gewoon zou zijn, is het hier ongekend en opdringerig gedrag, een belediging van de kunstig gewrochte reserve van Verona. Maar we denken er bij een nieuw glas wijn en een inleiding van een halfuur op ons levensverhaal over na, bedanken dan beleefd en wisselen visitekaartjes uit. Als hij vertrekt, vertelt de barman dat onze metgezel een graaf is, een herenboer en kampioen paardrijden met een landgoed in de heuvels van Solferino in Lombardije. 'Leuk,' zeggen we, en gaan naar Al Calmiere om *pastissada* te eten, gerookt paardenvlees gesmoord in tomaten en rode wijn. Terug in Venetië heeft de graaf al iets bij ons ingesproken.

We zijn uitgenodigd om het volgende weekend op zijn landgoed te komen logeren, en we gaan erop in. Hij heeft een achttiende-eeuwse villa met zes vakantiehuisjes en weilanden en schuren verspreid over de stille, zachtglanzende landerijen waar de Gonzaga ooit heer en meester waren. De graaf nodigt ons telkens opnieuw uit. Hij vraagt ons om te komen koken op een ruiter- en jachtweekend als ik dat wil, zegt dat we de markten, de kaasmakers en wijnboeren afgaan, dat we proviand gaan inslaan voor een feest van vier dagen. Ik kijk Fernando aan, die zowel mij als de graaf verrast met een woest, gedecideerd: '*Perché no?* Waarom niet?'

De gasten van de graaf zijn overwegend Engels, met een Duits stel en twee Schotten. Gewassen en met een schort voor rollen Fernando en ik *tortelli* uit tot theeschoteltjesformaat en proppen ze vol met geroosterde pompoen en *amaretti* en plakjes *mostarda.* We laten rundvlees marineren in een oude grijze pot, drenken het in Amarone; we maken boekweitpolenta met gesmoorde kwartel en *risotto alla piloti.* Elke dag besluiten we de lunch met de hiel van een Franciacorta en een dikke, romige punt gorgonzola, besprenkeld met de wilde-tijmhoning van de graaf.

De gasten rijden paard en eten en drinken. Op de derde dag verruilt iedereen behalve de Schotten het paardrijden voor eindeloos lang slapen, enkel onderbroken door het teken dat de lunch klaar is. Het hele gebeuren heeft iets zinnelijks. Als de graaf ons een huis en een lucratieve baan aanbiedt horen we hem aan, maar zeggen dat we uit zijn op ons eigen avontuur en niet op een aandeel in het zijne. Deze paar dagen lijken Fernando meer kracht te hebben gegeven. Hij heeft het over het ontwikkelen van snijtechnieken en wil weten wat het verschil is tussen natuurlijke, in grotten gerijpte gorgonzola en de namaaksoort die vol koperdraad zit om de vorming van de stinkende groene aderen te versnellen. Hij lijkt geïnspireerd. Vooruitgang!

Elke week razen we drie, soms vier dagen over de *autostrada* en kronkelen over bergwegen naar boven en zwenken erlangs naar beneden om via wijngaarden en olijfgaarden, langs tabaksvelden en schaapskooien en zonnebloemen naar de volgende stad, het volgende heuveldorp, het volgende middeleeuwse gehucht te zoeven. We rijden door de Toscaanse heuvels van Botticelli, Leonardo da Vinci en Piero della Francesca, roze zandhellingen bespikkeld met zwarte cipressen, de rode aarde van Siena die net is omgeploegd en ligt te wachten, het verstrooide licht, een aquarelachtig landschap van moerbeien, vijgen, olijven en wijnstokken. Als ik niet naar de zee kan kijken, dan wil ik hiernaar kijken. Maar we kunnen geen huis vinden in Toscane.

We praten met elke makelaar die we kunnen vinden en met iedereen die iets over toerisme weet, met elke fruitverkoper, bakker en kastelein die we tegenkomen. We achtervolgen en beloeren en schaduwen iedereen van wie we denken dat hij ons informatie kan geven. We wuiven boeren van hun tractor, en boven het gebrul van hun motor uit sturen ze ons naar bouwvallen in afgelegen velden. En net als we zo moe zijn en zoveel honger hebben dat we wel kunnen huilen, vinden we een of andere kleine osteria aan de rand van een onverlicht zandpad dat door een korenveld loopt, en krijgen een grote knoedel goudkleurige pasta geserveerd door een dame die dat daar al een halve eeuw lang tweemaal daags uitrolt.

We vinden geen huis, maar we vinden wel een handgemaakt bord waarop staat: '*Oggi cinghiale al buglione.*' We volgen het bord naar een omgebouwde stal en een boerin die ons op een houten bank neerzet, terwijl zij boven een vuur van olijvenhout een wildzwijnsbout braadt met knoflook en tomaten en witte wijn. We eten en drinken met mensen die nog nooit in Venetië of Rome zijn geweest, die nooit ergens anders hebben gewoond dan waar ze geboren zijn. We vinden geen huis, maar we vinden wel een molen in een kastanjebos die draait op een houten scheprad, aangedreven door een beek die al sinds de tijd van de mastodonten stroomt. We ontmoeten druivenkwekers die nog steeds de oogst en de pers vieren met door toortsen verlichte maaltijden tussen de wijnstokken, en olijfboeren die de groen-paars-zwarte, bijna rijpe vruchten met de hand plukken en tussen oeroude stenen persen die worden rondgedraaid door een muilezel. De olie is zo groen als gras en zit vol piepkleine, scherpe belletjes. Hij smaakt naar geroosterde hazelnoten en als de olie over warm, op houtvuur geroosterd brood wordt gegoten met een snufje wit zeezout erover, dan smaakt dat als het enige juiste eten in een perfecte wereld.

Gehavend door onze tochten door regen en hitte en het beklimmen van afgebrokkelde trappen blijven we doorgaan, week in week uit, totdat er meer dan een jaar is verstreken. Nog steeds is er geen hotelletje, geen boerderij die we kunnen ombouwen, geen huis om in te werken, geen huis om in te wonen. Het is kerstavond, en na een van onze tochten zijn we op weg naar Venetië als Fernando van de weg afdraait. 'Heb je zin om in Oostenrijk Kerstmis te gaan vieren?' wil hij weten, terwijl hij naar een van onze zeshonderd landkaarten grijpt.

'Om zes uur kunnen we in Salzburg zijn.' We zijn erop voorbereid; in de achterbak zit altijd een weekendtas. En onze cadeautjes en de tortellini en de kalkoen met de walnootpesto onder zijn vel dan, die in Venetië liggen te wachten? Hij zegt dat we wel de hele week Kerstmis gaan vieren. Ik draag in elk geval nieuwe laarzen en mijn groene fluwelen hoed.

Hij zegt dat er vast sneeuw ligt, en ik zeg: 'We gaan gewoon,' en als we bij Hotel Weisses Rossl aankomen zit er een strijkkwartet *Stille nacht* te spelen voor een kribbe die aan de overkant van de weg is gebouwd. Het sneeuwt.

Fernando had gelijk, denk ik als we na de nachtmis teruglopen naar het hotel. Dit moeten reizen zijn geweest om de volgende fase van ons leven te vinden, maar meer nog zijn het reizen geweest naar het middelpunt. We zijn nu twee jaar getrouwd. Ik probeer me het leven zonder hem te herinneren en het is alsof ik me een oude film probeer te herinneren waarvan ik dacht dat ik hem heb gezien, maar die ik misschien wel nooit heb gezien. Ik vraag of hij het jammer vindt dat we elkaar niet hebben gevonden toen we jonger waren, en hij zegt dat hij me nooit zou hebben herkend toen hij nog jong was. En hij zegt dat hij bovendien te oud was toen hij jong was.

'Voor mij is het net zo,' zeg ik tegen hem, en herinner me dat ik ook zoveel ouder was.

~

We besluiten naar New York te gaan om de kinderen op te zoeken, vrienden te zien. Op de dag voor ons vertrek lopen we door Rialto en zegt Fernando: 'Laten we even langsgaan bij Gambara en zeggen dat hij het appartement in de verkoop moet doen. Misschien moeten we de verandering vanuit een andere hoek aanpakken.' We laten het appartement registreren en gaan naar huis om onze koffers verder in te pakken.

Inpakken en uitpakken is het enige wat we doen. We zijn een reisorganisatie. Mijn geheim voor gerust op reis gaan is alles aantrekken wat ik niet kan missen, en omdat het februari is, is dat eenvoudig. Ik sta net een tweed vest over twee dunne kasjmier truien over een zijden blouse en een lange witte suède rok over een smalle leren broek aan te trekken als

Gambara opbelt om te zeggen dat hij om elf uur langskomt met een mogelijke koper, een Milanees die Giancarlo Maietto heet en voor zijn gepensioneerde vader een huis aan het strand wil kopen. Ik vertel hem dat we om elf uur ergens boven de Tyrrheense Zee zitten, en hij zegt dat we de sleutels achter moeten laten bij de trol en hem de volgende dag vanuit New York moeten bellen.

Maar de volgende dag bellen we hem niet, en de dag daarop ook niet. Op onze derde dag in New York zitten we in Le Quercy aan een bord heerlijke *confit de canard* en aardappelen die donkergoud zijn door een snelle, verhitte flirt met een pint eendenvet. Een fles Vieux Cahors staat binnen handbereik. Fernando zegt dat hij zich schuldig voelt dat hij niet heeft gebeld en wil dat meteen doen, ook al is het in Venetië halfacht 's ochtends. Ik ga helemaal op in de eendenbouten en wijn en door half geloken ogen gebaar ik dat hij maar moet gaan opbellen. Mijn gezicht en handen glanzen van het eendenvet als hij weer bij de tafel komt staan en zegt: 'Giancarlo Maietto heeft zojuist het appartement gekocht.' Ik verruil mijn schone bord voor het zijne, waar nog volop confit op ligt, en blijf dooreten. 'Wat doe je nou? Hoe kun je nou eten als we geen huis hebben om in te wonen?' jengelt hij.

'Ik leef op het moment,' zeg ik tegen hem. 'Ik heb dan misschien geen huis om in te wonen, maar nu heb ik wel deze eend, en voordat jij hem in de verkoop doet ga ik hem opeten. En was jij het trouwens niet die zei dat de verandering misschien uit een andere hoek moest komen? Dat is ook gebeurd. Het komt allemaal goed,' zegt de eeuwige optimist door lippen die zijn gesierd met twee paarsachtige puntjes, de snor van een sensualist, overgehouden aan het vol overgave drinken van Cahors. Meneer Kwikzilver is terug. Zou hij zich altijd blijven verzetten tegen meer dan twee gelukzalige dagen op rij?

Aan het eind van onze eerste week in New York zijn het

bod, het tegenbod en opnieuw het tegenbod uitgebracht en geaccepteerd. Maietto zal maar een fractie minder betalen dan onze schrikbarend hoge vraagprijs. Omdat Gambara wist dat we niet veel haast hadden om het huis te verkopen had hij tegen Fernando gezegd dat hij onmogelijk hoog moest gaan zitten, en dat heeft hij gedaan. Terug in Venetië ontmoeten we Gambara, die ons vertelt dat Maietto er binnen zestig dagen in wil, maar wij vragen om negentig en Maietto gaat akkoord. Op 15 juni vertrekken we. Waarheen moeten we nog zien te ontdekken. We zeggen bij onszelf dat we ijverig moeten zijn, moeten blijven kijken. Mochten we uiteindelijk niets hebben, dan gaan we de spullen opslaan en een gemeubileerd huis huren in Venetië, totdat we precies hebben wat we willen. Dat zeggen we tenminste, maar Fernando zit maar te zuchten en heeft last van allerlei angsten, en op de ochtend dat hij weer aan de slag moet bij de bank vraagt hij of ik mee wil met de vroege boot en met hem naar het werk wil lopen.

We lopen straal langs de bank, alsof hij is vergeten dat die er was, en als hij buiten een van de kasbediendes tegenkomt gooit hij hem de sleutels van de kluis toe en zegt: '*Arrivo subito.* Ik kom zo.'

We lopen de Campo San Bartolomeo af, langs het postkantoor en de Ponte dell'Olio over, en hij zegt geen woord. De Prinses is beeldschoon deze ochtend, kijkt af en toe vluchtig vanachter haar maartsluier. Als ik hem vraag of hij dat ook niet vindt, hoort hij me niet. We gaan bij Zanon naar binnen voor een espresso en lopen dan snel de Ponte San Giovanni Crisostomo over, alsof dat de weg naar de bank is en niet ervandaan. We rennen nu bijna, door de Calle Dolfin en een andere brug over, de Campo Santi Apostoli op, vol kinderen die schreeuwend op weg zijn naar school, en dan via de Campo Santa Sofia de Strada Nuova op. Hij zegt niets totdat we bij de *vicolo* komen die uitkomt op de steiger van het Ca' d'Oro. En dan is het enige wat hij zegt: 'Laten we teruggaan.' We stappen op maar gaan er niet uit bij de volgende halte, waar de bank is, dus ik denk dat we naar huis gaan. In plaats daarvan gaan we van boord bij de Santa Maria del Giglio, en hij zegt: 'Laten we bij Gritti koffie gaan drinken,' alsof het onze gewoonte is om een espresso van tienduizend lire te nemen in het duurste hotel van Venetië.

In de bar gaat hij niet bij me aan het tafeltje zitten, maar legt met een klap een nieuw pakje sigaretten en zijn aansteker neer en vraagt de ober om een cognac. 'Eén cognac, meneer?'

'Ja. Eén maar,' zegt hij, nog steeds staand. Tegen mij zegt hij zachtjes: 'Neem een sigaret, drink dit en wacht hier op me.' Misschien is hij vergeten dat ik niet rook en dat ik liever na het eten cognac drink dan om halftien 's ochtends. In een oogwenk is hij verdwenen. Maar waarnaartoe? Is hij Gambara gaan bellen om te zeggen dat hij de koop moet annuleren? Zou hij dat überhaupt kunnen doen als hij dat wilde?

Er gaat een halfuur, misschien vijfendertig minuten voorbij en hij komt terug. Hij is verdwaasd en ziet eruit alsof hij heeft gehuild. '*Ho fatto.* Ik heb het gedaan. Ik ben naar de Via XXII Marzo gelopen, naar het hoofdkantoor, en de trappen naar het kantoor van de directeur opgeklommen, en ik ben naar binnen gegaan en gaan zitten en heb gezegd dat ik vertrok,' zegt hij, elke stap nagaand om zichzelf ervan te vergewissen dat hij ze allemaal heeft ondernomen. Hoewel hij zijn bella figura altijd onder controle heeft laat hij zich nu gaan in deze pietepeuterige ruimte tussen de bartenders en de conciërge, drie mannen die bier drinken en een vrouw die een dikke sigaar zit te paffen. Hij gaat verder met zijn verhaal. 'En weet je wat Signor d'Angelantonio tegen me zei? Hij zei: "Wilt u uw brief hier schrijven, nu, of hem morgen langsbrengen? *Zoals u wenst.*" "Zoals u wenst," was het enige wat hij te zeggen had na zesentwintig jaar. Nou, ik heb gedaan zoals ik wenste,' zegt hij. Hij vertelt dat hij achter een Olivetti-typemachine was gaan zitten en zijn woede eruit ramde, dat hij hem uit de rollers trok en in drieën vouwde en om een envelop vroeg, die hij richtte aan d'Angelantonio, die nog steeds op een meter afstand achter een bureau stond.

Ik heb geleerd dat die stormen van hem helemaal geen stormen zijn maar alleen maar de laatste snelle flitsen van een onweer die volgen op een langdurige, ziedende overdenking. Fernando's tochten voltrekken zich bijna altijd in stilte en bijna altijd in afzondering. Ik begrijp dat, en toch brengt hij me van mijn stuk. Ik grijp naar de onaangeroerde cognac en probeer de dingen in gedachten op een rijtje te zetten. Ik denk dat het verhaal ongeveer zo gaat. Ik kom naar Venetië en ontmoet een Venetiaan die bij een bank werkt en aan het strand woont. De Venetiaan wordt verliefd op me en komt naar Saint Louis om me ten huwelijk te vragen, vraagt me om mijn huis en mijn werk achter te laten en nog lang en gelukkig met hem verder te leven aan de rand van een klein eilandje in de Adriatische Zee. Ik word ook verliefd en zeg ja, dus ik doe het. De Venetiaan die nu mijn man is besluit dat hij niet langer aan de rand van een klein eilandje in de Adriatische Zee wil wonen of bij een bank wil werken, dus nu hebben hij noch ik een huis of een baan en beginnen we bij het begin. Bizar genoeg vind ik het allemaal best. Alleen die zweepslagachtige manier waarmee hij te werk gaat zit me dwars. Waar is het geduld gebleven? Maar aan de andere kant bevat dit verhaal geen enkele doordachte handeling.

Om tien uur drink zit ik aan de cognac, en ik moet huilen en lachen. Het is weer eens die dubbele dreun van vreugde en schrik tegelijk. Trouwens, wat maakt het uit dat we alles achterstevoren en ondersteboven doen? Binnen tien minuten heb ik mijn richting wel weer gevonden. Toch vraag ik hem: 'Waarom vandaag en waarom zonder dat je erover hebt gepraat?'

'*Sono fatto cosí.* Zo ben ik gewoon,' zegt hij. Hij spreekt zichzelf vrij, ondubbelzinnig, egoïstisch, denk ik. Fernando is een Venetiaan, een zoon van de Prinses. En op hun beider gezichten zien dwaasheid en moed er hetzelfde uit, geruisloos overgaand in het mousselineachtige licht van deze ochtend.

16
Tien rode kaartjes

Terug in het appartement, dat over eenentachtig dagen van die vent Maietto is, nemen we onze knipselmap en een pot thee mee naar het bed dat waarschijnlijk altijd van ons zal zijn. Voor de honderdste keer rekenen we uit wat ons vermogen is, maar er verandert niets. De ontslagpremie van de bank, de opbrengst van het huis, wat er over is van ons spaargeld, nog wat andere activa, en voordat de thee is afgekoeld is onze financiële vergadering afgelopen en liggen we daar en voelen ons ergens opgewonden, maar meer dan wat ook voelen we ons klein. Niet klein als in 'verschrompeld' of 'fragiel', maar als in 'nieuw'. We beginnen mogelijkheden te bekijken waardoor we in economisch opzicht onafhankelijk zijn. We maken ons geen illusies over luxe of comfort. We gaan inderdaad een frisdrankkar openen, maar we weten allebei dat ik die ga draperen in oud damast en de limonade zal inschenken in dunne, kristallen glaasjes.

De tijd begint te dringen. Genadeloos beperken we ons zoekgebied tot een stukje Zuid-Toscane. De zondagochtendregen komt loodrecht naar beneden, de ruitenwissers slaan de maat op een rouwzang. We rijden naar Chianciano, Sarteano, Cetona, en dan een bergweg op waar we nog nooit zijn geweest. We kronkelen steeds verder naar de top vol dennen- en eikenbossen. Het is prachtig. 'Waar gaan we naartoe?' vraagt Fernando, en ik zeg tegen hem dat de kaart het kleine dorpje San Casciano dei Bagni belooft.

'Romeinse baden. Warmwaterbronnen met heilzame werking voor de ogen. Middeleeuwse torens. Aantal inwoners tweehonderd.' Ik lees de gegevens voor met een gemaakte, opgewekte stem. De afdaling is minder bochtig totdat er weer meer bochten komen, tot de laatste, scherpe draai naar links, en dan is opeens alles anders, net zoals het voor de een of de ander of voor ons allebei is geweest op andere momenten in ons leven samen. De weg houdt op en wij zetten de auto stil.

Recht voor ons op een heuvel zien we de dorpstorens uit de mist oprijzen. Het lijkt een oord dat plotseling tevoorschijn is getoverd. Miniatuurhuisjes van opgehoopte stenen, rode Toscaanse daken die glanzen van de regen, wolken die het omhullen, verbergen, totdat de wind alles schoonblaast en we zien dat het allemaal echt is. We laten de auto beneden achter en lopen de helling naar het dorpje op. Een man met één brede, scherpe tand en een donkerblauwe baret zit in de bedrukte stilte van de enige bar op het piazza, roerloos als meubilair. Op onze tenen lopen we naar hem toe en beginnen hem voorzichtig uit te horen.

Hij vertelt ons dat bijna alles in en om het dorp in handen is van twee families, de nazaten van strijdende partijen, middeleeuwse bloedvijanden, en dat we er zeker van kunnen zijn dat geen van beiden ook maar een olijfboom zal verkopen. Hij zegt dat ze overleven door mondjesmaat onroerend goed op te knappen en dan voor lange tijd te verhuren aan kunstenaars, schrijvers, acteurs en verder aan iedereen die bereid is om een hoge prijs te betalen voor Toscaanse eenzaamheid.

Hij lijkt van alles op de hoogte te zijn. Hij is de koster van de San Leonardo, en is nu op weg om een begrafenisstoet van de kerk naar het kerkhof te leiden. '*Infarto*. Hartaanval,' zegt hij tegen ons. 'Gisteren stond Valerio nog op precies dezelfde plek waar u nu staat, en nadat we onze ochtend-grappina hadden gedronken ging hij naar huis en overleed, *poveraccio*, de arme vent. Hij was nog maar zes-entachtig.' Hij zegt dat we met de rouwenden mee kunnen lopen als we dat willen, dat het misschien wel een goede manier is om mensen te leren kennen, maar we slaan het aanbod af.

Als we afscheid nemen raadt hij ons dringend aan om een praatje te maken met de matriarch van een van de leidende families. Een van haar huizen wordt opgeknapt, *un podere*, een boerderij, op de weg naar Celle sul Rigo, een paar meter buiten het dorp. 'Ze is negenentachtig en hartstikke fel,' waarschuwt hij. Als we bij haar op de deur kloppen, gilt ze van twee hoog naar beneden dat ze niets te maken wil hebben met Jehova's getuigen. We zeggen dat we alleen maar Venetianen zijn die op zoek zijn naar een huis. Het dametje, een en al blauw haar en jukbeenderen, aarzelt, maar bij het afscheid weten we bij haar los te peuteren dat een van haar boerderijen inderdaad wordt opgeknapt. Ja, we mogen wel gaan kijken, maar niet vandaag. Nee, het is niet te koop. Ze moet nog bepalen wat de huur wordt, en hebben we enig idee hoeveel mensen uit Rome er al jaren en jaren op wachten om een huis te huren in deze streek? We zeggen dat we alleen maar weten dat dit een prachtig dorpje is, dat we hier graag willen wonen. Kom volgende week maar terug, zegt ze. We wandelen over de weg naar het huis, lopen er telkens opnieuw omheen, op zoek naar redenen om er niet voor te vechten. We kunnen er geen enkele ontdekken.

Het sobere huis, gebouwd van ruw gehouwen stenen en hoger dan dat het breed is, heeft een kale tuin die een eind lager uitkomt op een wei en een schaapskooi, en dan op het paadje dat weer terugslingert naar het dorp. We staan aan de rand van de tuin onder het gewelf van een nog steeds druipende Toscaanse lucht. Er is geen goddelijke openbaring, geen verrukking. Maar we zijn stilletjes betoverd, alsof een fee ons heel lichtjes heeft gekust. We kijken naar het dorp en naar de keten van gele en groene valleien die zich eromheen plooien en verdwijnen tot aan de Cassia, de oude weg naar Rome. Het is een bescheiden optrekje, en misschien wel een fijne plek voor ons om te wonen.

Op de eerste verdieping zit een raam dat op een kier is

opengelaten, dus stap ik van de kleine veranda op een provisorische steiger, til het raampje wat omhoog en tuimel in een badkamer, op een vloer van schreeuwlelijke, pasgelegde paarsbruine tegels. De Venetiaan komt achter me aan naar binnen, en terwijl we ronddwalen zeggen we tegen elkaar dat het als thuis voelt.
Alle zwevende stukjes vallen op hun plaats. Het appartement is echt verkocht. Fernando is echt met pensioen bij de bank. De blauwharige matriarch is akkoord gegaan met een huurtermijn van twee jaar, en we gaan echt in een klein dorpje in Toscane wonen. Hoewel we er begin mei al in mogen, besluiten we alles op ons gemak in te pakken en op 15 juni uit Venetië te vertrekken. Nu de rust is weergekeerd na onze eindeloze drama's willen we gewoon in Venetië *zijn* en dan rustig afscheid van haar nemen.

We houden een begrafenisceremonie voor de wekker, maar toch wordt Fernando elke ochtend precies een halfuur voor zonsopgang wakker. Ik word dan wakker van zijn ongelovige gegrom en al snel staan we allebei naast bed. Ik trek een trui van Aeronautica Militare aan over een stokoud hemdje van Victoria's Secret, schiet een paar laarzen aan. Fernando heeft zelfs in het donker een Ray Ban op, en we stommelen de straat over om te gaan kijken naar de zee en hoe de hemel licht wordt. In onze bizarre uitdossing zijn we de eerste klanten van Maggion, en we nemen ons papieren bordje met warme abrikozen-cornetti en het oude mokkapotje van Bialetti stomend en pruttelend weer mee naar bed. Soms doezelen we nog wat, maar meestal kleden we ons aan en gaan naar de boten.

Fernando neemt overal een kleine gele map mee naartoe, gevuld met artikelen over olijventeelt en zijn ontwerpen voor de broodoven die hij gaat bouwen van de resten van een buitenstookplaats in de tuin in Toscane. In kleine plastic potjes heeft hij twaalf olijvenboompjes van twintig centimeter hoog gepoot, die hij op de westhelling van de tuin wil uitplanten. Hij rekent uit dat als alles redelijk voorspoedig gaat, hij over vijfentwintig jaar voor het eerst kan oogsten, en dat dat één eenderde kop olie zal opleveren. Elke dag pakt hij een kist of doos of koffer in met de koortsachtige opwinding van een jongen die op zomerkamp gaat.

'Ik ben zo opwindend,' zegt hij wel vijftig keer per dag in dat rare Engels van hem. Soms kijk ik naar hem en vraag me dan af hoe hij het zal doen daar op het vasteland achter de frisdrankkar, in plaats van in een palazzo aan de lagune, aan een bureau met een marmeren blad.

'Weet je, we zullen wel arm worden, een tijdje althans,' zeg ik tegen hem.

'We zijn al arm,' helpt hij me herinneren. 'Net als elke te laag gefinancierde onderneming, elk leven waarin te weinig geld voorhanden is moeten we geduld hebben. In groot opzicht. In klein opzicht. Moeilijk. Niet zo moeilijk. Als het ene ons niet lukt, dan zorgen we wel dat iets anders ons lukt.'

Op onze laatste zaterdagochtend zegt hij: 'Laat me eens een stuk van Venetië zien waarvan je denkt dat ik het nog nooit heb gezien.' Dus gaan we per vaporetto naar Zattere. Hoewel we al twee ontbijtjes achter de kiezen hebben, trek ik hem naar binnen bij Nico en bestel drie hazelnootijsjes gedrenkt in espresso. 'Drie? Waarom drie?' wil hij weten. Ik neem gewoon het extra hoorntje en het extra houten spateltje mee en zeg dat hij mee moet komen. We lopen de paar meter naar het Squero San Trovaso, de oudste werkplaats in de hele stad waar nog steeds gondels worden gebouwd en gerepareerd. Ik stel mijn man voor aan Federico Tramontin, een gondelbouwer van de derde generatie die met beide handen de voorsteven van een nieuwe boot staat te schuren, zijn armen helemaal gestrekt. Hij vertelt Fernando dat hij juweliersschuurpapier gebruikt, fijn genoeg om goud glad te schuren. Hij weet dat ik dat al weet. Ik geef hem zijn *gelato* en Fernando en ik gaan aan de zijkant op een plank zitten, roeren en nemen allebei kleine slokjes van het goddelijke drankje. We zeggen iets over het weer en dan nog iets over dat het zo leuk was om samen koffie te drinken. Ik heb nog steeds de leiding als ik Fernando naar een reisbureau met een piepkleine etalage trek waar achter het vuile raam een zelfgemaakt bordje is opgehangen, een oude uitnodiging van Yeats:

Come away, O human child!
To the waters and the wild
With a faery, hand in hand,
For the world's more full of weeping than you can understand.

Ik vertaal de woorden voor Fernando en vertel hem dat toen ik hier tijdens mijn eerste weken in Venetië terechtkwam, ik had gedacht dat het gedicht voor hem was bedoeld, dat *hij* het verdwaalde kind was; maar nu denk ik soms weleens dat *ik* het ben die de weg een beetje kwijt is. Maar wie van ons is dat niet? Wie wil nou niet de hand vasthouden van een fee die meer weet over deze trieste wereld dan wij? Dat is het huwelijk, om beurten het verdwaalde kind zijn, de fee zijn.

Op een andere ochtend gaan de winkels net open als we over de Strada Nuova wandelen. Alles heeft hier een echo. Een man staat te fluiten terwijl hij de stoep voor zijn winkel veegt waar hij rubberen laarzen en visgerei verkoopt, en aan de overkant staat een man gladde paarse aubergines op te poetsen en legt ze in een houten kistje, en hij fluit hetzelfde liedje. Ze vormen een toevallig duet. Het water klotst tegen de *fondamenta*, de kade; klokken, misthoorns, voeten die een brug op of af schuifelen. Alles weerklinkt. Soms denk ik weleens dat Venetië geen heden heeft, dat ze uit louter herinneringen bestaat, de oude en die *aldilà*, in het hiernamaals. Nieuwe herinneringen, oude herinneringen zijn dezelfde in Venetië, hier bestaan er alleen maar toegiften van een transparante pas de deux. *Veni etiam*, kom terug. Een Latijnse uitnodiging waar Venetië volgens sommigen naar is vernoemd. Zelfs de naam is een echo. Welk beeld is het echte? Het weerkaatste beeld? Het beeld dat weerkaatst wordt? Ik raak Fernando's gezicht aan als ik ernaar kijk, weerspiegeld, glinsterend in het kanaal.

'Hoe denk je dat we zijn als we oud zijn?' vraag ik hem.

'Nou, volgens sommigen *zijn* we al oud, dus ik denk dat we dan zijn zoals nu. Maar eigenlijk weet ik niet eens zeker of we wel tijd hebben om echt oud te worden, met al dat beginnen en zo,' zegt hij.

'Denk je dat je Venetië erg zult missen?' vraag ik.

'Ik weet het niet, maar als we het missen om hier te zijn komen we gewoon weer terug, voor een bezoekje,' zegt hij.

'Ik wil elk jaar terugkomen voor het Festa del Redentore,' zeg ik tegen hem.

In 1575 bouwde Palladio de kerk voor de Verlosser op het eiland Giudecca, tegenover San Marco, als dank voor het beëindigen van een eerdere langdurige pestepidemie. En sindsdien hebben de Venetianen elk jaar feestgevierd met hun eigen gewijde jubelzang van zeilen en licht en water. Op een vaste middag in juli komen alle Venetianen die een boot hebben bij elkaar voor de Bacino San Marco, aan het begin van het Canale della Giudecca, en begint het festival. De boten zijn versierd met bloemen en vlaggen en liggen zo dicht naast elkaar in het water dat je een glas wijn kunt doorgeven aan iemand die op de naburige boot zit. Je gooit een trui naar een vriend, een doosje lucifers naar een andere. En als de boten klein genoeg zijn, kan er een plank of oude deur tussen worden gelegd, een geïmproviseerde tafel voor gezamenlijke *aperitivi*.

Het feest van de Redentore is een reünie, waarop de Venetianen zichzelf vieren. Ze zeggen: '*Siamo Veneziani*. Wij zijn Venetianen. Moet je ons eens zien. Moet je eens zien hoe we hebben overleefd. Als herders en boeren hebben we overleefd om vissers en zeelieden te worden die een leven opbouwden waar geen land was. We hebben Goten en Lombarden overleefd, Tataren en Perzen en Turken. De pest en keizers en pausen, die hebben we ook overleefd. En we zijn er nog steeds.'

Alles is een ritueel op de avond van de Verlosser. Als de zon ondergaat, worden er op de voorsteven kaarsen aangestoken, provisorische tafels gedekt en het avondeten geserveerd: pannen vol pasta met bonen geknoopt in linnen handdoeken en gesmoorde lagune-eend gevuld met worstjes, gefrituurde sardientjes en tong in *saor*. Grote mandflessen *Incrocio* Manzoni en Malbec raken in alarmerend tempo leeg, watermeloen wacht af tot middernacht. Het is het festival waarop je ziet dat hersenspinsels en chimaera's echt bestaan, dat vuurwerk net zo normaal is als de sterren, dat het licht dat ze geven een andere kant van de maan is. Iedereen blijft op het water totdat de grote witte en de kleine opgelapte zeilen om een uur of twee als een vermoeide, zegevierende vloot de zachte, vochtige bries inademen en op de klank van mandolines loom, heel loom de lagune op varen, richting het Lido om de zon van de Verlosser te zien opkomen.

'Het is ook mijn festival,' zeg ik tegen Fernando. 'Ik ben net zo Venetiaans als wanneer ik hier geboren zou zijn. Ik ben Venetiaans, Fernando. Ik ben meer Venetiaans dan jij,' zeg ik.

We hadden afgesproken dat het geen snotterig afscheid van Venetië zou worden, maar als ik het bruine plakband over de flappen van de zoveelste doos trek, vraag ik me af hoe Fernando zo luchthartig kan vertrekken. Ik wil niet bij haar weg. Terwijl het me anders altijd zo goed afgaat om het eind van het ene in het begin van het volgende te plooien en te laten overlopen, lijkt me dat nu niet te lukken. Ik herinner me de allereerste keer dat ik wegging uit Venetië. Dat was lang voor mijn leven met de Venetiaan. Sindsdien zijn er zoveel jaren verstreken. Ik was bij dat eerste bezoek maar twee weken gebleven, en omdat ik al als een blok was gevallen, vond ik het vreselijk om weg te gaan. Natuurlijk regende het.

De vroege mist voelt zacht en warm aan op mijn gezicht. De vergulde putti die ik voor mijn kinderen heb gekocht bij Gianni Cavalier en in twaalf bladzijden van La Nuova Venezia *heb gewikkeld zitten veilig in een tasje dat aan mijn pols hangt. Ik trek de nog steeds ellendige koffer achter me aan over de stenen en trappen. Mijn hakken, die zelfverzekerder klikken dan toen ik net aankwam, zijn het enige geluid zo voor de dageraad in de Sottoportego de le Acque. Hoewel het langer lopen is dan naar Rialto, wil ik de boot vanaf San Zaccaria nemen om nog één keer op het piazza te zijn. Verlaten lijkt het, een onbewoond dorp in een zee van tin. Het is prachtig. Ik loop over het Piazzetta, langs de klokkentoren, tussen de zuilen van San Teodoro en de leeuw van San Marco door. Net als ik linksaf ga richting de* Pontile *slaat la Marangona zes droefgeestige slagen. Ik voel de klank al evenzeer op mijn borst als in mijn oren en draai me om om even te kijken en me af te vragen wat het betekent als dat plechtige oude geval voor een vertrek luidt in plaats van voor een aankomst.*

Als ik me omdraai naar de boot is het moeilijk om tranen te onderscheiden van regen. Ik vaar naar de Piazzale Roma, met enkel het spoorbaanpersoneel om me gezelschap te houden. Ervan overtuigd dat ik op de vlucht ben voor een of ander groot verdriet, het eind van een liefde of een afwijzing, betuigen ze me collectief, stilzwijgend hun medeleven. Er is nog geen uur voorbij of ik mis Fiorella en mijn gekke kamertje op de eerste verdieping van haar pensione al. Ze heeft panini ingepakt van brood met een dikke laag boter en de dunne, knapperige kalfskoteletjes die ze de avond tevoren heeft gebakken. Ongeveer elk uur eet ik een van de broodjes, zorg dat ik er zelfs nog een paar heb tijdens de korte vlucht van Venetië naar Milaan en het tweemaal in en uit vliegtuigen stappen, bijna helemaal tot aan huis…

Het is niet zo dat we nooit meer terugkomen, verzekert Fernando me. Als de laatste dag aanbreekt gaan we naar de zee en kijken naar de zonsopgang en nemen onze cornetti mee terug naar bed, dat bestaat uit een matras op de vloer nu alle meubelen onderweg zijn naar Toscane. We varen over het water zoals we dat altijd hebben gedaan, en lunchen bij Do Mori en gaan dan in het verste hoekje van Harry's Bar theedrinken. We hebben het over alles wat we moeten doen in San Casciano. We gaan terug naar huis om te rusten, om nog één keer in bad te gaan in de zwart-met-witte marmeren badkamer. Als we ons aankleden spreken we af dat we vanavond niet gaan eten bij een restaurant waar we altijd heen gaan, maar bij Conte Pescaor, een tent achter de Campo San Zulian. We willen een feestmaal van Adriatische vis, en de Venetiaanse jongen met wie ik getrouwd ben vindt dat het laatste goede visrestaurant van Venetië. Op de stoffige, beschutte veranda met zijn streng plastic lampjes nuttigen we een ijskoude Cartizze met *frittura mixta*, gemengde gebakken zeevruchten. We eten gebakken mosselen en gesauteerde jakobsschelpen en aal geroosterd met laurier. De ober ontkurkt een Recioto de Capitelli uit 1990 voor ons, en omdat iemand vlakbij geroosterde messchede zit te eten doen wij dat ook, en dan gebakken hondshaai en een hapje gebakken baars en een gebakken rode snapper. Het is tien voor een 's nachts als we de slaperige obers *buona notte* wensen. Langzaam lopen we richting de San Marco.

Na middernacht varen de boten maar eens in het anderhalve uur. We hebben de tijd. Ik zit in amazone op de rug van de roze marmeren leeuw op het Piazzetta. 'Wij gaan meer veranderen dan zij,' zeg ik tegen hem. 'Als we terugkomen, al is het volgende week, dan zal niets meer zo voelen als het op dit moment voelt. Ik ben hier nu langer dan duizend dagen.' Duizend dagen. Een minuut. Een oogwenk. Net als het leven, denk ik. Ik hoor haar fluisteren: *Pak mijn hand en word jong met mij; haast je niet, wees een beginner, vlecht parels in je haar, kweek aardappelen, steek de kaarsen aan, houd het vuur brandende, durf iemand lief te hebben, vertel jezelf de waar-*

heid, verbreek de betovering niet. Hij helpt me uit mijn zadel. Het is tijd om te gaan. Ik wil niet weg. Ik voel me net als toen ik zeven of acht was, toen we een paar avonden achter elkaar met oom Charlie naar de kermis gingen. Hij legde altijd tien rode kaartjes in mijn geopende hand en hielp me op het zwarte paard met de zilveren vlekken. En telkens wanneer de muziek vertraagde en krakerig begon te klinken en mijn paard tot stilstand kwam scheurde ik een kaartje af alsof ik een stukje van mijn hart afscheurde, en gaf het aan de draaimolenman. Dan hield ik mijn adem in en vertrokken we eindelijk weer, eindeloos in de rondte.

Ik heb mijn tien kaartjes altijd achter elkaar opgemaakt. Daar op dat zwarte paard met de zilveren vlekken was ik een koene ruiter, galoppeerde hard en snel, sprong over water en door donkere bossen, op weg naar het huis met de gouden ramen. Ik wist dat ze daar op me zouden wachten. Ik wist gewoon dat ze daar bij de deur zouden staan en me mee naar binnen zouden nemen en er zou vuur zijn en kaarsen en warm brood en lekkere soep en we zouden samen eten en lachen. Dan zouden ze me mee naar boven naar mijn eigen bed nemen en me stevig instoppen tussen de zachte lakens; ze zouden me wel een miljoen kusjes geven en voor me zingen totdat ik in slaap viel, en telkens tegen me zeggen dat ze altijd van me zouden houden, voor altijd. Maar tien kaartjes waren nooit genoeg om bij het huis met de gouden ramen te komen. Tien rode kaartjes. Duizend dagen. 'Tijd om te gaan,' zei oom Charlie dan als hij me naar beneden tilde.

'Tijd om te gaan,' zegt Fernando. Ik wil haar roepen, maar er komt geen geluid. Ik wil zeggen: *Ik hou van je, haveloze, slechte prinses. Ik hou van je. Nukkige oude Byzantijnse moeder in verstelde rokken, ik hou van je. Parelachtige muze, met je goudgele blos, wat hou ik toch veel van je.* Mijn man, die duizend dagen geleden nog een vreemdeling was, hoort mijn stilte. En hij zegt tegen me: 'Zij houdt ook van jou. Altijd al. En dat zal ze altijd blijven doen.'

17
Gerechten voor een Venetiaan

Porri Gratinati
Preigratin

Toen ik dit gerecht tijdens ons allereerste diner samen in Saint Louis aan de Venetiaan voorzette, zei hij direct tegen me dat hij niet van prei hield. Ik maakte hem wijs dat het sjalot was, en na de maaltijd was zijn bord zo schoon dat ik het nauwelijks hoefde af te wassen. Later, toen ik schuchter bekende dat ik hem prei te eten had gegeven, heeft het maanden geduurd voordat hij me vergaf. Maar nu zoekt hij prei uit op de markt, koopt ze met armladingen tegelijk, zodat we zoveel van dit zalige spul kunnen maken dat we er allebei genoeg aan hebben.

Het gerecht is zo eenvoudig dat ik er nauwelijks een recept van kan geven. Het kan worden gemaakt van prei, sjalotten, uien, of een combinatie daarvan. U kunt het mengsel in afzonderlijke schaaltjes klaarmaken en opdienen als voorgerecht, allemaal met een knapperig korstje bovenop en romig vanbinnen. Maar mijn favoriete manier om *porri gratinati* te eten is een grote schep uit mijn oude, ovale gratineerschaal op een warm bord en met daarop vers gegrild runder- of varkensvlees, zodat de vleessappen erin trekken en de gratin extra smaak geven, en de smaken elkaar versterken.

Ongeveer 12 middelgrote tot grote preien (ongeveer 1,5 kg), alleen de witte delen, in de lengte gehalveerd, grondig afgespoeld en in dunne plakjes gesneden (of 2 pond uien of sjalotten – probeer een mengsel van milde, zoete uien en een paar gele Spaanse zoete uien met een sterke smaak)

4 dl mascarpone
1 theelepel versgeraspte nootmuskaat
1 theelepel peperkorrels, geplet
1 ½ theelepel fijn zeezout
1 dl grappa of wodka
25 g versgeraspte parmezaanse kaas
1 eetlepel boter

Doe de gesneden prei in een grote kom. Roer in een kleinere kom de rest van de ingrediënten, behalve de Parmezaanse kaas en de boter, goed door elkaar. Schep het mascarpone-mengsel door de prei en zorg, met behulp van twee vorken, dat de stukjes prei allemaal met een dun laagje van het mengsel bedekt worden. Doe de prei over in een ovale, met boter ingevette ovenschaal (lengte 30 tot 35 cm) of in zes eenpersoons ovale ovenschaaltjes. Strooi er de parmezaanse kaas overheen, leg er hier en daar een klein klontje boter op en bak de gratin 30 minuten in een op 200°C voorverwarmde oven, tot zich een goudbruine korst heeft gevormd. Reken voor kleine schaaltjes 10 minuten minder.

Voor 6 porties

Tagliatelle con Salsa di Noci Arrostite
Verse pasta met een saus van geroosterde walnoten

Een ander gerecht dat we op onze eerste avond samen in Saint Louis aten. Hiervoor hoefde ik Fernando niet te overreden. Toen hij het op had vroeg hij zelfs of hij '*un altra goccia de salsa*, nog wat saus' mocht hebben. Ik zette een klein schaaltje voor hem neer en hij begon het op broodkorsten te smeren en de kleine liflafjes tussen slokken wijn door op te eten. Ik probeerde het ook, en sindsdien maken we altijd extra saus, die we bij de hand houden voor ander gebruik. Suggesties volgen hieronder.

DE PASTA

Kook 500 g verse tagliatelle, fettucine of andere lintpasta in ruim kokend water met zeezout al dente. Laat de pasta uitlekken en hussel er 3 dl van de volgende saus door. Als er geen verse pasta voorhanden is, gebruik dan gedroogde, ambachtelijk gemaakte pasta.

DE SAUS *(voor ongeveer 4 dl)*

500 g gepelde walnoten, licht geroosterd
½ theelepel gemalen kaneel
versgeraspte nootmuskaat
zeezout
peperkorrels, geplet
0,5 dl olijfolie
0,5 dl slagroom
0,5 dl zoete witte wijn van de late pluk, zoals Vin Santo of Moscato

Hak de walnoten in een keukenmachine met het dubbele stalen mes, tot ze de textuur van heel grof meel hebben (druk een paar keer op de pulseknop en zorg dat de noten niet te fijn worden – iets meer textuur is beter dan te weinig). Doe er de kaneel, nootmuskaat, het zout en de peper bij en druk nog twee of drie keer op de pulseknop om alles te mengen. Roer olijfolie, room en wijn door elkaar en giet dit mengsel geleidelijk door de vulopening bij de gemalen noten, terwijl de machine blijft lopen. Laat de machine draaien tot een geëmulgeerde pasta is ontstaan. Proef en voeg desgewenst extra zout en/of specerijen toe.

Voor 4 porties, als hoofdgerecht.

In più: deze saus is al goddelijk als hij door versgekookte pasta wordt gehusseld, maar biedt nog meer zalige mogelijkheden. Bewaar er wat van in de ijskast en schep een lepel over vers gebraden kip of varkensvlees; smeer het op geroosterd brood en geef dat bij een glas gekoelde witte wijn als voorafje; maak met een lepelvol een eenvoudige groentesoep af of serveer de saus bij gestoomde asperges.

Prugne Addormentate
Slapende pruimen

Dit zoete gerecht, gemaakt van een rest brooddeeg, was een ware ontdekking. Ik zag hoe een bakker in Friuli het voor zijn gezin maakte als ontbijt. Het aardappelbrooddeeg dat als basis wordt gebruikt is ook heerlijk zonder fruit. Het recept is eenvoudig, ook voor koks die niet vaak brood en gebak maken. Het is heerlijk met andere steenvruchten (nectarines, perziken, abrikozen), maar het pruimenbrood is Fernando's favoriet als hij niet lekker in zijn vel zit – niet als hij echt griep heeft of verkouden is, maar als hij genoeg heeft van ingewikkelde gerechten (of ingewikkelde problemen!) en alleen maar gewoon, lekker eten wil dat hem goed doet. Dit kreeg hij als avondeten op de dag dat hij had opgezegd bij de bank. Voor dit pruimenbrood gebruiken we nog steeds de oude, gehavende vorm die met me mee is gereisd van Saint Louis naar Venetië, naar Toscane en nu naar Orvieto.

350 g aardappelbrooddeeg, ongerezen (zie hierna)
8 tot 10 pruimen, gehalveerd en ontpit
200 g donkerbruine basterdsuiker
3 eetlepels koude, ongezouten boter, in stukjes gesneden
1½ dl slagroom gemengd met 0,5 dl grappa

Vet een ronde of vierkante taartvorm van ongeveer 23 cm in en bekleed hem met het deeg. Druk de gehalveerde pruimen met de gesneden kant naar boven in het deeg en strooi er de suiker en de klontjes boter op. Giet er het room-grappamengsel op en bak de koek 20 tot 25 minuten in een op 200°C voorverwarmde oven, tot het brood bruin is, de pruimen heel zacht en sappig zijn en de room en de suiker een gouden korst hebben gevormd.

Voor 6 porties

Pane di Patate
Aardappelbrood

500 g ongeschilde, iets bloemige aardappelen
3½ theelepel (17,5 g) gedroogde gist
1 kg bloem, plus iets extra om het werkvlak mee te bestuiven
1 eetlepel fijn zeezout
1 eetlepel extra vierge olijfolie

Kook de aardappelen in water met wat zeezout tot ze gaar zijn. Laat ze uitlekken en bewaar 4 dl van het kookwater. Laat het kookwater en de aardappelen afkoelen. Pel de aardappelen en prak ze fijn.

Meng in een grote kom bloem, gedroogde gist, aardappelen en zout. Werk er zoveel van het aardappelkookwater door als nodig is om een stevig deeg te krijgen.

Leg het deeg op een met bloem bestoven werkvlak en kneed het tot het satijnzacht en elastisch is – ongeveer 8 minuten. Als het deeg te vochtig is, kneed er dan in kleine beetjes nog wat bloem door, maar niet meer dan 50 g. Leg het deeg in een ingevette kom, dek het af met plasticfolie en een theedoek en laat het rusten en rijzen tot het in volume verdubbeld is – ongeveer een uur. Of snij het deeg in tweeën en gebruik het ene deel om *prugne addormentate* te maken en het andere om er als volgt een brood van te maken.

Sla het deeg terug, kneed het nog even door en vorm er een rond, ietwat afgeplat brood van. Leg er een schone theedoek over en laat het een uur rijzen. Verwarm de oven voor op 200°C. Leg het brood op een met vetvrij papier beklede bakplaat en bak het 35 tot 40 minuten, of tot de korst heel bruin is en het hol klinkt als er op de onderkant wordt geklopt. Let op bij het bakken en zet de oven wat lager als het brood te snel bruin wordt. Laat het brood afkoelen op een rooster.

Voor 2 broden of 2 koeken. Het gerezen deeg of een deel ervan kan worden ingevroren, maar moet volledig ontdooien en opnieuw de tijd krijgen om te rijzen voordat het verder verwerkt kan worden tot brood of pruimenkoek.

Fiori di Zucca Fritti
Gefrituurde Courgettebloemen

Om dit eenvoudige gerecht te maken hoeft u de bloemen alleen maar door een zacht, dun beslag te halen en ze in olie te bakken tot ze goudbruin zijn. Deze bereidingswijze voor de delicate, zoete courgettebloemen is de enige waarbij hun kwetsbaarheid geen geweld wordt aangedaan en ze op beschaafde wijze kunnen worden geconsumeerd. (Een courgettebloem vullen met ricotta, mozzarella of zelfs ansjovis is hetzelfde als een truffel vullen. Nog afgezien van het gebrek aan eerbied dat daaruit spreekt, betekent een toevoeging nauwelijks een verbetering van de bloem in onschuldige staat.)

Dit gerecht kook je niet voor een groot gezelschap. Ten eerste heeft niemand ooit genoeg aan één of twee bloemen;

iedereen wil altijd vijf of meer bloemen hebben, en ze staan altijd bij het fornuis te wachten tot de volgende lading bruin en knapperig is, als een stel puppy's die wachten op iets lekkers. Als de rij te lang is, is het niet leuk meer voor de kok. En ten tweede is het (althans bij ons op de markt) lastig om 's ochtends een boer te vinden die meer dan een paar dozijn bloemen wil verkopen. Dus ook al heb ik dit gerecht weleens voor vier of vijf mensen gemaakt, meestal frituur ik de bloemen alleen voor Fernando en mij. Samen met een fles kurkdroge, bijna bevroren witte wijn, is het op een hete middag in juli onze favoriete lunch.

20 perfecte courgettebloemen
180 g bloem
bier
zeezout naar smaak
arachideolie

Knip eerst met een scherp schaartje de bloemblaadjes in tot de steel, zodat de bloem wijder open gaat. Als de steel nog aan de bloemen zit, knip die dan af. Besprenkel de bloemen met wat water en laat ze opdrogen, met de steel naar boven, de blaadjes uitgespreid als bij een zonnebloem. Klop in een wijde, ondiepe kom de bloem en het bier tot een beslag dat iets dikker is dan slagroom. Roer er een beetje zeezout door. Dek het beslag af en laat het rusten terwijl de olie heet wordt. Gebruik arachideolie – een laag van minstens 8 cm in een pan met een dikke bodem – omdat die olie heter kan worden dan andere oliën zonder dat hij gaat roken. Verhit de olie op een matige vlam, want als de olie te snel heet wordt is hij niet overal even heet en frituren de bloemen niet gelijkmatig. Als de olie heet genoeg is, haal de bloemen dan door het beslag en laat ze een voor een in de olie glijden. Frituur er niet meer dan drie of vier tegelijk. Als ze goudbruin zijn, haal ze dan met een tang uit de olie en leg ze op een stuk absorberend papier. U kunt er wat zeezout overheen malen, of liever nog besprenkelen met in water opgelost zeezout. Denk wat de wijn betreft aan een eenvoudige witte die ijskoud gedronken kan worden, want het is eerder het ijskoude van de wijn dan de wijn zelf die zo lekker is bij de pas gefrituurde, krokante bloemen.

Voor 4 porties

Pappa al Pomodoro
Traditionele Toscaanse tomatenpap

Ik heb de Venetiaan er nooit van kunnen overtuigen hoe heerlijk de gekoelde soep van gele tomaten is, gegarneerd met een paar versgegrilde, met anijs gekruide garnalen die ik voor onze eerste maaltijd in het appartement maakte. Zulke gerechten vond en vindt hij nog altijd te overdreven. Maar telkens wanneer ik hem deze ouderwetse Toscaanse pap voorzet van verse, rijpe tomaten met oud brood en wijn en olijfolie uit de oven, zingt hij een oud kinderliedje: '*Viva la pappa col pomodoro, viva la pappa che è un capolavoro.*' Vrij vertaald betekent dat zoiets als: 'Leve de pap met tomaten, leve de pap die een meesterwerk is.' Als ik het voor de tomatenman op de markt zing, zingt hij altijd mee en vertelt me hoe zijn broers en hij in de Tweede Wereldoorlog tijdens de lange periodes van honger naar dit gerecht hunkerden.

1½ dl extra vierge olijfolie
4 dikke tenen knoflook, gepeld, geplet en fijngehakt
1 grote gele ui, gepeld en fijngehakt
4 grote, zeer rijpe tomaten, gepeld, ontdaan van de zaadjes en gehakt (of twee blikken pruimtomaten van elk 450 g, een beetje geprakt, met het sap)
1,2 liter lekkere runderbouillon, bij voorkeur thuis getrok-

ken, of 1,2 liter water (gebruik in dit geval geen kippenbouillon)
2 dl witte wijn
fijn zeezout en zwarte peper uit de molen
125 g grof brood zonder korst, in stukjes van ongeveer 1 cm geplukt
100 g zojuist geraspte pecorino (desgewenst)
40 g basilicumblaadjes, in stukjes gescheurd (niet gesneden)
½ theelepel rode-wijnazijn van goede kwaliteit

Verhit in een grote soeppan de olijfolie en fruit de knoflook en de ui tot ze glazig zijn. Doe er de tomaten, bouillon of water, wijn, zout en peper bij en laat het mengsel 10 minuten heel zachtjes pruttelen. Doe het brood erbij en houd het nog 2 minuten tegen de kook aan. Haal de pan van het vuur en roer er de pecorino en basilicum door. Zorg dat alles goed gemengd is en laat de pap ten minste een halfuur staan. Roer er de azijn door en serveer de tomatenpap op kamertemperatuur (of warm hem op tot lauw of warm). Schep de pap in diepe soepborden en sprenkel er een beetje groene olijfolie van goede kwaliteit op. Wordt de tomatenpap gekoeld, dan gaat het pure aroma zeker verloren.

Voor 6 porties

Spiedini di Salsiccia e Quaglie Ripiene con Fichi sui Cuscini

Worstspiesjes en kwartels gevuld met vijgen op een bedje

Het was de avond dat we gingen picknicken op de rotsen aan de Adriatische Zee. Toen ik de Venetiaan nonchalant zijn vingers zag aflikken nadat hij zo'n zalig spiesje had verorberd, wist ik dat ik zijn hardnekkige onverschilligheid ten opzichte van avondeten had doorbroken.

Als u dit gerecht wilt meenemen voor een picknick, laat het vlees dan aan de spiesen zitten. Laat ze iets afkoelen en doe ze dan met takjes rozemarijn en salieblaadjes in een vetvrije bruinpapieren zak. Doe de zak stevig dicht en leg hem in een diepe kom, zodat de sappen die er zeker uit zullen lopen worden opgevangen. Als de kwartel en worst afkoelen trekken de kruiden er nog meer in, zodat ze bij kamertemperatuur nog lekkerder zijn dan wanneer ze net van de gril komen. Laat iedereen lekker genieten van de spiesen terwijl u rondgaat met de leverpastei (zie hieronder), de wijn en de servetten.

12 kwartels, schoongemaakt, afgespoeld, drooggedept, met zout en peper bestrooid en gevuld met een paar blaadjes verse salie, een paar rozemarijnnaaldjes en een halve verse zwarte of groene vijg (bewaar de levers voor de pastei)
12 dunne plakken pancetta
12 plakken verse worst met venkel (of een andere milde Italiaanse worst) van 5 cm dik, 5 minuten gepocheerd in water dat tegen de kook aan is, uitgelekt
12 sneden grof volkorenbrood van 2,5 cm dik
1 dl witte wijn
2 eetlepels boter
2 sjalotten, gepeld en fijngehakt

de bewaarde kwartellevers plus 100 g kippenlevers, schoongemaakt en gehakt
2 eetlepels Vin Santo of andere zoete wijn
½ theelepel gemalen piment
zeezout en zwarte peper uit de molen

Wikkel de kwartels elk in een plak pancetta en zet die vast met een cocktailprikker. Rijg de kwartels, de plakken brood en de worst om beurten op 6 spiesen. Gril de spiesen in de oven op een rooster boven de braadslee, zodat het lekkende vet wordt opgevangen. Bedruip de spiesen met witte wijn en draai ze elke 3 tot 4 minuten een kwartslag. Verhit intussen de boter in een pannetje en fruit de sjalotten tot ze glazig zijn. Doe er de gehakte levers bij en fruit ze 3 minuten mee, tot de stukjes aan de buitenkant gekleurd, maar vanbinnen nog roze zijn. Voeg de Vin Santo toe, piment, zout en peper en laat alles nog een minuut bakken. Prak het mengsel tot een grove pasta. (Deze leverpastei kan in grotere hoeveelheden gemaakt worden, bestaande uit alleen kippenlevers of uit een combinatie van kippen-, kwartel-, fazanten- en eendenlevers. Pas de hoeveelheden boter, sjalot, Vin Santo en piment naar verhouding aan. Het is prettig om een potje van deze pastei te hebben staan en er dunne sneden vers geroosterd brood mee te besmeren en als aperitief te serveren.) Als de *spiedini* gaar zijn en u het brood geroosterd hebt, laat de gasten dan het vlees van hun spiesen op warme borden schuiven. Besmeer intussen het geroosterde brood met leverpastei en leg de kwartels op hun bedje van brood.

Voor 6 porties

Zucca al Forno Ripiena con Porcini e Tartufi

Gebakken pompoen gevuld met porcini en truffels

Als de Venetiaan mij had laten koken voor ons huwelijksfeest, dan zou ik deze gevulde pompoen als voorgerecht hebben gegeven. De natuurlijke suikers van de pompoen karameliseren en vermengen zich met de kazen, terwijl de truffels het rijke mengsel met hun geur doordrenken, zodat het geheel bol staat van de sensuele aroma's. Zelfs zonder truffels is dit een spectaculair gerecht. Als er één gerecht is dat u aan uw repertoire moet toevoegen, dan is dit het wel. Eigenlijk is het al een repertoire op zich.

1 grote pompoen of Hubbard squash van 2 tot 2,5 kg, een kap eraf gesneden aan de steelkant, zaden en vezels eruit geschept (bewaar de kap met het steeltje voor later)
3 eetlepels boter
2 grote gele uien, gepeld en fijngehakt
350 g verse wilde paddestoelen (porcini – of cèpes of eekhoorntjesbrood – cantharellen, portobello's) schoongemaakt en indien nodig droog gedept, in dunne plakjes gesneden (of 120 g gedroogd porcini, geweld in 1 dl warm water, bouillon of wijn, uitgelekt en in dunne plakjes gesneden)
2 hele, zwarte truffels uit Norcia (of 2 zwarte truffels uit blik of 100 g zwarte-truffelpasta), desgewenst zeezout
1 theelepel witte peperkorrels uit de molen
675 g mascarpone
350 g emmentaler kaas, geraspt
120 g parmezaanse kaas, geraspt
3 hele eieren, losgeklopt
2 theelepels vers geraspte nootmuskaat
4 eetlepels boter
8 sneden stevig, oudbakken witbrood, zonder korst, in vierkantjes van 2,5 cm gesneden

Laat in een middelgrote braadpan de helft van de boter smelten en fruit de ui en de paddestoelen tot ze zacht zijn en de paddestoelen hun vocht hebben losgelaten (gebruikt u gedroogde paddestoelen, zeef dan het weekvocht en giet dat erbij). Voeg er de in dunne plakjes gesneden truffels of de truffelpasta aan toe en roer goed. Doe er zout en peper bij. Meng in een grote kom alle andere ingrediënten, behalve het brood en de boter, door elkaar. Breng het mengsel royaal op smaak met zout en peper. Klop het met een houten lepel goed door elkaar voordat u er de paddestoelen, uien en truffels doorroert. Laat de rest van de boter smelten in de braadpan en bak de stukjes brood, terwijl u ze voortdurend husselt, tot ze krokant en bruin zijn. Zet de pompoen of squash in een grote, zware ovenschaal of op een bakplaat. Schep een derde van het paddestoelenmengsel in de pompoen, dan de helft van het krokante brood, dan weer een derde van het paddestoelenmengsel, de rest van het brood en ten slotte weer paddestoelen. Leg de kap op de pompoen en zet hem 1½ uur in een op 190°C voorverwarmde oven of tot het pompoenvlees heel zacht is. Zet de pompoen onmiddellijk op tafel, haal de kap eraf en schep porties pompoenvlees en vulling op de borden. Bij dit gerecht hebt u alleen nog een gekoelde, kurkdroge witte wijn nodig.

Voor 8 tot 10 porties

Vitello Brasato con Uve del Vino

Gesmoorde kalfsoesters met wijndruiven

En als ik onze huwelijkslunch had verzorgd, dan zou dit het hoofdgerecht zijn geweest. Een echt herfstmaal vol kleur en verrassing: de druiven, vol en zacht geworden in de wijn en de warme, zurige smaak van het fruit gaan perfect gepaard met het zoete kalfsvlees. Als u niet de pompoen of een ander stevig voorgerecht serveert, geef hier dan aardappelpuree met knoflook bij. Serveert u varkensvlees in plaats van kalfsvlees en rode wijn in plaats van witte wijn, dan krijgt u veel steviger aroma's.

12 kalfsoesters (van ongeveer 120 g elk)
1 theelepel fijn zeezout
3 eetlepels verse rozemarijnnaaldjes, fijngehakt
10 hele tenen knoflook, fijngemaakt
6 eetlepels boter
1 eetlepel extra vierge olijfolie
3 dl droge witte wijn
300 g witte of blauwe wijndruiven (of tafeldruiven)
1 eetlepel 12 jaar gerijpte balsamicoazijn

Dep het vlees droog met keukenpapier en wrijf het in met zout, rozemarijn en knoflook. Verhit de olie en 4 eetlepels van de boter op een matig vuur in een grote braadpan. Leg er, wanneer de boter begint te schuimen, de kalfsoesters in (niet meer tegelijk dan er in de pan passen zonder dat u ze over elkaar heen moet leggen). Bak ze aan alle kanten goudbruin, schep ze uit de pan en houd ze warm terwijl de rest bakt. Blus de pan met de wijn, schraap de aanbaksels van de bodem los en laat de wijn 5 minuten inkoken. Doe de druiven en het bruingebakken kalfsvlees in de pan en zet het vuur laag, zodat de wijn net tegen de kook aan blijft. Smoor het vlees 4 tot 5 minuten, of tot het vlees stevig begint aan te voelen als je er met een vinger op drukt. Laat het vlees niet te gaar worden. Leg de kalfsoesters op een schaal, dek ze losjes af, zodat ze niet gaan 'stomen' en laat ze rusten. Zet het vuur hoog en laat het smoorvocht inkoken tot het dik begint te worden. Haal de pan van het vuur, klop de resterende twee eetlepels boter en de balsamicoazijn door het vocht en giet de saus over het vlees. Maak u niet druk om de druivenpitten, en als u dat wel doet zijn er volop pitloze druiven te koop.

Voor 6 porties

Porcini Brasati con Moscato
Wilde paddestoelen gesmoord in wijn van de late pluk

Van alle gerechten die we hebben gemaakt toen we tijdens de verbouwing in het hotel naast ons appartement logeerden, heeft dit wel de status van een familiestuk gekregen. We maken het altijd en overal klaar als we een mandje porcini weten te ruilen, zoeken, kopen of los te bedelen. Na een succesvolle herfstjacht maken we er zoveel van dat ook de buren ervan kunnen eten en organiseren we hier, op de *piano nobile* aan de Via del Duomo, onze eigen Sagra di Porcini.

5 eetlepels boter
1 eetlepel extra vierge olijfolie
500 g verse wilde paddestoelen (porcini ofwel eekhoorntjesbrood, cantharellen, portobello's), schoongeveegd met een zachte, vochtige doek en in dunne plakjes gesneden
250 g sjalotten, gepeld en fijngehakt
fijn zeezout en zwarte peper uit de molen
2 dl Moscato of andere zoete witte wijn van late pluk
2 dl slagroom
4 tot 5 verse salieblaadjes

Verhit op matig vuur de olijfolie en 3 eetlepels van de boter in een grote braadpan en doe er, wanneer de boter schuimt, de paddestoelen en de sjalotjes in. Hussel goed, zodat alles bedekt wordt met een laagje heet vet. Zet de vlam laag en fruit paddestoelen en sjalotten tot de paddestoelen hun vocht loslaten. Strooi er royaal zout en peper op. Giet de wijn erbij en smoor het mengsel 20 minuten op laag vuur. Praktisch alle wijn en ander vocht moet door de paddestoelen zijn opgenomen. Verhit intussen de slagroom en de salieblaadjes in een pannetje op laag vuur tot tegen de kook aan. Haal het pannetje van het vuur en leg er een deksel op (de room neemt het saliearoma over terwijl de paddestoelen smoren). Zeef de room en gooi de salieblaadjes weg. Giet de gearomatiseerde room bij de paddestoelen en laat het gerecht nog 2 tot 3 minuten op heel zacht vuur staan, zodat de room iets inkookt. Serveer het gerecht direct, terwijl het nog heel heet is, met dunne toost en schenk er gekoelde Moscato bij of de andere wijn die u voor het smoren van de paddestoelen gebruikt hebt.

Voor 4 porties

Sgroppino
Citroenijs met wodka en mousserende wijn

Ik werd al snel dol op dit ijskoude, romige, verslavende besluit van bijna elke lunch of diner dat in een *osteria, trattoria* of *ristorante* in de Veneto wordt geserveerd. Helaas weten ze hier in de heuvels van Umbrië, waar we nu wonen, niet eens wat *sgroppino* is. Toen we in Venetië woonden heb ik deze drank nooit thuis gemaakt, maar na onze verhuizing begon ik uit pure nostalgie te proberen het na te maken. Het is zo licht en glijdt zo lekker naar binnen dat het bijna een goed gevoel geeft om het te drinken, alsof je het dessert voorbij hebt laten gaan en in plaats daarvan een koel drankje neemt. Dit is onze huisversie.

2 dl citroenroomijs of citroenijs
4 tot 6 ijsblokjes
1,2 dl wodka
2 dl mousserende wijn (in de Veneto gebruiken we natuurlijk Prosecco)
geraspte schil van 1 citroen

Doe ijs, ijsblokjes, wodka en wijn in een blender en blijf mixen tot er een dik, romig, nauwelijks vloeibaar mengsel ontstaat. Schenk dat in gekoelde wijnglazen, strooi er citroenschil op en zet er dessertlepels in.

Dankwoord

Het was Sue Pollock die me bij de hand nam en zei: 'Om te beginnen moeten we een heel goede agent voor je vinden.'

En Sue bracht me rechtstreeks naar Rosalie Siegel die mijn leven totaal veranderde, zoals je van alle betoverende mensen kunt verwachten. Rosalie is een Jeanne d'Arc in een Chanelpakje. Ze is een wijze vrouw. Met volharding, toewijding en die zeldzame finesse die haar eigen is stuurde ze mij en mijn verhaal bij. Nu kan ik me geen enkele van mijn verhalen voorstellen zonder aan haar te denken.

Negenduizend kilometer over land en over zee hield Amy Gash me in toom. Ze is niets minder dan een briljante redacteur en heeft me behoed voor een overdaad aan 'zweven, loeren, uitvallen, sieren, oprijzen en dansen'. Ze hielp me een paar oude valkuilen in kaart te brengen, te groeien als schrijver. Iedereen die nog steeds denkt dat redigeren te maken heeft met interpunctie en grammatica moet weten hoeveel meer haar werk inhoudt. Amy vond dit verhaal geweldig en had altijd oog voor hoe ik het vertelde. En als er ergens in deze tekst nog drie bijvoeglijke naamwoorden achter elkaar staan, dan komt dat door mijn koppigheid, een teken van de paar gevechten die Amy me heeft laten winnen.

Dit boek is totstandgekomen door iedere Venetiaan die me de weg heeft gewezen of een geheim heeft verteld, ieder van jullie die Prosecco met me heeft gedronken, me een woord heeft geleerd, te eten heeft gegeven, me heeft omhelsd, gered. En met me heeft gehuild. Jullie zijn een slag apart, een gezelschap dat eerder gezegend dan vervloekt is, en dat ik duizend dagen tussen jullie heb mogen wonen is een prachtige herinnering die zelfs het kleinste zonnestraaltje doet oplichten en me warm houdt.

Tot slot is het niet dat ik me jullie niet kan herinneren, jullie die niet voorkomen op deze bladzijden. Het is niet dat ik goede of minder goede herinneringen aan jullie heb, al naargelang. Maar dit is zo'n klein boek en mijn levensverhaal is zo lang dat dit nu het enige is wat ik kan zeggen.

zen prachtige herinnering die zelfs het kleinste zonnestraaltje doet oplichten en me warm houdt.

Tot slot is het niet dat ik me jullie niet kan herinneren, jullie die niet voorkomen op deze bladzijden. Het is niet dat ik
goede of minder goede herinneringen aan jullie heb, al naar
gelang. Maar dit is zo'n klein boek en mijn levensverhaal is
zo lang dat dit nu het enige is wat ik kan zeggen.

Receptenindex

Fiori di Zucca Fritti (Gefrituurde Courgettebloemen) 223
Pane di Patate (Aardappelbrood) 222
Pappa al Pomodoro
(Traditionele Toscaanse tomatenpap) 225
Porcini Brasati con Moscato
(Wilde paddestoelen gesmoord in wijn van de late pluk) 233
Porri Gratinati (preigratin) 217
Prugne Addormentate (Slapende pruimen) 221
Sgroppino (Citroenijs met wodka en mousserende wijn) 235
Spiedini di Salsiccia e Quaglie Ripiene con Fichi sui Cuscini
(Worstspiesjes en kwartels gevuld met vijgen op
een bedje) 227
Tagliatelle con Salsa di Noci Arrostite
(Verse pasta met een saus van geroosterde walnoten) 219
Vitello Brasato con Uve del Vino
(Gesmoorde kalfsoesters met wijndruiven) 231
Zucca al Forno Ripiena con Porcini e Tartufi
(Gebakken pompoen gevuld met porcini en truffels) 229

– SIRENE LEESTIP –

Marlena de Blasi

DUIZEND DAGEN IN TOSCANE

In het Italiaanse dorp San Casciano dei Bagni ontwikkelen vriendschappen zich tijdens vele gezamenlijke maaltijden. Hier gaan de Amerikaanse chef-kok Marlena de Blasi en haar Venetiaanse echtgenoot Fernando op zoek naar de ingrediënten voor een goed leven.
Het echtpaar heeft Venetië verlaten om op dit plekje – waar Toscane, Umbrië en Lazio samenkomen – te gaan wonen tussen tweehonderd dorpelingen, oeroude olijfgaarden en Etruskische warmwaterbronnen.
Ze nemen hun intrek in een nauwelijks gerenoveerde voormalige stal en raken al snel bevriend met Barlozzo, die zichzelf beschouwt als een soort dorpshoofd. Met hem als gids bezoeken ze seizoensfeesten waar ze proeven van geroosterd landbrood, bedruppeld met versgeperste olijfolie, en ontdekken ze simpele *osterias* waar het diner wordt bereid met wat er die dag is gevangen of geoogst. Barlozzo maakt hen deelgenoot van alles wat hij weet, van oude medicinale drankjes tot Toscaanse boerentradities. Maar hij heeft ook geheimen en één ervan heeft te maken met de mooie Floriana...

'*Duizend dagen in Toscane* is een warmbloedige en oprechte ode aan het leven zelf' *Elle eten*

'Prachtige, sfeervolle, culinaire roman' *NBD/Biblion*

Marlena de Blasi is voormalig chef-kok, journalist, culinair recensent en restaurantcriticus. Ze is de schrijfster van *Duizend dagen in Venetië*, *Vrouwe van het palazzo* en drie boeken over de Italiaanse keuken.

ISBN 978 90 5831 344 7

– SIRENE LEESTIP –

Marlene de Blasi
VROUWE VAN HET PALAZZO

Na haar avonturen in Venetië en vervolgens Toscane neemt chef-kok Marlena de Blasi ons nu mee op een nieuwe reis als ze met haar echtgenoot verhuist naar Orvieto, een oude stad in Umbrië. Ze neemt zich voor om haar nieuwe buren voor zich te winnen door dat te doen wat ze het beste kan: ze kookt zich een plaatsje in hun hart.
Haar zoektocht naar een passend huis – wat uiteindelijk de voormalige balzaal van een vervallen zestiende-eeuws palazzo blijkt te zijn – is een afwisselend romantisch en sensueel, vreugdevol en feestelijk verhaal, rijk aan historie en inlevingsvermogen.
Natuurlijk bevat *Vrouwe van het palazzo* ook recepten!

'Deze romance, inclusief recepten, is om je vingers bij af te likken'
Flair

'Een heerlijk boek, compleet met authentieke Italiaanse gerechten' *Residence*

'Een openhartig en vaak geestig verhaal' *De Smaak van Italië*

Marlena de Blasi werkte als chef-kok en wijnconsulent voordat zij naar Italië verhuisde. Ze publiceerde eerder *Duizend dagen in Venetië*, *Duizend dagen in Toscane* en drie boeken over de Italiaanse keuken.

ISBN 978 90 5831 441 3